Angelina Boerger

Kirmes im Kopf

Angelina Boerger

Kirmes im Kopf

Wie ich als Erwachsene herausfand, dass ich AD(H)S habe

Kiepenheuer & Witsch

MIX
Papier | Fördert gute Waldnutzung
FSC® C014496

15. Auflage 2026

Covergestaltung: FAVORITBUERO, München
Bildnachweis: © Can Stock Photo / Happypictures
Gesetzt aus der Novel Pro
Satz: Wilhelm Vornehm, München
Druck und Bindung: GGP Media GmbH, Pößneck

ISBN 978-3-462-00461-8

Kontaktadresse nach EU-Produktsicherheitsverordnung:
produktsicherheit@kiwi-verlag.de

Für all die wundervoll anders tickenden
Gehirne da draußen

Inhalt

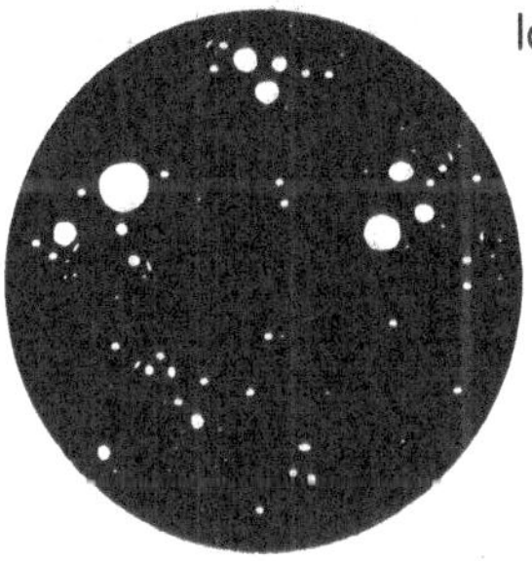

Ich glaube, vielen Menschen ist gar nicht bewusst, wie häufig sie sich einfach auf ihr Gehirn verlassen können. Was für ein Privileg es ist, sich nicht ständig anpassen zu müssen und einfach zu funktionieren.

Meine Freundin Fanny, die mit 25 Jahren ihre ADHS-Diagnose bekam

Tränen laufen mir über das Gesicht. Die glücklichen und die traurigen. All die Anspannungen des letzten Dreivierteljahres lösen sich auf einmal auf und vermischen sich mit pulsierenden Glücksgefühlen. Ich könnte die ganze Welt umarmen. Auch jetzt schießen mir wieder tausend Gedanken durch den Kopf: »Zum Glück hast du das durchgezogen, all der Aufwand hat sich gelohnt!«, »Die Welt muss unbedingt mehr darüber erfahren!«, »Du musst es allen erzählen – mit wem fängst du an?«, »Was ist, wenn sie nicht verstehen, was es für dich bedeutet?«, »Wie wäre wohl dein Leben verlaufen, wenn du diese Info schon vor Jahren bekommen hättest?«, »Was wird sich dadurch verändern, für dich, für dein Umfeld, für dein ganzes weiteres Leben?«

Ein klitzekleines Gefühl der Angst huscht durch meinen Körper. Dann fällt mein Blick wieder auf die sieben rosa Zettel, die ich ganz fest in meiner Hand halte, damit ich sie ja nirgendwo liegen lasse. Und ich muss grinsen. Nein, Angelina, das hier ist keine Erschütterung und kein Todesurteil. Das hier ist der Beweis, es ist eine Genugtuung, eine Chance, eine Aufgabe, die Antwort auf viele deiner Fragen. Es ist nicht das Ende, es ist der Anfang. Ich merke, wie mir wieder ein paar Tränen über die Wangen laufen. Ich fische mein Handy aus den Tiefen meiner chaotischen Handtasche und drücke auf den grünen Hörer: »Schatz? Ich hab' sie. Ich hab' die Diagnose. Hier steht es schwarz auf weiß. Ich hatte recht. Ich habe ADHS.«

1 Welcome to my Brain – Wir haben 24/7 für Sie geöffnet

Ich habe ADHS. Die Abkürzung ADHS steht für Aufmerksamkeitsdefizit-/Hyperaktivitätsstörung. Ich ticke etwas anders und brauche deshalb individuelle Strategien. Ich bin anders belastbar und muss meiner Psyche immer wieder Zeit geben, sich zu regenerieren. Durch die Diagnose habe ich das erkannt und konnte endlich ein bisschen Frieden mit mir selbst schließen. Seitdem habe ich es mir beruflich und privat zur Aufgabe gemacht, über psychische Gesundheit aufzuklären. Denn das Thema muss endlich raus aus der Tabuzone.

Bis heute werden Menschen, die psychische Probleme haben, dafür verurteilt und schnell als schwach oder krank abgestempelt. Vielen von ihnen würde der Gang zum Arzt oder zur Psychotherapeut*in vermutlich leichter fallen, wenn es nicht so viele gesellschaftliche Vorurteile über psychische Erkrankungen gäbe. Wenn ich mit einem gebrochenen Bein zum Arzt oder zu einer Ärztin gehe, würde mich ja auch niemand schief angucken.

Hätte mir damals jemand gesagt, dass ich mich irgendwann in der Zukunft beinahe jeden Tag mit den Themen »Mental Health« und ganz besonders »ADHS im Erwachsenenalter« beschäftigen würde, hätte ich der Person das nicht geglaubt. Mittlerweile ist es aber genau so. Ich verbringe jeden Tag damit, die Aufklärungsarbeit in Deutschland ein Stückchen voranzutreiben: Ich lese mich stundenlang in Studien ein, verfasse mal kürzere und mal längere Texte, halte regelmäßig meinen Alltag mit der Handykamera fest und bespiele meine Social-Media-Kanäle. Ich tausche mich mit anderen aus, frage Fachmenschen für Interviews an, führe Hintergrundgespräche für Radiobeiträge, stelle mich auf Bühnen und vor Kameras, setze mich in Panels, betreibe Networking und entwickele neue Projekte. Ach ja –, und ich habe dieses Buch geschrieben.

Wenn ich Menschen erzähle, dass ich ADHS habe, gibt es ganz unterschiedliche Reaktionen. Es gibt diejenigen, die mir freudig von sich oder Menschen aus ihrem Umfeld erzählen, die auch ADHS haben (die *Verbündeten & Informierten*). Dann sind da die, die mich mit großen Augen anschauen, aber sofort verständnisvoll zuhören und tausend Fragen haben (die *Interessierten*). Ein paar andere schauen mich mitleidig an und verhalten sich eher zurückhaltend. Sie kennen vielleicht im weiteren Umfeld ein Kind, das ebenfalls »an dieser Krankheit leidet« (die *Unsicheren*). Wieder andere heben sofort eine Augenbraue und sagen: »Du? ADHS? Du brauchst doch gar nicht so viel Aufmerksamkeit« oder »Das hätte ich nicht gedacht. Du bist doch gar nicht so hibbelig« (die *Skeptischen*). Und dann gibt es noch die, die aus anderen Gründen skeptisch schauen. Eine armeverschränkende Skepsis, die ausdrücken soll: »ADHS? Das gibt es doch gar nicht! Vor allem nicht bei Erwachsenen ...« (die *Ablehnenden*).

Ungefähr so verhält es sich auch mit dem Wissen über ADHS in unserer Gesellschaft: In den letzten Jahren hat sich die Akzeptanz für ADHS Stück für Stück verbessert, und die Aufklärung macht kleine Schritte in die richtige Richtung. Aber ich spreche hier von Babysteps. Doch trotz der positiven Entwicklung halten sich gewisse Vorurteile nicht nur hartnäckig in unseren Köpfen, sondern auch in der Wissenschaft und vor allem bei denjenigen, die ADHS komplett ablehnen.

Das macht es umso schwieriger, breitflächig aufzuklären und Vorurteile endlich abzubauen. Und genau das soll dieses Buch tun: Es richtet sich nicht nur an Menschen mit ADHS (egal, ob sie eine Diagnose haben oder nicht), an deren Familien, Partner*innen und Freund*innen, sondern an *alle*. Denn auch Menschen mit ADHS sind ganz klar Teil dieser Gesellschaft, auch wenn es ihnen oft sehr schwer, ja sogar fast unmöglich gemacht wird, sich zugehörig zu fühlen. Denn in einer Welt zurechtzukommen, die von Nicht-ADHS-Hirnen entwickelt wurde und ausschließlich an ihnen ausgerichtet ist, ist für Menschen mit ADHS-Hirn eine mitunter sehr anstrengende Aufgabe. Vor allem, wenn die Anpassung unglaubliche Kraft erfordert, aber gleichzeitig der einzige Weg zu sein scheint.

Um diese Situation zu verändern, braucht es nicht nur jede Menge weitere Forschung, sondern auch offene Ohren und offene Herzen. Ich weiß, dass das jetzt sehr pathetisch klingt, aber gerade die (vermeintlich) negativen Seiten, die ADHS mit sich bringt, werden in erster Linie nicht von uns selbst, sondern von anderen definiert: von Eltern, von Lehrer*innen oder Arbeitgeber*innen – und ja, auch von Ärzt*innen und den Medien. Dass jemand mit ADHS in dem System, in dem wir leben, immer wieder aneckt, überrascht nicht. Aber sind es nicht wir als Gesellschaft, die definieren, was richtig oder falsch, gut oder schlecht, »normal« oder »unnormal« ist? Gerade weil das so ist, bin ich davon überzeugt, dass wir auch unsere Einstellung gegenüber Dingen wie psychischen Störungen und Erkrankungen oder mentaler Gesundheit im Allgemeinen verändern können und müssen.

Noch vor Jahrzehnten war es fast undenkbar, dass bekannte Persönlichkeiten in Talkshows sitzen und über ihre Depressionen sprechen. Denn gerade psychische Störungen oder Erkrankungen, aber auch andere Abweichungen von einer scheinbaren Norm wurden und werden bis heute stigmatisiert. Diese Stigmatisierung hat die Menschheit schon zu den wildesten Diagnosen, Therapien, Experimenten und leider auch Gräueltaten bewegt. Es ist noch nicht lange her, da wurden Leben in »lebenswert« und »weniger lebenswert« eingeteilt und diese Einteilungen haben bis heute Spuren hinterlassen. Die Rechte von Menschen, die außerhalb dessen lebten und liebten, was Kirche und Staat zur Norm auserkoren hatten, wurden systematisch eingeschränkt. Und auch Frauenrechte unterlagen die längste Zeit vermeintlichen Naturgesetzen oder medizinischen Prämissen, die erst heute langsam aufbrechen. Wie aktuell die Kämpfe um ein selbstbestimmtes Leben aller Menschen und wie fragil die bisherigen Errungenschaften sind, hat sich nicht zuletzt im Jahr 2022 in den USA gezeigt, als die Abtreibungsrechte in vielen Bundesstaaten massiv eingeschränkt wurden. Diese wenigen Beispiele machen klar, welche unglaublichen Wandel medizinische Erkenntnisse hinter sich haben, wie viel Leid nicht nur von laienhaften Annahmen, sondern auch von vermeintlichem Expertenwissen ausgehen kann und welche gravierenden Auswirkungen zu wenig Erforschung mit sich bringt.

ADHS zählt laut dem Bundesgesundheitsministerium zu den häufigsten psychischen Störungen im Kindes- und Jugendalter. Die große Anzahl an Kindern mit ADHS hat in den letzten Jahrzehnten dafür gesorgt, dass die Forschung und Behandlung von ADHS in dieser Altersgruppe deutlich vorangekommen sind. Doch Erwachsene mit ADHS wurden lange Zeit ausgeklammert und wenig beachtet, viel mehr noch: Ihnen wurde zum Teil ihre Existenz abgesprochen. Auch deswegen herrscht bis heute ein großes Defizit in der Forschung, der Diagnostik und der Behandlung von ADHS im Erwachsenenalter. Aber wie kann so ein Missverhältnis entstehen? Schließlich ist der Übergang vom Jugend- ins Erwachsenenalter doch eigentlich fließend.

Nicht nur Menschen mit ADHS und ihr Umfeld finden bis jetzt keine zufriedenstellende Antwort auf diese Frage. In deutschsprachigen Fachkreisen greift man noch immer auf eher spärliche Studiengrundlagen, Untersuchungen, Beobachtungen und Theorien zurück. Das führt nicht selten dazu, dass Menschen sich mit einem Verdacht nicht sofort an Ärzt*innen oder Therapeut*innen wenden. Vor allem deswegen nicht, weil sie teils monatelang auf einen Platz bei Spezialist*innen warten und sich in der Zwischenzeit viele Informationen auf andere Weise beschaffen, zum Beispiel über Social Media.

Gerade Plattformen wie Instagram und TikTok haben massiv dazu beigetragen, dass sich das Wissen und die Aufklärung über ADHS im Erwachsenenalter verbreiten. Nicht selten, weil Menschen mit ADHS dort über ihre eigenen Erfahrungen und Erkenntnisse berichten und in den direkten Austausch mit anderen gehen können oder Expert*innen die Plattformen nutzen, um über das Thema zu informieren. So werden gleich zwei Fliegen mit einer Klappe geschlagen: Erstens fühlt man sich weniger alleine. Zweitens bieten die zahlreichen Beiträge kompakte Informationen ohne monatelange Wartezeit auf einen Diagnose- und Therapieplatz oder eine nervenaufreibende Odyssee bei diversen Ärzt*innen.

So hilfreich und besonders diese Art des Wissensaustauschs und des Community-Gedankens auch ist, birgt sie natürlich auch einige Gefahren: Im Internet kann beispielsweise in Windeseile ein Video, ein Text oder ein Audiobeitrag veröffentlicht werden, der völlig ungeprüft falsche Wahrheiten verbreitet oder von einem Menschen stammt, der nicht mal eine gesicherte Diagnose vorweisen muss, um sich als »Betroffene*r« zu bezeichnen. Auch die Begriffe »Expert*in« und »Coach« können irreführend oder sogar missbräuchlich verwendet werden, gerade wenn Menschen anfangen, plötzlich auch noch viel Geld für ihre vermeintlichen Tipps zu verlangen.

Trotzdem hat mir die Gründung meines Instagram-Kanals *@kirmesimkopf* gezeigt, wie unglaublich dankbar die mittlerweile gewachsene deutsche ADHS-Community dieses Angebot aus Information, Austausch, Erfahrungsberichten und einer guten Prise Humor annimmt – was mich letztendlich auch dazu bewegt hat, dieses Buch hier zu schreiben. Denn das Bild des kindlichen und überwiegend männlichen »Zappelphilipps« hat endgültig ausgedient: Gerade viele erwachsene Menschen mit ADHS sind daran interessiert, dass weder die Gesellschaft noch die Wissenschaft ADHS als »Kinder- und Jugendkrankheit« abstempeln, die sich spätestens mit Eintritt ins Erwachsenenalter »auswächst«. Unser Wissen und Denken über ADHS sind im Umbruch. Vieles, was jahrzehntelang als gesichert angesehen wurde, hat an Gültigkeit verloren. Trotzdem ist die Erkenntnis, dass auch erwachsene Menschen (immer noch) ADHS haben, noch lange nicht in allen Köpfen angekommen – zu allem Übel nicht mal bei denen, die es betrifft.

Deshalb möchte ich dieses Buch in erster Linie all denen widmen, die sich spätestens nach der Lektüre darin wiederfinden. All denen, die es schon länger vermuten, bei denen der Verdacht bereits im Raum steht oder die schon eine gesicherte Diagnose haben. Es soll all denen Mut machen, die schon immer das Gefühl hatten: irgendwie passe ich da nicht rein, obwohl ich gerne dazugehören würde; irgendwie bekomme ich die Sachen nicht so hin wie andere, obwohl ich mich doch so sehr anstrenge.

Euch möchte ich aus tiefstem Herzen mitgeben: Ihr seid nicht falsch. Ihr seid genau richtig, auch wenn ihr womöglich enorme Schwierigkeiten habt, die sich manchmal sogar unbezwingbar anfühlen. Das macht euch trotzdem nicht zu Fehlern, sondern einfach nur zu einer weiteren Variante menschlicher Vielfalt in einem System, das einfach nicht für Menschen wie uns gemacht ist. Höchste Zeit, das zu ändern.

»Was, DU hast ADHS? Seit wann denn das?«

Wenn Menschen etwas über die Symptome von ADHS erfahren, reagieren sie oft so wie eine Bekannte von mir: »Was? DAS ist ADHS? Dann habe ich das ja auch!« Mal abgesehen davon, dass diese Aussage manchmal ziemlich nervt, ist es gar nicht so unwahrscheinlich: Alleine in Deutschland liegt die Zahl der Erwachsenen mit ADHS laut dem Verein ADHS *Deutschland* e.V. schätzungsweise bei ca. 2,5 Millionen, das sind ungefähr 2,8 Prozent der deutschen Bevölkerung. Doch die tatsächliche

Zahl könnte wegen vieler fehlender Diagnosen weit höher sein – aber dazu später mehr.

Weltweit ist ADHS eine der häufigsten Diagnosen im Kindes- und Jugendalter. In Deutschland schätzt man die Zahl der zwischen 0- bis 17-Jährigen mit ADHS auf ca. 5 Prozent – Tendenz steigend –, wobei Jungen drei- bis viermal häufiger diagnostiziert werden als Mädchen. Das liegt vor allem daran, dass wir immer noch kleine, freche Jungs vor Augen haben, wenn wir an ADHS denken. Ein Bild, das nicht nur falsch ist, sondern das Kindern mit ADHS in keiner Weise gerecht wird. Heute verstehen wir so langsam: Bei vielen Mädchen äußert sich ADHS anders. Ihre Symptome unterscheiden sich, oft fallen sie weniger auf. Das führt dazu, dass Mädchen häufig erst sehr spät oder gar nicht diagnostiziert werden. Was das für gravierende Folgen haben kann, wird im Verlauf dieses Buches hoffentlich klar.

Zwischen meiner Bekannten, die vorschnell schlussfolgerte, sie habe vielleicht auch ADHS, und mir gibt es einen entscheidenden Unterschied: Ich habe nicht nur ab und zu mal einzelne Symptome. Auch nicht phasenweise. Ich habe sie IMMER. Und zwar 24 Stunden, sieben Tage die Woche, und das meistens sehr intensiv oder mit unvorhersehbaren Schwankungen. Deshalb »liebe« ich es auch, wenn ich zum Beispiel von Journalist*innen gefragt werde: »Erzähl doch mal, in welchen Situationen merkst du deine ADHS besonders?« Ich möchte dann am liebsten sagen: »Leute, ADHS ist nichts, was mal da ist und mal nicht.« Ich habe auch keinen Vergleich, weil ich ja überhaupt nicht weiß, wie ein »normales« Gehirn so tickt. Ich lebe, denke, handle und »bin« ADHS, weil es mich nicht ohne gibt, nie ohne gab und wahrscheinlich auch niemals ohne geben wird. Ich kann nur berichten, was mir Menschen ohne

ADHS spiegeln, also wann sie merken, dass ich »anders« ticke. Das ist aber ihre Sicht. Für mich bin *ich* der Normalzustand, und die anderen sind eben »die anderen«, wenn ihr versteht, was ich meine.

Natürlich können auch Menschen mit »normalen« Gehirnen ADHS-typische Eigenschaften haben. Wir kommen ja nicht von einem anderen Planeten und haben lauter andersartige Eigenschaften – auch wenn wir manchmal genau so behandelt werden. Das, was unser Hirn technisch kann, unterscheidet sich nicht wirklich von »durchschnittlichen« Gehirnen. Nur die Art und Weise, *wie* es funktioniert, ist anders. Und das fällt auch nur deshalb auf, weil wir uns ständig miteinander vergleichen. Es kann zum Beispiel sein, dass man mit ADHS genauso oder doppelt so hart an seinen Aufgaben arbeitet wie Menschen ohne ADHS, am Ende des Tages aber nicht einmal die Hälfte erledigt bekommt. Wir können uns auch nicht aussuchen, ob wir uns auf etwas konzentrieren wollen oder nicht. Entweder ist unsere Konzentration maximal aktiv – oder kaum bis gar nicht vorhanden. Das lässt sich nicht wirklich kontrollieren. Und ja, jede*r ist mal verpeilt und verschwitzt einen Termin oder schiebt eine unliebsame Aufgabe lieber noch mal auf. Die meisten haben vielleicht schon mal die Tür hinter sich zugezogen, obwohl der Schlüssel innen steckt, online etwas bestellt, was sie gar nicht brauchen, oder vor lauter Stress vergessen, das Kind aus der Kita abzuholen. Menschen mit ADHS passiert das alles allerdings nicht nur »manchmal«: Wir verschwitzen regelmäßig wichtige Termine, egal, wie fett sie im Kalender stehen oder ob wir darauf ein halbes Jahr gewartet haben. Wir verschieben Aufgaben nicht, wir sind pathologische Prokrastinierende. Wir müssen keinen Schlüsseldienst googeln, wir haben ihn auf der Schnellwahltaste oder – um Kosten zu sparen – irgendwo eine Plastikkarte versteckt, mit der man die Tür öffnen kann. Oder noch besser: einfach einen Ersatzschlüssel beim Nachbarn. Wir bestellen nicht nur alles, was wir gut finden, sondern wir befüllen stundenlang virtuelle Warenkörbe, um sie dann doch nicht zu bestellen, um sie dann doch zu bestellen. Das machen wir so lange, bis wir der Postbotin nicht mehr in die Augen schauen können, was sowieso irgendwann gar nicht mehr möglich ist, weil wir selbst hinter einer »Wall of Kartons« verschwinden. Kartons, die voller gekaufter Sachen sind, die wir, schon wenn sie ankommen, eigentlich gar nicht mehr wollen (Goodbye, Dopamin) und eigentlich zurückschicken müssten, hätten wir nicht schon lange die Frist dafür verpasst. Aber alles halb so schlimm, denn nach dem dritten Waschmaschinendurchlauf riecht die vergessene Wäsche eh so mies, dass sie reif für die Tonne ist und wir wieder Platz für Neues im Schrank haben.

Auch wenn das gerade vielleicht eher eine individuelle Beichte als das allgemeine Verhalten ALLER Menschen mit ADHS ist, hilft es vielleicht, um klarzumachen, wie umfassend die Sache ist. Diese etwas überspitzte Schilderung ist nur ein winzig kleiner Auszug aus meinem Leben und nur die Spitze des Eisbergs. Es gibt Tage, da passiert all das und mehr innerhalb von wenigen Stunden, und es gibt Tage, an denen passiert so gut wie gar nichts davon. Es gibt Tage, da zucke ich mit den Schultern und schüttle nur lachend den Kopf, und es gibt Tage, an denen macht es mich so fertig, dass ich nicht mehr weiß, wie ich das noch eine einzige Sekunde lang ertragen soll.

Denn die ADHS bestimmt meinen Alltag, ganz egal, ob ich will oder nicht. Sie hält mich auf, sie engt mich ein, sie bringt mich in Schwierigkeiten, sie macht mich fertig, sie behindert mich und lässt mich und andere verzweifeln. Aber – und damit würde jetzt vielleicht niemand rechnen – ich würde sie nicht missen wollen. Denn zugleich, und das wird im Laufe dieses

Buches hoffentlich klarer, liebe ich die Brille, durch die ich die Welt sehe, und bestimmte Eigenschaften meiner ADHS machen mich genau zu der Person, die ich bin.

Bevor es richtig losgeht, noch ein paar Dinge über dieses Buch ...

Vorab möchte ich vor allem eines klarmachen: Ja, Menschen mit ADHS haben viele Dinge gemeinsam. Auch die, die noch nichts von ihrer ADHS wissen oder es vielleicht niemals wissen werden. Trotzdem gibt es keine zwei Menschen auf diesem Planeten, die ADHS auf die gleiche Weise erleben. Wie intensiv ihre Symptome sind, welche Strategien sie entwickeln, welche Ressourcen sie zur Verfügung haben, welche weiteren Formen von Diskriminierung sie vielleicht zusätzlich erleben, wie ihr Umfeld damit umgeht, wie die Gesellschaft, in der sie aufwachsen, sie prägt, was sich dadurch für Leidenswege oder einmalige Chancen ergeben, zu welchem Zeitpunkt sie eine Diagnose bekommen und wie ihr Umgang damit ist, ist sehr einzigartig. Deshalb möchte ich schon an dieser Stelle betonen: Das hier ist kein Buch, das universelle Antworten bereithält. Und auch wenn viel Wissenschaft darin steckt und ich mich durch Berge von Studien gewühlt habe, ist es unterm Strich vor allem eines: meine persönliche Geschichte und mein ganz persönlicher Blick auf das Thema ADHS.

Deshalb erhebe ich auch keinerlei Anspruch auf Vollständigkeit. Das könnte ich auch niemals, denn ich bin keine Ärztin, Psychotherapeutin oder Wissenschaftlerin – und selbst viele Expert*innen tappen oft noch im Dunkeln. Deshalb steht auch in fast jeder Studie und Untersuchung zu ADHS (auch in den ganz aktuellen), dass dringend mehr geforscht werden muss. Selbst erste bahnbrechende Ergebnisse der letzten Jahre benötigen häufig noch viel mehr Forschung und Belege, um diese neuen Erkenntnisse ausreichend zu untermauern. Viele ältere Untersuchungen, auf denen heutige Studien basieren, wurden beispielsweise vor allem an weißen Jungen und Männern durchgeführt. Auch deshalb ist über ADHS bei Mädchen und Frauen und die damit verbundenen Gefahren immer noch viel zu wenig bekannt. Und eine noch vielfältigere Forschung jenseits der binären Geschlechterkategorien »männlich« und »weiblich« fehlt bis heute gänzlich. Hier hat die Forschung in den nächsten Jahren also noch viel Arbeit vor sich.

Ich habe versucht, in diesem Buch eine gendergerechte und inklusive Sprache zu nutzen, weil es mir wichtig ist, auch die Menschen sichtbar zu machen, die noch viel zu oft übersehen und nicht mitgedacht werden, obwohl sie existieren. Die genauso viel zu sagen haben wie ich, aber vielleicht nicht gehört werden. Sprachlich ist es dabei manchmal gar nicht so leicht, es so zu machen, dass sich wirklich JEDE*R mit genau dem von mir genutzten Begriff identifizieren kann. Ich hoffe, ihr seht es mir nach, wenn es am Ende nicht genau der Begriff ist, den ihr persönlich für euch wählen würdet.

An all diejenigen, die vielleicht manche der Begriffe zum ersten Mal hören, zum ersten Mal mit Gedanken und Lebensrealitäten bestimmter Menschen konfrontiert werden: Stresst euch nicht. Man kann nicht von heute auf morgen alles wissen und alles richtig machen. Auch nicht als Angehörige*r eines Menschen mit ADHS. Trotzdem gilt für mich, was Alina Buschmann, Beraterin für Inklusion und Antidiskriminierung, auf ihrem Instagram-Account *@dramapproved* schreibt: »Diskriminierung wird oft mit ›böser Absicht‹ in Verbindung gebracht. Wir müssen nicht die Intention haben, Menschen zu verletzen, um diskriminierend zu sein! ›Ich meinte das nicht böse‹, schließt nicht aus, dass eine Aussage oder das eigene Verhalten diskriminierend war.« Aber das Gute ist: Wir haben immer die Möglichkeit, uns zu informieren, dazuzulernen und sensibler zu werden, auch für die Themen, die uns nicht direkt betreffen, auf die wir als Gesellschaft aber einen Einfluss haben. Ob uns das bewusst ist oder nicht.

Ich werde mit diesem Buch auch weder diejenigen zufriedenstellen, die ADHS als »Monster« bezeichnen, noch die, die es als »göttliche Gabe« beschreiben. Und es ist gewiss nichts für diejenigen, die inhaltslos behaupten, ADHS sei eine »Verschwörung der Pharmaindustrie«.

Dieses Buch ist für Menschen, die mehr wissen wollen, für diejenigen, die sich gut informiert mit ADHS auseinandersetzen möchten. Ich bin überzeugt davon, dass vor allem eine Sache für Vorurteile, fehlende Diagnosen und damit häufig verbundene leidvolle Lebenswege sorgt: Unwissenheit. Es ist keine pauschale Ablehnung, die die meisten Menschen dazu verleitet, ADHS als etwas zu sehen, das für »Die Person ist laut, anstrengend, verträumt, verpeilt und hat für alles eine Ausrede« steht. ADHS ist multidimensional und kann von Schulnoten und Beruf über Essgewohnheiten und Sexleben bis hin zu Selbstbewusstsein, dem Kontostand oder der Inneneinrichtung, kurz gesagt das ganze Leben, beeinflussen. Wer das einmal begriffen hat, kann eigentlich gar nicht mehr sagen, ja: nicht mal mehr denken, dass ADHS einfach nur ein Wort ist, um »verhaltensauffällige« Kinder zu beschreiben. Deshalb möchte ich mit diesem Buch auch eine Grundlage für all diejenigen schaffen, die Menschen mit ADHS unbedingt besser verstehen wollen und die sich am Ende vielleicht, ohne jede Vorwarnung, in einigem oder sogar allem selbst wiederfinden. *Kirmes im Kopf* soll einfach ein Buch für Menschen sein, die Vorurteile abbauen wollen, die anderen zuhören möchten und die bereit dafür sind, dass Diversität über das hinausgeht, was wir mit bloßem Auge erkennen können.

2 Faktencheck: Was ist ADHS und woher kommt sie?

Das Interesse an ADHS und allem, was damit zusammenhängt, ist in den letzten Jahren stark gestiegen. Das kommt nicht nur mir so vor, die sich nun schon länger Tag für Tag mit dem Thema beschäftigt, sondern das lässt sich auch mit wenigen Klicks nachweisen.

Start meiner Recherche für dieses Buch ist ein Blick in die Google Trends. Dafür habe ich mir das Suchwort »ADHD« angeschaut, also »ADHS« in der englischen Schreibweise. Google Trends ist ein Onlinedienst, mit dem man recherchieren kann, welche Suchbegriffe von Nutzer*innen der Suchmaschine Google wann und wie oft eingegeben wurden. In den Suchparametern habe ich »weltweit« und den Zeitraum »2004 bis heute« ausgewählt, woraufhin mir die folgenden spannenden Daten angezeigt wurden: Das sogenannte Interesse im zeitlichen Verlauf hat sich vom Wert 48 im Januar 2004 auf den Wert 96 im Juni 2022 verdoppelt. Im März 2022 kletterte der Wert sogar auf 100. Der Wert 100 steht für die höchste Beliebtheit eines Suchbegriffs. Das deckt sich auch mit den Suchanfragen für den Begriff »ADHS« mit dem geografischen Filter »Deutschland«: Lag das Interesse Anfang 2004 noch bei einem Wert von 26, stieg er im März 2022 auf schwindelerregende 96 an. Am häufigsten wurde er tatsächlich in Schleswig-Holstein »gegoogelt«, am wenigsten in Sachsen-Anhalt.

Das Interesse an der Thematik nimmt also nachweislich zu. Die Menschen sind genau wie ich auf der Suche nach Informationen, um vielleicht sich selbst oder jemanden aus ihrem Umfeld besser zu verstehen. Und das Internet ist in diesem Fall ein Segen, denn es hilft dabei, erste Antworten zu bekommen, Hilfe zu finden und sich mit anderen auszutauschen.

Doch ADHS gibt es natürlich schon länger als das Internet, und höchstwahrscheinlich haben sich auch schon Menschen vor der Erfindung des World Wide Web gefragt: »Was ist eigentlich los mit mir? Wieso bin ich anders als andere?« Und sicherlich wurden Menschen auch früher schon von Außenstehenden wegen irgendwelcher ADHS-typischer Eigenschaften belächelt, gedemütigt oder ausgegrenzt. Weshalb wir unweigerlich zu der Frage kommen: »Wer hat's erfunden?«

Eine **kurze** Geschichte der ADHS

An dieser Stelle ergibt es Sinn, ein bisschen tiefer in die Materie einzutauchen. Deshalb geht es jetzt erst mal auf Reisen, und zwar in die Vergangenheit, ein historischer Exkurs sozusagen. Denn um zu verstehen, wieso gerade ADHS im Erwachsenenalter oft sehr spät diagnostiziert wird und wieso es so viele Vorurteile und gegensätzliche Behauptungen gibt, muss man erst einmal verstehen, wie die Entstehungsgeschichte von ADHS als medizinisches Störungsbild ist.

Einige der ersten Beschreibungen von Kindern mit ADHS-typischen Symptomen, wie etwa Hyperaktivität, motorischer Unruhe, Unaufmerksamkeit oder Impulsivität, finden sich nicht in einem medizinischen Fachbuch, sondern in den Dichtungen von Heinrich Hoffmann aus dem 19. Jahrhundert. Später bekannt unter dem Namen *Struwwelpeter* schrieb der deutsche Arzt im Jahr 1844 ursprünglich ein Kinderbuch für seinen Sohn, das in der damaligen Zeit als revolutionär, freigeistig und antimoralistisch galt. Mit dabei: die Geschichte vom »Zappelphilipp«. Darin beschreibt Hoffmann einen Familienkonflikt beim Abendessen, der durch das Verhalten des Sohnes verursacht wird. Der Streit gipfelt darin, dass der Junge zusammen mit dem Tisch samt Essen umfällt. Bis heute habe ich diese Zeile über Philipps Mutter im Kopf, die völlig desinteressiert (oder unaufmerksam?) wirkt, während der Vater sich mächtig ärgert: »Und die Mutter blicket stumm, auf dem ganzen Tisch herum.«

Hoffmanns Buch wird zum weltweiten Kassenschlager und die Bezeichnung »Zappelphilipp« gesellschaftstauglich. Interessanterweise werden in Hoffmanns Geschichten auch andere ADHS-Symptome relativ detailliert beschrieben. In der Erzählung vom »Hanns Guck-in-die-Luft« geht es zum Beispiel um einen Jungen, der verträumt durch die Gegend läuft und beinahe im Fluss ertrinkt. Rückblickend erscheint das ziemlich eindeutig, aber damals war es eben noch nicht klassifizierbar.

Im wissenschaftlichen Kontext wurde ADHS erstmals ausführlicher im Jahr 1902 durch den britischen Professor der Kinderheilkunde George Still beschrieben. Still machte in seiner Praxis als Kinderarzt zwar eine Reihe wichtiger Beobachtungen, aber die, wie er es nennt, »anormalen psychischen Zustände bei Kindern« schreibt er fälschlicherweise einem »moralischen Defekt« zu – eine Annahme, die sich bis heute in abgewandelter Form hartnäckig hält. Wie oft habe ich schon gelesen oder zu hören bekommen, dass zu viel Fernsehen oder eine mangelhafte Erziehung der Grund für die Entwicklung einer ADHS seien. Interessanterweise beobachtete Still 15 Fälle solcher Zustände bei Jungen und nur fünf bei Mädchen. Und auch ihm fällt auf: Das ist »ein Missverhältnis, das nicht ganz zufällig ist«.

Auf Still folgte noch eine Reihe anderer Menschen, die bestimmte Symptome beobachteten und beschrieben, aber auch ihre Forschungen kann man nicht unbedingt als klassische Vorgänger der heutigen ADHS-Diagnostik verstehen. Dafür haben sie zu wenig mit dem uns heute bekannten Gesamtbild zu tun. Viele Forschende sahen die Symptome eher als Begleiterscheinungen anderer Krankheitsbilder, die sie schon kannten, und erkannten darin kein eigenes Störungsbild oder Facette des menschlichen Gehirns. Viele dieser Annahmen haben dazu geführt, dass sich bestimmte Vorurteile, aber auch vermeintlich medizinische Erkenntnisse bis heute festgesetzt haben. Sie sind zum Beispiel der Grund für fehlende Diagnosen bei Mädchen und Frauen und sorgen weiterhin für hartnäckige Stigmata, wie eben für die Erklärung, dass einzelne Dinge wie ein erhöhter Medien- oder Zuckerkonsum ADHS verursachen können.

Die deutschen Ärzte Franz Kramer und Hans Pollnow nennen im Jahr 1932 ihre Beobachtungen von dem, was wir heute ADHS nennen, eine »hyperkinetische Erkrankung im Kindesalter« und gehen davon aus, dass Kopfverletzungen, Geburtsverletzungen oder durch Krankheiten ausgelöste Hirnschäden der Ursprung für »abweichendes Verhalten« sein könnten. Im Jahr 1937 macht der Psychiater Charles Bradley dann eine zufällige Entdeckung: Er verabreicht Kindern das stimulierende amphetaminhaltige Medikament Benzedrin, um ihre Kopfschmerzen zu heilen. Die Folge: eine Reihe erstaunlicher Verhaltensveränderungen, zum Beispiel gesteigerte Konzentration, Motivation oder verbessertes Sozialverhalten. Ein erster Hinweis darauf, welche Wirkung Stimulanzien auf ADHS-Gehirne haben können.

1944 entwickelt der Schweizer Chemiker Leandro Panizzon diesen Gedanken weiter und arbeitet an einer neuartigen Stimulanz mit dem Wirkstoff Methylphenidat, das erst zehn Jahre später auf den Markt kommt. Bei Selbsttests spürt der Pharmazeut keine Wirkung, doch seine Frau Marguerite, Spitzname Rita, spielt nach der Einnahme viel konzentrierter und besser Tennis. Ihr zu Ehren bekommt das Mittel den bis heute verwendeten Markennamen: *Ritalin*.

Doch auch zu dieser Zeit gibt es die Bezeichnung »ADHS« noch nicht, stattdessen entwickelt sich ab 1968 eine neue Bezeichnung: die »hyperkinetische Störung im Kindesalter«. Die damalige Definition: »Die Störung ist gekennzeichnet durch Überaktivität, Unruhe, Ablenkbarkeit und eine kurze Aufmerksamkeitsspanne, insbesondere bei kleinen Kindern, denn das Verhalten nimmt normalerweise im Jugendalter ab.« Die Ursachen der »hyperkinetischen Störung« blieben bis dahin jedoch unerforscht: Noch bis in die späten 60er-Jahre hinein nahm man an, dass minimale Schäden am Gehirn, selbst wenn sie objektiv nicht nachgewiesen werden konnten, hyperaktives Verhalten verursachten. Außerdem tauchte in den 1960er-Jahren zum ersten Mal die Vermutung auf, dass es womöglich auch Gehirne gibt, die zwar genauso funktionieren wie das eines Menschen mit ADHS, aber einen Unterschied aufweisen: Die Hyperaktivität ist kaum oder gar nicht sichtbar – ADS war »geboren«.

Die Vermutung, dass ADHS nicht ausschließlich Kinder betrifft, kam erst in den 1970er-Jahren auf. Erste aufmerksame Therapeut*innen stellten fest, dass die Eltern, die mit ihren Kindern zur Diagnostik kamen, oft von ähnlichen Problemen berichteten und sich in vielem, was für eine Diagnose relevant war, wiedererkannten. Es entstand erstmals der Gedanke, dass ADHS sich vielleicht doch nicht einfach so »verwächst«, sondern in manchen Fällen bis ins Erwachsenenalter bestehen bleiben kann. Doch erst in den 1990ern begann sich die Forschung auch vermehrt der Störung bei Erwachsenen zu widmen. Im Jahr 1994 titelt das TIME-*Magazin*:

> »Desorganisiert? Abgelenkt? Durcheinander? Ärzte sagen, dass Sie *möglicherweise* eine Aufmerksamkeitsdefizitstörung haben. Es sind nicht nur Kinder, die darunter leiden.«

Es ist also quasi erst einen Wimpernschlag her, dass das Thema ADHS bei Erwachsenen Beachtung bekommt. Das merkt man auch in der Gegenwart: Fast 30 Jahre später sind Menschen immer noch jeden Tag aufs Neue erstaunt, wenn sie davon hören.

Auch die Erstellung von Kriterien benötigte ihre Zeit und ist tatsächlich bis heute nicht abgeschlossen. Erst 2008 erfolgte die Übersetzung der *Wender-Reimherr Adult Attention Deficits Disorders Scale* aus dem Jahr 1995 ins Deutsche. Sie dient bis heute als Grundlage für die Erfassung von ADHS-Symptomen bei Erwachsenen. 2013 ging das DSM (*Diagnostic and Statistical Manual of Mental Disorders*), das wichtigste Klassifikationshandbuch der USA für psychiatrische Erkrankungen, erstmals auch auf die ADHS-Symptomatik und Diagnostik bei Erwachsenen ein. Das DSM zählt neben der ICD zu den weltweit bekanntesten Klassifikationshandbüchern, die vor allem psychische Störungen definieren und in denen auch die diagnostischen Kriterien für eine Aufmerksamkeitsdefizit-/Hyperaktivitätsstörung bei Erwachsenen aufgeführt sind. Diese beiden Diagnosekataloge werden immer wieder überarbeitet und angepasst, je nach aktuellem wissenschaftlichem Stand.

Ähnlich wie bei der allgemeinen Forschung zu ADHS im Erwachsenenalter sieht es bei den medikamentösen Therapiemöglichkeiten aus: Bis zum Jahr 2011 erhielten beispielsweise ausschließlich Kinder das Methylphenidat haltige Arzneimittel Ritalin. Erwachsene mit ADHS durften bis dahin nicht mit Ritalin behandelt werden, da das Medikament ausschließlich für Kinder zugelassen war. Inzwischen darf es aber auch Erwachsenen verordnet werden, wenn bei ihnen in der Kindheit ADHS diagnostiziert wurde oder wenn dies durch eine gute Diagnostik auch rückwirkend sichergestellt werden kann.

Diese Jahreszahlen zeigen deutlich, dass zwar schon viele der Symptome bereits vor über 200 Jahren zum ersten Mal beschrieben wurden, die Diagnostik aber noch sehr jung und das Wissen darüber noch lange nicht ausgereift ist.

Ein Relikt aus der **Steinzeit?**

Auch wenn die Aufmerksamkeitsdefizit-/Hyperaktivitätsstörung erst in im letzten Jahrhundert auf wissenschaftliches Interesse gestoßen ist, gibt es Theorien, dass ihre Symptome uns höchstwahrscheinlich schon viel länger begleiten als allgemein angenommen. Der Autor Thom Hartmann veröffentlichte 1997 sein Buch *Attention Deficit Disorder: A Different Perception*, in dem er eine spannende Theorie aufstellt: Lange vor der Industrialisierung, noch bevor sich die Menschheit dem Ackerbau und der Viehzucht widmete, waren unsere Vorfahren Jäger und Sammler. Dieses Leben bedurfte anderer Überlebensfähigkeiten als heute, denn wer zur Jagd ging, musste ständig auf der Hut sein, weil überall Gefahren lauern konnten. Es war von enormer Wichtigkeit, dass die ganze Umgebung permanent »gescannt« wurde, denn jedes Knacken im Gebüsch, jede plötzlich eintretende Veränderung konnten über Leben oder Tod entscheiden. War ein Beutetier oder Feind in Sicht, musste blitzschnell und impulsiv gehandelt werden, damit man weder das Abendessen noch das eigene Leben aufs Spiel setzte. Voller Fokus auf das Hier und Jetzt, alles andere war unwichtig. Und genau zu diesen Vorfahren stellt Thom Hartmann eine Verbindung her.

Er geht davon aus, dass Menschen mit ADHS direkte Nachfahren dieser Jäger und Sammler sind und dass sie deren Fähigkeiten immer noch sehr ausgeprägt in sich tragen. Das Problem: Die Altsteinzeit ist lange vorbei, und viele dieser Fähigkeiten werden entweder nicht mehr gebraucht oder sind in Vergessenheit geraten. Was einst das Überleben unserer Spezies sicherte, wirkt in unserer heutigen Gesellschaft oft wie ein unnötiges Überbleibsel aus grauer Vorzeit. Hartmanns Theorie geht davon aus, dass die Menschen, die wir heute als »normal« bezeichnen würden, keine oder kaum noch Fähigkeiten eines »Jägers« besitzen. Sie haben sich stattdessen dem sesshaften Bauern-Dasein gewidmet – bereit, die oft langen und eintönigen Zeiten zwischen Aussaat und Ernte zu überbrücken und beispielsweise monotoner und körperlich anstrengender Arbeit nachzugehen. Während sie früher wahrscheinlich verhungert oder gefressen worden wären, haben sie im Laufe der Jahrtausende so einen vermeintlichen Vorteil entwickelt.

Doch auch wenn gerade der Ackerbau häufig als großer Fortschritt im Hinblick auf die Entwicklung unserer Zivilisation beschrieben wird, bezahlten die Menschen damals einen nicht unerheblichen Preis dafür: Sie tauschten ihre Freiheit gegen Sesshaftigkeit, ihre Impulsivität gegen Monotonie, ihre Kreativität und ihren Freigeist gegen harte Arbeit und strenge Hierarchien. Die Eigenschaften des »Jägers« verkümmerten mehr und mehr, und wer dann doch noch so tickte und sich nicht an das Bauern-Dasein anpassen konnte, fiel auf, tanzte aus der Reihe und wurde womöglich aus der Gemeinschaft ausgeschlossen – oder sogar Schlimmeres.

Spätestens aber seit der Moderne könnten genau diese »Jäger«-Ausprägungen, die Menschen mit ADHS laut dem Autor immer noch in sich tragen, wieder eine besondere Rolle zugeteilt bekommen und wichtiger denn je für unser (Über-)Leben werden. In einer Zeit, in der sich alles rasend schnell weiterentwickelt und Veränderungen ganz plötzlich eintreten können – man denke nur mal an den Klimawandel, globale Konflikte oder die Inflation –, werden wir immer wieder auf Menschen angewiesen sein, die Problemlagen aus einem anderen Blickwinkel betrachten und Aufgaben anders als gewöhnlich lösen. Auf Menschen, die Zusammenhänge blitzschnell erkennen und den Mut haben, auch mal ungewöhnliche Wege zu gehen. Wenn eine Gesellschaft diese besonderen Fähigkeiten nicht mehr als »Krankheit« oder »Störung« definiert, sondern sie vielleicht gezielt im Zusammenspiel mit den Fähigkeiten eines »Bauern« oder einer »Bäuerin« einsetzt, ist sie laut Hartmann dazu in der Lage, die Herausforderungen unserer Zeit zu meistern. ADHS könnte also tief in der Evolutionsgeschichte des heutigen Menschen verwurzelt sein und keine zufällige Abnormität, die mal hier und da völlig grundlos auftritt. Und ich muss sagen, mir gefällt diese Vorstellung.

Wieso das ADHS-Gehirn etwas **anders tickt**

Wer wissen möchte, welche Ursachen ADHS hat, findet auch im Jahr 2022 keine eindeutige Antwort. Denn der einer ADHS zugrunde liegende »Code« ist immer noch nicht entschlüsselt. In einem Punkt sind sich aber alle weitestgehend einig: Wie bei vielen psychischen Erkrankungen, Störungen und neuronalen Besonderheiten geht man auch bei ADHS von *multifaktoriellen* Ursachen aus. Das bedeutet, dass wahrscheinlich mehrere Faktoren ausschlaggebend sind und diese sowohl veranlagt (*endogene Faktoren*) als auch abhängig von unserer Umwelt (*exogene Faktoren*) sein können.

Unter »Anlage« verstehen Entwicklungspsycholog*innen und Pädagog*innen Voraussetzungen, die bereits genetisch vorhanden sind und abhängig von den Bedingungen unserer Umwelt zu einem bestimmten Sozialverhalten führen können. In den meisten Fällen entsteht ADHS aus einer Kombination mehrerer genetischer und umweltbedingter (Risiko-) Faktoren, die jeweils einen kleinen Effekt haben und je nachdem, wie sie zusammenwirken, die Anfälligkeit erhöhen. Deshalb äußert sich ADHS trotz seiner vorhandenen Kernsymptomatik auch bei jedem Menschen ein bisschen anders, denn die Ausprägung wird nicht nur von dem beeinflusst, was bereits vor unserer Geburt vorhanden ist.

Wie wir uns entwickeln und wie es uns letztendlich gesundheitlich geht, steht also immer im Zusammenhang mit unserem biologischen Körper, unserer Psyche und unserem sozialen Umfeld. Das nennt man in der Medizin das *biopsychosoziale Modell*. Die Stiftung Gesundheitswissen erklärt es wie folgt: Ob ein Mensch gesund oder krank ist, hängt von drei Ebenen ab, die permanent aufeinander einwirken. Einmal ist da der Körper mit seinen Organen und Zellen. Auf der zweiten Ebene, der seelischen Gesundheit, ist unsere Psyche die Chefin. Sie beeinflusst unser Denken, Handeln und vor allem das Fühlen. Unser Umfeld und unsere Lebensbedingungen bilden die dritte, die soziale Ebene. Alle drei Bereiche können sich negativ und positiv auf unsere Gesundheit auswirken und spielen somit auch bei den möglichen Ursachen von ADHS eine wichtige Rolle.

Wo genau der Ursprung von ADHS liegt und welchen Stellenwert die unterschiedlichen Faktoren haben, ist bis heute nicht ausreichend geklärt. Unter anderem diese Wissenslücken verhindern die allgemeine Akzeptanz von ADHS, egal, ob man von ADHS als neurologischer Krankheit, Entwicklungsstörung oder anders funktionierendem Gehirn sprechen möchte. Je mehr Forschung jedoch betrieben wird, je mehr wir also über das menschliche Gehirn lernen und über psychische und mentale Gesundheit aufklären, desto näher werden wir den Antworten auf diese Fragen wahrscheinlich kommen.

Als Ursachen für eine ADHS wurden bis jetzt einige Faktoren entschlüsselt. Wie genau diese sich allerdings bedingen oder welcher Faktor »zuerst da war«, ist, ähnlich wie bei der Henne und dem Ei, immer noch nicht ausreichend geklärt. Während man sich in der Vergangenheit regelmäßig darüber gestritten hat, welche Ursache die einzig richtige ist, geht der Konsens mittlerweile dahin, das Ganze eher dem biopsychosozialen Modell nach zu begreifen: Alles hängt mit allem zusammen. Obwohl es also offensichtlich keine eindeutige Erklärung für ADHS gibt, versuche ich mal, einen kleinen Überblick zu geben, welche Faktoren nach aktuellem Wissensstand nachweislich eine Rolle spielen:

1 Neurologische Faktoren

Unser Gehirn besteht aus vielen unterschiedlichen Regionen, von denen jede für eine bestimmte Funktion zuständig ist. Manche von ihnen kommunizieren mit unserer Außenwelt und sind zum Beispiel dafür zuständig, was wir sehen, hören oder spüren. Sie helfen uns, so zu entscheiden, wie wir auf einen Reiz von außen reagieren sollen. Andere Regionen kommunizieren eher mit unserem Inneren, also unserem Körper, und kümmern sich darum, dass dort alles reibungslos funktioniert.

Um ihre Aufgaben erfüllen zu können, sind die verschiedenen Hirnregionen über sogenannte neuronale Schaltkreise miteinander vernetzt, die dafür sorgen, dass eine Information von einem Ort zum anderen gelangt und dort weiterverarbeitet wird. Dafür nutzt unser Gehirn sogenannte Botenstoffe, die **Neurotransmitter.** Diese werden in den dafür zuständigen Nervenzellen, den Neuronen, produziert, sobald sie ein Signal dafür bekommen. Jedes Neuron produziert dabei nur eine winzig kleine Menge dieser Botenstoffe, die dann in dem Raum zwischen dem ersten Neuron und einem zweiten Neuron freigesetzt wird. Dieser Raum wird Synapse genannt. Durch die Synapsen kann die jeweils nächste Zelle stimuliert und die Information weitertransportiert werden, bis zu dem Ort, an dem sie wirken soll. Doch das scheint bei ADHS-Gehirnen etwas anders zu laufen.

Man geht davon aus, dass der ADHS eine Störung dieser Informationsverarbeitung im Gehirn zugrunde liegt. Die allgemeine Informationsverarbeitung in unserem Gehirn hängt hauptsächlich mit den Botenstoffen **Dopamin, Noradrenalin und Serotonin** zusammen, die eine maßgebliche Rolle dabei spielen, ob und wie ein Signal von einer Nervenzelle zur anderen übertragen wird. Sie regeln, wie unser Gehirn all die Reize verarbeitet, die permanent auf uns einprasseln. Der Neurotransmitter Dopamin steuert beispielsweise, wie aktiv wir sind, wie viel Antrieb wir haben oder ob wir uns motivieren können. Noradrenalin ist unter anderem für unsere Aufmerksamkeit zuständig und bestimmt, wie zielgerichtet wir handeln und denken. Außerdem aktiviert es den Teil unseres Nervensystems, der Stress reguliert. Der Botenstoff Serotonin wirkt sich hingegen auf unsere Impulskontrolle aus. Mittlerweile geht man davon aus, dass diese wichtigen Botenstoffe bei Menschen mit ADHS in bestimmten Hirnarealen nicht ausreichend vorhanden sind beziehungsweise einfach zu schnell abgebaut werden. Dabei scheinen vier Hirnregionen eine besondere Rolle zu spielen:

Der (prä)frontale Kortex: Diese Region hat jede Menge zu tun, denn sie ist dafür zuständig, dass wir aufmerksam sind und uns organisieren können. Dort werden komplexe Handlungen, sogenannte **Exekutivfunktionen**, geplant, die auch unsere Persönlichkeit prägen. Fehlt es hier beispielsweise an Noradrenalin, kann das zu Unaufmerksamkeit, Organisationsproblemen und/oder einer allgemeinen Einschränkung dieser Funktionen führen.

Das limbische System: Diese Region ist evolutionär gesehen schon eine der ältesten unseres Gehirns. Sie ist vor allem für unsere Emotionen und unsere Triebe zuständig. Außerdem steuert dieses System unseren Antrieb, neue Dinge zu lernen oder Dinge in unserem Gedächtnis abzuspeichern. Es ist für vegetative Prozesse wie Nahrungsaufnahme, Verdauung oder Fortpflanzung zuständig. Gibt es hier einen Mangel, sind wir ruhelos, unaufmerksam und schwanken in unseren Emotionen.

Die Basalganglien: In diesen neuronalen Schaltkreisen mit dem komischen Namen kommen Informationen als Erstes an und werden dann an die richtigen Orte weitergeleitet. Sie sind quasi die Schaltzentrale für die Kommunikation im Gehirn und unter anderem auch für komplexe Bewegungsabläufe zuständig. Liegt hier eine Störung vor, werden Informationen nicht richtig weitergeleitet, was zu Unaufmerksamkeit oder Impulsivität führen kann, aber auch zu sogenannten Tics oder sogar einer Ticstörung wie dem Tourettesyndrom, das auch häufig im Zusammenhang mit ADHS auftritt.

Das retikuläre Aktivierungssystem: Dieses Netzwerk, kurz RAS genannt, regelt zum Beispiel unseren Schlaf-wach-Rhythmus und zählt zu den komplexesten Strukturen in unserem Hirn. Eines seiner wichtigsten To-dos ist, für uns zu entscheiden, welche Informationen wir verwenden können und welche nicht. In jedem Moment prasseln unfassbar viele Sinneseindrücke auf uns ein. Wenn wir alle gleichzeitig wahrnehmen und verarbeiten müssten, wären wir wahrscheinlich nach kurzer Zeit sehr überfordert. Vielleicht würden die Masse und die Intensität sogar unser Gehirn explodieren lassen – wer weiß?

Das RAS dient als natürlicher Filter. Wie eine Einlasskontrolle, die sagt: »Erst mal Ausweis und Papiere, bevor ich dieses Geräusch oder diese visuelle Wahrnehmung durchwinke und sie ins Bewusstsein reinlasse.« Es lässt sich sicher schon erahnen: Dieser Filter funktioniert bei Menschen mit ADHS nicht so wie erwartet und führt tatsächlich zu den klassischen drei ADHS-Symptomen: Unaufmerksamkeit, Hyperaktivität und Impulsivität. Viele Menschen denken fälschlicherweise, dass Personen mit ADHS und ihre Gehirne deswegen dauerhaft in Aktion sind und sich von allem sofort erregen, also »stimulieren« lassen, das stimmt aber nicht ganz. Als **Stimulation** bezeichnet man in der Medizin die Anregung physischer Strukturen (zum Beispiel von Zellen, Nervengewebe oder Organen) oder psychischer Strukturen durch äußere oder innere Reize, die eine bestimmte Aktivität auslösen.

Ist ein Gehirn ohne ADHS optimal stimuliert, ist es wach, empfänglich und bereit, sich zu beteiligen oder zu lernen. Im Allgemeinen wird dieses Gehirn durch die wechselnden internen und externen Stimulationen des täglichen Lebens angemessen erregt. Weitestgehend unabhängig von Stimulationsschwankungen können diese Gehirne mit einigermaßen anhaltender Konzentration arbeiten, angetrieben durch die zuverlässige Koordination der bereits beschriebenen Neurotransmitter. Sie können sich relativ sicher selbst regulieren und ein angemessenes Maß an Kontrolle über ihr Verhalten ausüben.

ADHS-Gehirne passen sich da nicht so leicht an. Der Arzt und Bestsellerautor Thomas Armstrong erklärt das in seinem Buch *The Power of Neurodiversity* aus dem Jahr 2010 in etwa so: Menschen mit ADHS wird oft nachgesagt, dass sie permanent überstimuliert seien. Das ist ein Irrglaube, denn das Gegenteil ist der Fall: Was den Durchschnittsmenschen anregt, ist für ein ADHS-Gehirn selten ausreichend. Das ADHS-Hirn hat seine ganz eigenen Regeln. Es wird durch seine Suche nach optimaler Stimulation motiviert und nicht durch das, was von außen als wichtig erachtet wird. Sein Erregungsgrad und somit auch der Grad der Aufmerksamkeit unterscheiden sich, je nachdem, ob ihm ein innerer Wunsch oder eine äußere Forderung zugrunde liegt. Das kann dann von außen schon mal so wirken, als würden wir uns bewusst dafür entscheiden, externe Anforderungen, also die Forderungen von anderen, zu ignorieren. Das stimmt aber nicht. Stattdessen sind interne Motivationen, also die, die von innen heraus entstehen, für ADHS-Gehirne von Natur aus einfach bedeutsamer. Denn für sie wird als Belohnung mehr Dopamin freigesetzt.

Aus diesen Gründen sind auch Psychostimulanzien, zum Beispiel das Medikament mit dem Wirkstoff Methylphenidat, so wirksam. Indem sie den Dopaminspiegel im Gehirn erhöhen, sorgen sie für ein höheres Stimulationsniveau, das dann paradoxerweise eine ausgleichende Wirkung hat: Das ADHS-Gehirn kommt zur Ruhe. Deshalb sind Psychostimulanzien auch die am häufigsten verwendeten Medikamente bei Menschen mit ADHS. Sie stimulieren unsere Nervenzellen, damit sie effektiver zusammenarbeiten, hauptsächlich durch die Anregung des Dopaminsystems.

In ihrem 2018 erschienenen Buch *Ein Hormon regiert die Welt: Wie Dopamin unser Verhalten steuert – und das Schicksal der Menschheit bestimmt* beschreiben Daniel Z. Lieberman und Michael E. Long Dopamin als einen Botenstoff, der uns nicht nur Glück, Lust oder Zufriedenheit beschert, sondern vor allem eines: *Vorfreude.*

Unser Gehirn hat in unserem täglichen Leben eine wesentliche Aufgabe, und zwar das vorherzusagen, was passieren wird und was vermutlich nicht passieren wird. Dieses »innere Orakel« dient dazu, dass wir uns von A nach B bewegen können, egal ob physisch oder gedanklich, dass wir uns weiterentwickeln und dass wir überleben. Es funktioniert wie eine Art Kompass, der umso effizienter ist, je genauer wir eine Voraussage treffen können.

Wenn dann mal etwas passiert, was neu ist oder was wir nicht vorausgesehen haben, sorgen die Botenstoffe dafür, dass wir ein Signal bekommen: »Hey, hier passiert gerade was Unerwartetes ... Bündel mal lieber deine Aufmerksamkeit und fokussier dich darauf!« Denn es könnte etwas absolut Grandioses sein, ein geheimes Bonuslevel sozusagen, oder es könnte im schlimmsten Fall für unseren Untergang sorgen, Game over also. Besonders die unverhofften positiven Überraschungen sorgen für einen sogenannten Dopaminkick. Und es geht dabei nicht einmal darum, *was* genau da unverhofft unseren Weg kreuzt, sondern es befriedigt uns vielmehr, *dass* überhaupt irgendetwas unseren Weg kreuzt. Lieberman und Long betrachten das Ganze hierbei auch aus evolutionärer Sicht, denn Dopamin ist seit Anbeginn unserer Zeit eine, wenn nicht sogar DIE treibende Kraft.

ADHS-Coach Roger DeWitt fasst es in seiner Arbeit *ADHS, Willenskraft und Interesse: Ein positiver Ansatz* so zusammen: »Die Aufgabe von Dopamin bestand darin, uns dabei zu helfen, die Ressourcen zu maximieren, die uns in Zukunft zur Verfügung stehen werden, und ein besseres Leben zu suchen. Die Überraschung, eine neue Nahrungs- oder Wasserquelle zu finden, war vorteilhaft für unser Überleben, und so entwickelte sich unser Gehirn, um das Unerwartete zu suchen und begeistert zu sein, wenn wir es finden. Sobald es jedoch erreicht ist, lässt dieser Nervenkitzel nach und das Dopamin ruft uns dazu auf, weiter nach anderen Ressourcen für ein besseres Leben zu suchen.«

Dopamin ist also der Motor, der uns antreibt, motiviert und auch dafür sorgt, dass wir Risiken eingehen, um unser Verlangen zu stillen. Und im Gegensatz zu Hirnen ohne ADHS braucht das Gehirn von Menschen mit ADHS viel mehr Stimulation, um eine Aufgabe zu erfüllen. Ist die von ihnen erwartete Stimulation hoch, sind sie motiviert, fokussiert, konzentriert, und die ADHS-Symptome sind kaum präsent. Ob die Dinge, die für Stimulation sorgen, gesundheitlich gut für die Person sind oder mit Risiken verbunden sind, gesellschaftlich erwünscht sind oder die Person voranbringen, interessiert das ADHS-Gehirn recht wenig. Was dieses Hirn aber definitiv weiß: Verspricht die zu erledigende Aufgabe nicht die nötige Stimulation, reagiert es nicht wie gewünscht – Arbeitsverweigerung quasi. Oder anders gesagt: Wird zu wenig oder kein Dopamin von der Aufgabe erwartet, zeigt eine Person mit ADHS die typischen Symptome.

Neben den neurochemischen Besonderheiten geht man davon aus, dass es auch neuro*biologische* Besonderheiten gibt, die sich bei Menschen mit ADHS sogar nachweisen lassen. Die Forschung hat mithilfe von Gehirnscans Hinweise darauf gefunden, dass es eine Reihe möglicher Unterschiede im Gehirn von Menschen mit ADHS geben könnte. In der bisher größten und wichtigsten internationalen Studie zu dem Thema aus dem Jahr 2017 mit mehr als 3.200 Proband*innen zwischen 4 und 63 Jahren fanden Forschende aus den Niederlanden heraus, dass Menschen mit ADHS ein etwas geringeres Gesamthirnvolumen haben als Menschen ohne ADHS. Die MRT-Scans deuteten darauf hin, dass besonders bei Kindern mit ADHS der Frontallappen im Hirn häufig kleiner zu sein scheint. Dieser ist vor allem für die Problemlösung, Aufmerksamkeit und Entscheidungsfindung verantwortlich. Außerdem ist er für Funktionen wie Sprache, Beurteilung, Planung, Belohnung, Zeitwahrnehmung und unsere Emotionsregulation zuständig. Darüber hinaus gehen die Untersuchungen davon aus, dass die Entwicklung des Frontallappens bei manchen Kindern einfach etwas länger dauert, was erklären könnte, warum manche Menschen mit zunehmendem Alter weniger oder andere ADHS-Symptome zeigen.

2 Genetische Faktoren

Unsere DNA bestimmt so gut wie alles an uns. Von unserem Aussehen über Vorlieben, die wir haben, ja sogar, welche Entscheidungen wir treffen, und somit zum Beispiel auch, wie aufmerksam oder risikobereit wir sind. Das Spannende: Die Bereiche, die unsere individuellen Eigenschaften bestimmen, machen gerade einmal 1,2 Prozent unserer DNA aus – welche Informationen in den restlichen 98,8 Prozent enthalten sind, hat die Wissenschaft bis jetzt noch nicht umfassend entschlüsseln können.

In Bezug auf die Aufmerksamkeitsdefizit-/Hyperaktivitätsstörung und ihre Folgeerkrankungen hat die Forschung der letzten Jahrzehnte gezeigt, dass Gene eine entscheidende Rolle spielen. Man geht mittlerweile davon aus, dass die Erblichkeit, in der Fachsprache **Heritabilität** genannt, bei ADHS extrem hoch ist. Schaut man sich zum Beispiel die Lebensläufe direkter Familienangehöriger von Menschen mit ADHS an, lassen sich dort oft jede Menge Gemeinsamkeiten erkennen. Es gibt mehrere Möglichkeiten, die Erblichkeit von ADHS zu untersuchen: Eine klassische Methode nutzt dafür zum Beispiel Zwillingsstudien. Die Auswertung von über 37 solcher Studien, die bis 2018 veröffentlicht wurden, kommt in Bezug auf die Erblichkeit von klinisch bedingter ADHS auf einen Mittelwert von 74 Prozent. Dieser ist ähnlich hoch wie bei der Autismus-Spektrum-Störung, bei bipolaren Störungen oder bei Schizophrenie.

Eine der wichtigsten Studien, die zu dieser Schätzung kommt, ist aus dem Jahr 2013. Darin wurden Daten von 59.514 schwedischen Zwillingen, die zwischen 1959 und 2001 geboren wurden, ausgewertet. Anhand von Patient*innenregistern wurde geschaut, welche der Personen eine klinische ADHS-Diagnose erhielten und/oder ADHS-Medikamente verordnet bekamen. Die undiagnostizierten Fälle aus dieser Personengruppe wurden allerdings nicht berücksichtigt. Eine andere Studie mit 894 ADHS-Proband*innen und 1.135 ihrer Geschwister im Alter von 5 bis 17 Jahren fand 2003 ein neunfach erhöhtes ADHS-Risiko bei Geschwistern von ADHS-Proband*innen im Vergleich zu Geschwistern von Kontrollpersonen.

Solche Zahlen machen deutlich, welche wichtige Rolle die Genetik im Zusammenhang mit ADHS spielt – aber es gibt noch weitere Faktoren, die einen großen Einfluss haben.

3 Umweltbedingte Risikofaktoren und psychosoziale Einflüsse

Neben den möglichen Ursachen für ADHS werden in der Wissenschaft auch bestimmte Risikofaktoren untersucht, die sich darauf auswirken können, ob die genetische ADHS-Veranlagung »aktiviert« wird. Außerdem können sie einen Einfluss darauf haben, wie sich die ADHS fortlaufend äußert beziehungsweise ob und wie stark sich ein Leidensdruck entwickelt. Als Risikofaktoren werden Belastungen vor oder während der Geburt genannt, zum Beispiel eine Gehirnverletzung oder ein niedriges Geburtsgewicht des Babys. Aber auch außergewöhnlicher Stress, traumatische Erlebnisse und der Konsum von Tabak oder Alkohol der Mutter während der Schwangerschaft zählt die Fachliteratur zu den Risiken.

Steht ein Kind (zusätzlich) unter negativen psychosozialen Einflüssen, die seine Entwicklung ungünstig beeinflussen und es dauerhaft belasten, hat dies ebenfalls Auswirkungen auf die Ausprägung der ADHS. Zu den negativen psychosozialen Einflüssen zählen zum Beispiel körperliche, psychische oder sexualisierte Gewalt und Vernachlässigung und daraus resultierende Kindheitstraumata oder bestimmte Erziehungsfaktoren wie häufige Kritik und Bestrafungen oder fehlende Regeln. Eine Studie aus dem Jahr 2016 fand heraus, dass diese Ausprägung einer ADHS eng mit starker elterlicher Kritik an einem Kind verbunden ist. Das Forschungsteam, das die Studie durchführte, untersuchte 388 Kinder mit ADHS sowie 127 Kontrollpatient*innen ohne ADHS. Dazu führte das Team der Florida International University Messungen zu elterlicher Kritik und übermäßiger Fürsorge innerhalb mehrerer Jahre durch. Das Ergebnis: Die Kinder, die von ihren Eltern grundlegend in ihrer Person kritisiert wurden und nicht nur für unerwünschte Verhaltensweisen, zeigten im Teenageralter schwerwiegendere und anhaltende Symptome von ADHS. Dies war ganz besonders bei den Kindern der Fall, die ein hohes Maß an Hyperaktivität aufwiesen oder die zusätzlich von einer oppositionellen Verhaltensstörung betroffen waren. Die Studie konnte allerdings nicht feststellen, ob die ADHS-Symptome durch ein hohes Maß an elterlicher Kritik sogar verschlimmert wurden.

Die Website *MDEdge*, die vor allem medizinisches Fachpersonal mit News aus der Medizin, Forschungsergebnissen und Rezensionen versorgt, hat bereits 2010 eine hypothetische Rechnung dazu aufgestellt, die sich auf Kritik in der Schule bezieht: Dafür soll man sich ein Kind mit ADHS vorstellen (in diesem Beispiel wahrscheinlich mit vorwiegend hyperaktiv-impulsivem Erscheinungsbild). Der Autor Michael S. Jellinek geht davon aus, dass ein solches Kind regelmäßig negative oder korrigierende Kommentare durch die Lehrkräfte erhält. Allein dreimal pro Stunde Sätze wie »Pass auf!«, »Sitz still!«, »Zurück zur Aufgabe!« zu hören macht bei sechs Stunden am Tag für 180 Schultage pro Jahr mehr als 3.200 nicht positive Kommentare, die jedes Jahr an ein solches Kind gerichtet sind. Negative Kritik der Eltern, Geschwister, anderer Familienmitglieder, von Freund*innen, im Sportverein oder beim Musikunterricht noch gar nicht mit einberechnet. Jellinek folgert: »Allein in der Schule kann ein Kind mit ADHS [so] bis zum Alter von zehn Jahren 20.000 korrigierende oder negative Kommentare erhalten.« Und man kann sich vorstellen: Das macht etwas mit einem (kleinen) Menschen.

Aber auch allgemein instabile Familienverhältnisse zählen zu den Risikofaktoren. So ist die Prävalenz von ADHS bei Kindern und Jugendlichen laut einer australischen Studie von 2015 im Durchschnitt doppelt so hoch, wenn sie bei einem alleinerziehenden Elternteil oder in Pflegefamilien aufwachsen, aus Haushalten mit niedrigerem sozioökonomischem Status kommen oder die Erziehungsberechtigten nicht erwerbstätig sind. Und natürlich können auch psychische Erkrankungen eines Familienmitglieds, wie Depressionen, Angstzustände und internalisierte Störungen, ein Risiko darstellen oder vor allem ADHS-begleitende Folgeerkrankungen begünstigen. Eine große Familienstudie stellte zudem ein erhöhtes Risiko für Suizidversuche und vollendete Suizide bei Verwandten ersten und zweiten Grades von ADHS-Proband*innen fest. All diese Aspekte können dazu beitragen, dass bei einem »genetisch vorbelasteten« Menschen im Laufe seines Lebens ADHS-Symptome auftreten, und vor allem können sie beeinflussen, wie stark diese auftreten.

Wächst ein genetisch vorbelastetes Kind unter eher günstigen psychosozialen Bedingungen auf, indem es zum Beispiel gefördert wird und viel Zuspruch und Liebe erfährt, kann es die Ausprägung der Veranlagung für ADHS in gewissem Umfang kompensieren oder Mechanismen erlernen, damit umzugehen. Vielleicht ist es aber auch einfach in der Lage, Symptome besser zu verdecken, was eine Diagnose durchaus schwieriger machen kann.

Wichtig zu betonen ist: Es ist nie ein einzelner Risikofaktor ausreichend dafür, dass ein Mensch ADHS hat. In den meisten Fällen spielen genetische und umweltbedingte Faktoren mit jeweils einem kleinen individuellen Effekt eine Rolle. Und je mehr Faktoren zusammenkommen und eben auch zusammenwirken, desto höher ist die Anfälligkeit.

ADHS im **Kindes-** und **Jugendalter**

ADHS im Kindes- und Jugendalter unterscheidet sich tatsächlich von ADHS bei Erwachsenen. Bei Kindern und Jugendlichen ist ADHS durch drei Hauptsymptome gekennzeichnet, die bei jedem Menschen mit ADHS auf unterschiedliche Art und Weise zusammenkommen.

Für eine ADHS-Diagnose bei Kindern und Jugendlichen ist laut dem DSM-5 wichtig, in welcher Ausprägung sie vorliegen: Es müssen mindestens sechs Punkte aus dem Bereich Unaufmerksamkeit vorliegen oder mindestens sechs Punkte aus dem Bereich Hyperaktivität/Impulsivität oder mindestens sechs Symptome aus beiden Bereichen zusammen erfüllt sein. Bei einigen der Symptome ist es wichtig, dass sie bereits vor dem 7. bzw. 12. Lebensjahr aufgetreten sind. Außerdem dürfen die Symptome nicht durch eine andere psychische Störung oder medizinische Erkrankung erklärbar sein, und es ist wichtig, dass die Symptomatik mindestens zwei Lebensbereiche dauerhaft beeinträchtigt.

Auch wenn ich damals noch nicht wusste, dass ich ADHS habe, lassen sich ebendiese Symptome jetzt rückblickend auch in meiner Kindheit und Jugend sehr gut erkennen:

A Konzentrier' dich mal! – Mein unaufmerksames Ich

Es war nie so, dass ich mich gar nicht konzentrieren konnte. Wenn es nötig war, habe ich es irgendwie hinbekommen, auch wenn es teilweise mit sehr viel Anstrengung verbunden war. Sonst hätte ich wahrscheinlich die Schule oder mein Studium nicht gepackt. Und wenn mich ein Thema besonders interessierte und ich total Bock auf die Aufgabe hatte, war sogar das Gegenteil der Fall: Ich konnte mich phänomenal konzentrieren. Ich konnte zum Beispiel rasend schnell eine Deutschklausur schreiben und vor allen anderen abgeben oder meine Hausaufgaben ohne großes Drama erledigen. Ja, sogar Aufgaben im Haushalt waren kein Problem, wenn ich genug Motivation hatte.

Nur leider habe ich die Sachen selten auf die Art und Weise gemacht, wie es von mir verlangt wurde. Denn die Pflanzen waren am Ende zwar gegossen, mit ihnen aber auch der halbe Boden um sie herum. Wenn ich Wäsche aufhängen sollte, lief man danach gegen die offene Tür der Waschmaschine, in der mindestens die Hälfte der Wäsche noch darauf wartete, aufgehängt zu werden – während ich längst vom klingelnden Telefon oder einer spontanen Blitzidee abgelenkt worden war. Oder meine Mutter konnte anhand einer Spur von verlorenen Socken genauestens den Weg zurückverfolgen, den ich gegangen war – nämlich weg vom Wäscheständer, hin zum Kleiderschrank. Hausaufgaben habe ich zwar regelmäßig erledigt – vorausgesetzt, ich hatte sie mir irgendwo notiert –, leider vergaß ich sie dann aber zu Hause auf dem Schreibtisch. Klausuren schrieb ich manchmal völlig an der Aufgabenstellung vorbei, weil ich einfach loslegte, bevor ich mir alles in Ruhe durchgelesen hatte, und von Rechtschreibfehlern will ich gar nicht erst anfangen.

Ich kann gar nicht zählen, wie oft ich während meiner Schulzeit Sätze gehört habe wie: »Das hätte eigentlich eine sehr gute Note sein können, aber da waren einfach zu viele Flüchtigkeitsfehler!« oder »Du fängst total stark an, aber kann es sein, dass du übersehen hast, dass es noch eine Seite zwei gab?« oder »Wenn du kein Schwimmzeug dabeihast, kann ich dir leider nur eine Sechs geben. Ihr wusstet doch schon so lange, dass heute die Prüfung ist!«.

Und dann gab es da noch dieses ständige Abgelenktsein: »Angelina?«, fragte meine Lehrerin. »Möchtest du weitermachen? Ja? Dafür müsstest du aber mitbekommen haben, wo wir gerade sind!« Oder: »Vielleicht möchtest du mit der gesamten Klasse teilen, was dich gerade so brennend beschäftigt?« Klar habe ich versucht, dem Unterricht zu folgen, aber wenn ich gerade sehe, wie zwei Krähen ein Eichhörnchen attackieren oder dass Manuel gerade die Verschlusskappe von seinem Stift runtergefallen ist, ohne dass er es mitbekommen hat, muss ich mich halt kurz mal darum kümmern – oder nicht? Das führte in der siebten Klasse sogar so weit, dass mein damaliger Mathelehrer mich regelmäßig vor die Tür setzte, wenn ich mal wieder abgelenkt oder dabei war, andere abzulenken. So verpasste ich jedes Mal ganze zwei Stunden Matheunterricht, was meiner Matheschwäche natürlich den Rest gab. An manchen Tagen kam mein Lehrer sogar morgens rein und begrüßte mich mit den Worten: »Guten Morgen, Angelina! Weißt du, was? Heute habe ich gar keine Lust, dich ermahnen zu müssen. Geh doch am besten direkt schon mal raus!« Und zack, saß ich wieder vor der Tür. Ich hoffe an dieser Stelle natürlich, dass solche Erziehungsmaßnahmen nicht mehr gang und gäbe sind. Bei mir waren sie es. Und im Endeffekt waren diese Maßnahmen sein kläglicher Umgang mit Symptomen einer undiagnostizierten ADHS. (Wobei ich mir nicht sicher bin, ob er das Ganze nach einer Diagnose anders gehandhabt hätte.)

Jedenfalls haben mir meine Eigenschaften und diese Erlebnisse regelmäßig viele Diskussionen, mütterlichen Kummer und schlechte Noten beschert und lassen sich – ganz allgemein – unter dem Stichwort **Unaufmerksamkeit** verbuchen.

Das DSM-5 führt dazu folgende Punkte auf:

- Beachtet häufig Einzelheiten nicht oder macht Flüchtigkeitsfehler.
- Hat oft Schwierigkeiten, die Aufmerksamkeit bei Aufgaben oder beim Spielen aufrechtzuerhalten.
- Scheint häufig nicht zuzuhören, wenn andere sie/ihn ansprechen.

- Hält häufig Anweisungen anderer nicht durch und kann Arbeiten nicht zu Ende bringen.
- Hat häufig Schwierigkeiten, Aufgaben zu organisieren.
- Hat eine Abneigung gegen Aufgaben, die länger dauernde geistige Anstrengung erfordern.
- Verliert häufig Gegenstände, die sie/er für Aktivitäten benötigt.
- Lässt sich öfter durch äußere Reize ablenken.
- Ist bei Alltagsaktivitäten häufig vergesslich.

B Komm doch mal zur Ruhe! – Mein hyperaktives Ich

Mein hyperaktives Ich war schon weit vor meiner Schulzeit aktiv. Während mein kleiner Bruder ewig lang seelenruhig auf dem Schoß meiner Mutter sitzen konnte und mit seinen kleinen Fingerchen ganz vorsichtig in ihre Haare griff oder behutsam ihre Ohrringe inspizierte, dauerte es bei mir manchmal keine zehn Sekunden, und das Geschrei ging los. Lange still sitzen gefiel mir gar nicht. Ich rutschte unentwegt von einem aufs andere Bein, sprang plötzlich auf und riss die halbe Tischdecke samt Gläsern herunter (liebe Grüße an den Zappelphilipp!) oder drehte mich ruckartig um und verteilte dabei ungewollt Kinnhaken.

Wenn ich mal Langeweile hatte, war mein armer kleiner Bruder ein gern gesehenes Opfer. Während er tiefenentspannt an einem Ende des Sofas saß und gebannt zuschaute, wie Armin und Christoph etwas bei der »Sendung mit der Maus« erklärten, schob ich meinen Fuß immer weiter zu ihm rüber, bis ich ihn berührte, während mein Blick dabei nicht vom Fernseher wich. Genervt rückte er ein Stück ab, mein Fuß kam natürlich hinterher. So lange, bis ich ihn fast vom Sofa geschoben hatte und er natürlich irgendwann schrie. Warum ich das gemacht habe? Keine Ahnung. Aber Reaktionen zu provozieren gefiel mir sehr. So liebte ich es auch, meinem Bruder, der mir beim Essen gegenübersaß, meinen offenen Mund voller halb zerkautem Essen zu zeigen. Er schrie auf vor Ekel (übertriebener als nötig), meine Mutter blickte schnell zu mir, doch ich saß natürlich längst mit geschlossenem Mund und einem Engelsgesicht da.

Meine Hyperaktivität äußerte sich nicht nur tagsüber. Wenn ich wie alle anderen Kinder nachts den Wunsch verspürte, bei Mama ins warme Bett zu krabbeln, wusste sie, morgen ist sie komplett gerädert, weil ich wieder die ganze Nacht »rumhampeln« und sie kein Auge zubekommen würde. Das hat sich tatsächlich bis heute nicht geändert. Meine Freundinnen teilen nur ungerne einen gemeinsamen Schlafplatz mit mir, und mein Partner besteht seit Jahren auf getrennte Matratzen, weil ich mich vor und während des Schlafens einfach zu viel bewege.

Etwas, was ich auch besonders gerne bewege – und das kann auch ganz typisch sein für Menschen mit ADHS –, ist mein Mund. Bereits mit zweieinhalb Jahren habe ich ganze Kassetten vollgesprochen und besungen. Egal ob deutsche, spanische, englische oder brasilianische Kinderlieder – alles, was ich aufschnappen konnte, lernte ich in kürzester Zeit auswendig. Ich hatte zu allem einen Gedanken, wollte alles wissen und ein »Darum« auf die Frage nach dem »Warum« ließ ich nicht gelten. Auch wenn ich mich wahnsinnig auf die Schule gefreut habe und an meinem ersten Schultag stolz hineinmarschiert bin, war still sitzen, Leistung erbringen und nur reden, wenn man gefragt wird, natürlich überhaupt nicht in meinem Sinne. Bereits in der zweiten Klasse wurde ich regelmäßig gemaßregelt, weil ich mit dem Stuhl kippelte, andere beim

Lernen störte oder in der Kirche nicht ruhig dasitzen konnte. Also musste ich bei fast jedem katholischen Gottesdienst eine Stunde hinter dem Stuhl stehen, während ich mich sowieso die ganze Zeit fragte, wieso man als Achtjährige an einen trostlosen, düsteren und kalten Ort kommen musste, um dem lieben Gott nah zu sein. Kein Wunder, dass man sich lieber zu allen Seiten umdrehte und die anderen darauf aufmerksam machte, wie traurig selbst Jesus da am Holzkreuz abhängt.

Das DSM-5 beschreibt **Hyperaktivität** so:

- Zappelt häufig mit Händen oder Füßen und rutscht auf dem Stuhl herum.
- Steht in der Klasse oder in anderen Situationen, in denen sitzen bleiben erwartet wird, häufig auf.
- Läuft häufig herum oder klettert exzessiv in Situationen, in denen dies unpassend ist (bei Jugendlichen oder Erwachsenen kann dies auf ein subjektives Unruhegefühl beschränkt bleiben).
- Hat häufig Schwierigkeiten, ruhig zu spielen oder sich mit Freizeitaktivitäten ruhig zu beschäftigen.
- Ist häufig »auf Achse« oder handelt oftmals, als wäre sie/er getrieben.
- Redet häufig übermäßig viel.

C Denk doch mal nach, bevor du handelst! – Mein impulsives Ich

Das dritte Kernsymptom schließt sich perfekt an die Hyperaktivität an und tritt nachgewiesenermaßen fast immer damit gemeinsam auf. Wer impulsiv ist, kann sich oft nur schwer beherrschen. Erst antworten, wenn die Lehrerin einen drannimmt, oder abwarten, bis man beim Spiel an der Reihe ist – ich sag's mal so: schwierig. Meine Patentante hat mir vor einiger Zeit ein Video zugeschickt, da muss ich circa vier Jahre alt gewesen sein. Ich sitze mit einem Freund der Familie auf dem Sofa, und wir lesen ein Buch, neben mir der Sohn meiner Patentante, der zwei Jahre alt ist. Abwechselnd bekommen wir Fragen gestellt, zum Beispiel, wo sich die Kuh auf dem Bild versteckt hat oder was dieses und jenes Objekt für einen Namen hat. Es ist so lustig zu beobachten, wie ich sekundenschnell die Antwort rausposaune, sobald ich an der Reihe bin, und wie unglaublich schwer es mir fällt, wenn der Sohn meiner Patentante aufgrund seines Alters etwas länger braucht oder einen Begriff noch nicht kennt. Dieser innere Kampf, die Klappe zu halten, es nicht zu schaffen und jedes Mal aufs Neue zu vergessen, dass ich nicht an der Reihe war. Herrlich.

Impulsivität macht es nicht nur im Unterricht schwer, sondern auch auf einem Kindergeburtstag oder mit fremden Kindern auf dem Spielplatz. Vor allem, wenn es um Regeln geht, die erlernt werden sollen und die für ein soziales Miteinander wichtig sind. Hier stand mir oft mein ausgeprägter Gerechtigkeitssinn im Weg, den ich sehr gerne für mich, aber auch für andere einsetzte. Ich weiß noch, wie ein Mitschüler in der zweiten Klasse jedes Mal großen Gefallen daran fand, in der Pause beim Fangen besonders die Mädchen zu ärgern, indem er den »Polizeigriff« anwendete. Hatte er eine von uns gefangen, drehte er uns den Arm so nach hinten auf den Rücken, dass wir uns nur schwer befreien konnten und es ganz schön wehtat. Das fand ich so gemein, dass ich mir dachte: Dieser Kerl braucht dringend mal eine Lektion. In der nächsten Pause ließ ich mich extra von ihm fangen, obwohl ich eigentlich ziemlich flink war. Und kaum dass ich in seinem fiesen Griff steckte, wand ich mich blitzschnell so, dass ich seine Hand vor meinem Gesicht hatte, und biss ihm beherzt in seine Finger. Nur leider so fest, dass er sofort schmerzerfüllt aufschrie, weil sich bereits Zähne in seinem Fleisch abzeichneten und es sogar ein bisschen blutete. Fazit: Am Ende saß ich bei der Direktorin im Büro und bekam eine fette Standpauke, weil Gewalt gegen Mitschüler*innen natürlich ein absolutes No-Go ist.

Ein anderes Mal bekamen wir für eine kurze Zeit eine neue Mitschülerin in die Klasse, und ja, auch Kinder können schon ziemlich gemein sein. Der Fakt, dass sie in einem Kinderheim lebte und optisch so wirkte, als wäre sie eher in der fünften als in der zweiten Klasse, führte dazu, dass alle sie mieden. In einer Pause lief sie mal wieder alleine über den Schulhof und kam plötzlich schnurstracks auf mich zu. Sie packte mich an meiner Jacke, warf mich zu Boden und setzte sich beherzt auf mich. Dann begann sie sogar, mich etwas zu würgen. Immer noch auf mir thronend, mit den Händen an meinem Hals, forderte sie, dass ich sie gefälligst zu meiner anstehenden Geburtstagsfeier einladen solle, sonst würde sie mich verprügeln. Selbst wenn ich sie aus Angst hätte einladen wollen: Zwei Tage später musste ich dem Mädchen eine Absage überbringen, weil meine Mutter dem Schwimmbad bereits gesagt hatte, wie viele Kinder mitkommen würden. Außerdem hatte sie mir zu verstehen gegeben, dass sie auf keinen Fall jemanden bei dem Geburtstag dabeihaben wollte, der zwei Tage vorher gedroht hatte, mich zu verprügeln. Ein paar Tage später staunte meine Mutter jedoch nicht schlecht, als sie mich von der Schule abholte. Da stand ich im Nieselregen mit meinem Scout-Rucksack mit Fischen drauf, und wen hatte ich im Schlepptau? Das Prügel androhende Mädchen.

»Das ist die Andrea. Sie isst heute bei uns mit!«, erklärte ich meiner Mutter, die mich skeptisch ansah. Später, nachdem Andrea bei uns zu Hause abgeholt worden war, wollte meine

Mutter unbedingt von mir wissen, wie diese Verabredung nach so einer Vorgeschichte zustande gekommen war. Meine schulterzuckende Antwort: »Sie sagt, sie mag das Essen im Heim nicht so gern. Außerdem glaube ich, sie hat das nur gemacht, weil sie eigentlich traurig ist, Mama.«

Auch meine Art, Aufgaben ganz anders als alle anderen umzusetzen, stieß hin und wieder auf starkes Stirnrunzeln: Einmal hatte ich im Religionsunterricht die Aufgabe bekommen, Mutter Teresa in einer Alltagssituation zu malen. Mutter Teresa, Alltagssituation – nichts leichter als das. Also saß meine Mutter Teresa auf der Toilette eines Schnellzuges und las vergnügt eine Zeitschrift. Ja, auch Heilige müssen mal aufs Klo. Was von Schulseite als despektierlicher, ja fast blasphemischer Akt gewertet wurde, stieß bei mir wiederum auf totale Verwunderung, hatte ich mich doch exakt an die Aufgabenstellung gehalten. Gott sei Dank fand meine Familie es zum Brüllen komisch.

Ich wurde auch ständig ermahnt, weil ich unentwegt quatschte und meine Mitschüler*innen vom Lernen abhielt, was meine damalige Klassenlehrerin zu dem ikonischen Satz verleitete: »Angelina, wenn man dich erschießen würde, müsste man deinen Mund noch mal extra erschießen!« Das müsste man als Lehrerin heute mal bringen. Aber damals, 1998, war das wohl noch okay.

Ich habe im Zusammenhang mit der Diagnostik natürlich auch mal meine alten Grundschulzeugnisse rausgekramt und musste echt schmunzeln. Tatsächlich sind meine Noten durchweg gut (was für einige Diagnostiker*innen leider schon ein K.-o.-Kriterium sein kann), aber das Arbeits- und Sozialverhalten spricht Bände: »Angelina muss dringend ihre Arbeitshaltung ändern!«, »Angelina lenkt sich und andere vom

Unterricht ab!«, »Angelina muss sich unbedingt mehr auf den Unterricht konzentrieren! Ihre Hausaufgabenerledigungen sind unzureichend!« oder »Angelina war sehr kontaktfreudig und hilfsbereit ihren Mitschülern gegenüber. Dabei konnte sie ihre eigenen Interessen zugunsten der Gemeinschaft noch nicht immer zurückstellen. In Unterrichtsgesprächen äußerte sie sich gerne und häufig, hielt aber nicht immer die notwendigen Gesprächsregeln ein. Sie arbeitete selbstständig und ausdauernd, jedoch nicht immer zügig und sorgfältig genug«.

Trotz all dem, was ich hier gerade aufgeführt habe, war ich in keiner Weise ein unbeliebtes Kind, auch nicht unter den Lehrer*innen. Meine Kreativität, meine blühende Fantasie und meine Wortbeiträge machten all das Stören, das viele Reden und Reinrufen irgendwie wieder wett. Außerdem hatte ich in jeder Situation die passende Erklärung auf den Lippen, die von den Erwachsenen oft als »Ausrede« betitelt wurde, für mich aber die genaue Begründung meines (Fehl-)Verhaltens war.

Und ja – es gab für ALLES eine Erklärung. So war mein damaliger Physiklehrer in der achten Klasse unglaublich genervt davon, wenn wir einander »Gesundheit« wünschten, nachdem ein Mitschüler oder eine Mitschülerin genießt hatte. Heute kann ich es ein wenig nachvollziehen, denn spätestens wenn 29 Kinder jedes Mal einem anderen Kind lauthals »Gesundheit« entgegenbrüllen, kann das den Unterricht schon ganz schön ausbremsen, vor allem in der Heuschnupfenzeit. Deshalb wurde ein nagelneues Verbot eingeführt, was es all seinen Schüler*innen untersagte, dieses Wort während seines Unterrichts laut auszusprechen. Und wer konnte sich das natürlich nicht merken? Ich.

Kaum hatte meine Freundin einmal genießt, schoss es auch direkt aus mir heraus: »Gesundheit!« Prompt folgte eine bitterböse Reaktion – ich solle *sofort* das Klassenzimmer verlassen. Ich klappte mein Heft zu, schob meinen Stuhl zurück, und während ich ganz langsam den Deckel auf meinen Füller schraubte, entgegnete ich mit cooler Miene: »Alles klar, Regel ist Regel. Ich will nur, dass Ihnen Folgendes klar ist: Seit ich klein bin, wurde mir beigebracht, dass es absolut gewünscht und anständig ist, einem Mitmenschen, nachdem er genießt hat, ›Gesundheit‹ zu wünschen. Das ist auch eine Regel, eine Tugend sozusagen. Jetzt haben Sie diese Regel heute, nach 15 Jahren, für mich geändert. In Ordnung. Aber Sie müssen auch verstehen, dass das nicht sofort abgespeichert ist.« Und jetzt ratet mal, wer nicht den Raum verlassen musste? Ich. Seine Reaktion: »Touché, Angelina. Wer so für sich argumentieren kann, der darf ganz bestimmt sitzen bleiben!«

Und so definiert das DSM-5 das Kernsymptom **Impulsivität:**

- Platzt häufig mit den Antworten heraus, bevor die Frage zu Ende gestellt ist.
- Kann nur schwer warten, bis sie/er an der Reihe ist.
- Unterbricht und stört andere häufig (platzt z. B. in Gespräche oder Spiele anderer hinein).

Von wegen das verwächst sich – ADHS im **Erwachsenenalter**

Viele der genannten Kriterien sind spezifisch für Kinder und Jugendliche, aber eben nicht für Erwachsene. Das liegt daran, dass einige Symptome sich nach der Kindheit verändern oder nachlassen. Besonders spannend: Bis vor einigen Jahrzehnten ging man noch davon aus, dass sich ADHS im Laufe des Lebens, spätestens aber mit dem Eintritt ins Erwachsenenalter verwächst. Man kann sich vorstellen, wie viele Millionen fehlende oder falsche Diagnosen diese fälschliche Annahme alleine in den letzten Jahrzehnten bedeutet hat. Während man zuletzt davon ausgegangen ist, dass ADHS bei 50 Prozent der Erwachsenen auch nach der Kindheit weiterhin auftritt, findet gerade ein unglaublich spannender Perspektivwechsel statt, der den Blick auf ADHS auf so vielen Ebenen verändern könnte: Was wäre, wenn ADHS sich niemals verwächst, sondern ein Leben lang besteht? Und wenn stattdessen nur bestimmte Symptome abnehmen, während andere Symptome zunehmen oder später wieder auftauchen und sich die Ausprägung damit also nur *verändert* oder schwankt?

Davon, dass es genau so sein könnte, sind nicht nur viele Menschen mit ADHS überzeugt, sondern es gibt auch immer mehr Forschungsergebnisse, die diese Annahme belegen. Eine groß angelegte Studie, die im Jahr 1998 startete und von Margaret Sibley und ihren Kolleg*innen im *American Journal for Psychiatry* 2021 veröffentlicht wurde, beobachtete über viele Jahre lang die ADHS-Symptome von fast 600 Kindern ab dem achten Lebensjahr. Während in den folgenden Untersuchungen nur noch bei etwa 50 Prozent der Kinder eindeutige Symptome auftraten, konnte die andere Hälfte nicht mehr die vollständigen DSM-Kriterien erfüllen; ein Drittel von ihnen war zeitweise sogar weitestgehend symptomfrei. Bei einer abschließenden Untersuchung, bei der die Proband*innen durchschnittlich 25 Jahre alt waren, zeigten jedoch 90 Prozent von ihnen im jungen Erwachsenenalter wieder eindeutige Symptome. Ein klares Indiz dafür, dass ADHS-Symptome vorübergehend nachlassen, aber auch wieder auftauchen können. Dieses Schwanken führen die Forscher*innen als »mögliche Reaktion auf umwelt- oder gesundheitsbezogene Faktoren« zurück.

Die Ursachen dafür, dass ADHS im Erwachsenenalter weniger stark auftritt oder Menschen als »symptomfrei« angesehen werden, sind vielfältig. Zum einen können eine Diagnose und eine damit einhergehende Behandlung, zum Beispiel durch eine Therapie oder Medikamente, für erhebliche Verbesserung sorgen, und die Symptome werden von Betroffenen somit als weniger stark wahrgenommen. Außerdem bieten Hilfsangebote und mehr Sichtbarkeit für das Thema ADHS deutliche Erleichterung: Nicht nur offline, sondern gerade im Internet gibt es viele Möglichkeiten, auf andere zu treffen, denen es ähnlich geht.

Ich weiß noch, was es für eine Erleichterung war, als ich damals auf den Account *@adhd_alien* gestoßen bin und mir in kleinen, anschaulichen Comics erklärt wurde, dass mein Gehirn vielleicht ein bisschen anders funktioniert, daran aber erst mal nichts weiter schlimm ist. Dazu meine Psychotherapie, Medikamente, jede Menge Recherche, der Austausch mit Gleichgesinnten, die offene Kommunikation mit meinem Umfeld – natürlich geht es mir dadurch heute besser. Trotzdem habe ich ADHS seit meiner Geburt, und es wird auch nicht mehr weggehen. Ich lebe damit, in guten wie in schlechten Zeiten.

Es gibt aber auch weitere Gründe, die dafür sorgen können, dass man denkt, jemand sei symptomfrei oder dem Ganzen entwachsen. Wenn eine Diagnose spät oder gar nicht stattfindet oder trotz einer Diagnose in der Kindheit aus unterschiedlichen Gründen Behandlungsangebote nicht genutzt werden (können), kann es passieren, dass sich andere psychische Störungen oder Erkrankungen breitmachen, die die ADHS überlagern. Außerdem haben viele von uns im Erwachsenenalter, bewusst oder unbewusst, vielleicht individuelle

Strategien erlernt, die uns im Alltag einen Umgang mit den Symptomen und den Reaktionen auf sie ermöglichen.

Wir haben im Laufe des Lebens (manchmal auch schmerzlich) lernen müssen, Regeln zu befolgen, gesellschaftliche Konventionen einzuhalten, und haben trainiert, unerwünschte Verhaltensweisen zu verstecken oder ganz zu unterdrücken. Das macht eine ADHS-Diagnose im Erwachsenenalter weitaus schwieriger als bei Kindern, auch weil viele ADHS-Symptome im Laufe des Lebens unter »Persönlichkeitseigenschaften« abgespeichert wurden. *Undiszipliniert, faul, dumm, unmotiviert, unzuverlässig, launisch, anstrengend, nervig, verpeilt, nicht belastbar, empfindlich* und vieles mehr sind Eigenschaften, die ein Mensch mit ADHS ständig von anderen und irgendwann auch von sich selbst zugeschrieben bekommt. Wer soll da schon im Blick haben, dass die Ursache für die ständigen Konflikte mit unserer Umwelt in unseren Hirnen liegt? Auf diese Idee kommt man erst recht nicht, wenn seit Jahrzehnten erfolgreich gepredigt wird, dass jede*r ganz allein für sein eigenes Leben verantwortlich ist und man nur härter an sich arbeiten muss, wenn man etwas verändern möchte. Wer das nicht schafft, so heißt es dann häufig, ist einfach »nicht motiviert genug«.

Wegen der vielen Aspekte, die dafür sorgen, dass sich ADHS-Symptome im Laufe eines Lebens verändern, ist es für eine Erstdiagnose im Erwachsenenalter aktuell noch unabdingbar, einen Blick in die Vergangenheit der Betroffenen zu werfen und richtige Detektivarbeit zu leisten. Man muss sich nun Fragen stellen wie: Wie verliefen die Schwangerschaft der Mutter und die eigene Geburt? Wie war man als Kleinkind? Welche Auffälligkeiten gab es im Kindergartenalltag oder in der Grundschule? Welche Verhaltensweisen konnten sich die eigenen Eltern nicht erklären? Das Problem: Wer erinnert sich schon lückenlos an seine Kindheit?

Egal, wie kompliziert oder vielleicht sogar schmerzhaft diese Reise in die eigene Vergangenheit ist, hat man einen Verdacht auf ADHS und will sich diagnostizieren lassen, kommt man im Moment nicht darum herum.

Festgelegt wurde diese Vorgehensweise im Jahr 1994 im DSM und der ICD. Um die frühen Symptome irgendwie zu erfassen, wurden verschiedene Fragebögen, Selbstbeurteilungsskalen und Interviewtechniken entwickelt, die seitdem immer wieder angepasst werden. Je nachdem, wie das Ergebnis dort ausfällt, können diese Fragebögen als Hinweis darauf dienen, dass in der Kindheit und Jugend schon ein Verdacht auf eine ADHS-Symptomatik vorgelegen hat.

Wer nicht nachweisen kann, dass die elementaren Symptome bereits vor dem sechsten bzw. zwölften Lebensjahr aufgetreten sind, hat aktuell kaum eine Chance auf eine Diagnose im Erwachsenenalter.

Kriterien für eine ADHS-Diagnose im Erwachsenenalter

Ein wichtiges Diagnose-Instrument sind die 2011 entwickelten *Wender-Utah-Kriterien* nach Prof. Paul H. Wender. Sie dienen ebenfalls als Leitlinie für anschließende Therapien von ADHS im Erwachsenenalter. Wender, der bis zu seinem Tod 2016 noch aktiv an der Forschung beteiligt war, legte zu Lebzeiten alle wichtigen Grundsteine für die Diagnostik und Behandlung von ADHS im Erwachsenenalter, die bis heute noch Bedeutung haben. So war es auch er, der 1995 zum ersten Mal ausführlich das Vorkommen von ADHS bei Erwachsenen beschrieb, weshalb er auch immer wieder »Pionier der adulten ADHS-Forschung« genannt wird.

Der erste Bereich der Wender-Utah-Kriterien bezieht sich auf die **Aufmerksamkeitsstörung.** Dazu zählt, dass man schnell abgelenkt ist und häufig zwischen Aufgaben hin und her wechselt. Gesprächen aufmerksam zu folgen fällt schwer, zudem häufen sich Flüchtigkeitsfehler und Vergesslichkeit.

Der zweite Bereich beschreibt das Aufkommen von **Überaktivität und Rastlosigkeit.** Ich verspüre eine innere Unruhe, fühle mich ständig wie getrieben und unter Strom und kann nicht richtig abschalten. Sollte ich aus irgendwelchen Gründen einmal inaktiv sein, zieht mich das mächtig runter oder macht mich gereizt.

Das dritte Kriterium ist die **Affektlabilität.** Sie äußert sich durch regelmäßige Stimmungswechsel, die einige Stunden bis maximal einige Tage andauern können.

Punkt vier ist das **desorganisierte Verhalten.** Ordnung halten fällt extrem schwer, weil es an innerer Struktur fehlt und alles gleich wichtig erscheint. Das führt auch zu unzureichender Planung und Organisation von Aktivitäten und dazu, dass Aufgaben nicht zu Ende gebracht werden. Außerdem werden Termine, Gegenstände und Ähnliches regelmäßig verlegt oder vergessen.

Fünftes Kriterium: die **Impulsivität.** Sie zeichnet sich dadurch aus, dass man handelt oder spricht, bevor man ausreichend darüber nachgedacht hat. Außerdem ist sie geprägt durch ein hohes Maß an Ungeduld. Egal ob in der Schlange an der Supermarktkasse oder im Gespräch mit anderen. Auch ganz typisch: Ich fahre zu schnell, trinke zu viel, gebe zu viel Geld aus und rede wie ein Wasserfall.

Sechstens: Andauernde Reizbarkeit, auch aus von außen betrachtet geringem Anlass? Schnell gefrustet und kurze Wutausbrüche? Das fassen die Wender-Utah-Kriterien unter **Affektkontrolle** zusammen.

Frustration ist ein Wort, das bei vielen Menschen mit ADHS großgeschrieben wird. Ungefähr so: FRUSTRATION. Denn viele Menschen mit ADHS haben eine niedrige Frustrationstoleranz. Frustration ist eine komplexe Reaktion, die aus dem Zusammenspiel mehrerer neuronaler Schaltkreise in unserem Hirn resultiert und daran beteiligt ist, wie wir unsere Emotionen regulieren. Diese Schaltkreise stehen wiederum mit der Neuroanatomie, also der Art, wie unser Nervensystem aufgebaut ist, im Zusammenhang. Die Forschung geht davon aus, dass eine Störung bzw. Defizite an diesen Schaltkreisen ein Indiz dafür sein können, dass ADHS vorliegt. Interessanterweise lässt sich dieser neuroanatomische Zusammenhang sogar schon bei Kindern nachweisen. Eine schlechte Frustrationstoleranz kann zu einer extrem gereizten Stimmung führen. Reizbarkeit wird im wissenschaftlichen Kontext häufig als ein Stimmungszustand definiert, der durch eine niedrige Frustrationsschwelle gekennzeichnet ist. In einer Untersuchung aus dem Jahre 2002 wurde nachgewiesen, dass die Reizbarkeit bei Kindern mit ADHS bei bis zu 72 Prozent im Vergleich zu 3,2 Prozent in der Kontrollgruppe liegt.

Als siebtes und letztes Kriterium wird die **emotionale Überreagibilität** genannt, was man auch mit »Stressintoleranz« übersetzen könnte. Sie beschreibt die Unfähigkeit, adäquat mit alltäglichen Stressauslösern umzugehen, die sich auch in einer Reizüberflutung oder sogar in kleineren Blackouts äußern können.

Für eine ADHS-Diagnose im Erwachsenenalter müssen die ersten beiden Kriterien zwingend erfüllt sein sowie mindestens zwei weitere der restlichen fünf. Außerdem müssen diese Anzeichen in unterschiedlichen Situationen, wie etwa in der Ausbildung oder im Studium, auf der Arbeit oder im Privaten, auftreten und über einen Zeitraum von mindestens sechs Monaten beobachtet werden können. Haben sie dann noch zu spürbaren Einschränkungen in mehreren Lebensbereichen geführt, können sie ein guter Indikator für eine vorliegende ADHS im Erwachsenenalter sein.

Letztendlich ist die Diagnostik ein zeitaufwendiges Unterfangen, denn es handelt sich am Ende des Tages um eine klinische Diagnose, die viele Ressourcen benötigt. Eine subjektive Überzeugung oder ein einfaches Gespräch mit dem Hausarzt oder der Therapeutin reichen bei Weitem nicht aus. Neben der Mitarbeit der betroffenen Person braucht es mindestens einen Fachmenschen, der über die Komplexität von ADHS Bescheid weiß, auf dem aktuellen wissenschaftlichen Stand ist und die Fähigkeit besitzt, die vielen unterschiedlichen Diagnose-Instrumente richtig anzuwenden.

Leider gibt es einige Faktoren, die den Diagnoseprozess erheblich erschweren können. Ich bekomme immer wieder Nachrichten von Menschen, die mir erzählen, dass bei ihnen aus verschiedensten Gründen eine Diagnose nicht möglich sei. Häufig fehlen ihnen notwendige Unterlagen, wie Schulzeugnisse oder andere Leistungsbewertungen aus der Kindheit. Auch die Befragung von Menschen, die in frühen Lebensabschnitten zu unserem engsten Umfeld gehörten, kann mitunter schwierig sein. Vielleicht besteht kein Kontakt mehr zu ihnen, oder sie erinnern sich nicht mehr ausreichend an die Kindheit. Oder aber die Personen sind eventuell schon verstorben.

Mir wurde auch hier und da schon berichtet, dass sich Eltern oder der*die Partner*in weigern, die Fragebögen auszufüllen, weil sie keine Lust haben, »dass die Person dann etwas hat, worauf sie sich ausruhen kann«. Oder das Umfeld lehnt die ganze ADHS-Thematik generell ab. Wieder andere Betroffene möchten nicht, dass ihr Umfeld von dem Verdacht oder der Diagnose erfährt, häufig aus Angst vor Vorurteilen. Vielen fällt es außerdem schwer, ihre Probleme ausreichend zu beschreiben. Sie halten Symptome für schlechte Charaktereigenschaften, haben Strategien entwickelt, diese zu verstecken, oder sie werden von Folgekrankheiten wie Depressionen, Angststörungen, Süchten oder Ähnlichem überlagert. Teilweise können sich Menschen auch einfach nicht mehr genau an wichtige Details aus ihrer Kindheit erinnern, weil sie vielleicht Traumatisches erlebt und diesen Lebensabschnitt verdrängt haben.

Besonders tragisch ist allerdings, dass der Grund für eine fehlende oder noch ausstehende Diagnose, den ich im Austausch mit Betroffenen am meisten zu hören bekomme, ein ganz anderer ist. Er liegt begründet im medizinischen System, und auch die andauernde Enttabuisierung von ADHS hat in diesem Punkt bis jetzt noch keine Wirkung gezeigt: Man findet einfach weit und breit keinen Termin für die Diagnostik.

Wieso der Begriff »ADS« streng genommen **nicht mehr zeitgemäß** ist

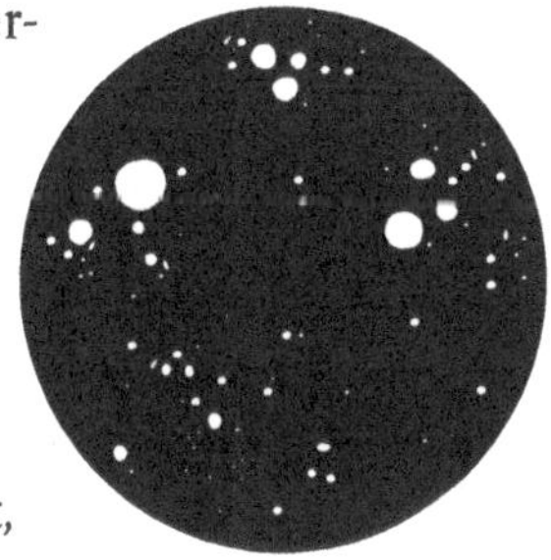

ADHS hatte im Laufe der Jahre viele verschiedene Namen, zum Beispiel »hyperkinetische Störung« oder »minimale zerebrale Dysfunktion«. Heute wird häufig noch zwischen den Begriffen »ADHS« und »ADS«, also einer Ausprägung mit und einer ohne Hyperaktivität, unterschieden. Je nachdem, welche Definition man nutzt, ist diese Unterscheidung tatsächlich nicht mehr zeitgemäß, und das schon seit einer ganzen Weile. Früher wurden *unaufmerksame* Symptome wie Probleme beim Zuhören oder Zeitmanagement als »ADS« diagnostiziert. *Hyperaktive und impulsive* Symptome wurden mit dem Begriff »ADHS« in Verbindung gebracht. Der Begriff »ADS« tauchte zum ersten Mal im Jahr 1980, in der dritten Ausgabe des *Diagnostic and Statistical Manual of Mental Disorders*, kurz DSM-3, auf. Das bereits erwähnte Handbuch der American Psychological Association (APA) dient Fachleuten für psychische Gesundheit bei der Diagnose psychischer Erkrankungen und wird vor allem in den USA, in dem das Klassifikationssystem DSM seinen Ursprung hat, aber auch in der Forschung und in vielen Kliniken und Instituten außerhalb der USA genutzt. Als 1994 das DSM-4, also die vierte Ausgabe des Handbuchs, erscheint, fällt der Begriff »ADS« bereits weg. Dafür unterscheidet man hier erstmals zwischen drei Subtypen:

A Vorwiegend unaufmerksam

Hier stehen Unaufmerksamkeit und Desorganisation im Vordergrund, Hyperaktivität und Impulsivität sind eher gering bis gar nicht ausgeprägt. Dieser Subtyp wird seltener diagnostiziert, da seine Symptome oft weniger auffallen als die des hyperaktiv-impulsiven Typus. Das ist ein großes Problem, da der vorwiegend unaufmerksame Typus häufig bei Mädchen und Frauen auftritt. Allerdings fällt er bei ihnen kaum auf, weil verträumtes, schüchternes und leicht chaotisches Verhalten einfach unter »typisch weiblich« verbucht wird. Die Folge: Frauen fallen oftmals durch das »ADHS-Raster« und werden häufig erst spät oder gar nicht diagnostiziert.

B Vorwiegend hyperaktiv-impulsiv

Hier sind, wie der Name es verrät, besonders Hyperaktivität und Impulsivität dominant. Unaufmerksamkeit und Desorganisation sind im Alltag eher unproblematisch.

C Kombiniert

Hier sind alle drei Kernsymptome relativ gleichmäßig ausgeprägt. Dieses Erscheinungsbild ist die am häufigsten auftretende Form.

Im DSM-5 von 2013 wurde der Begriff der »Subtypen« dann noch in »Erscheinungsbilder« abgeändert, und das aus gutem Grund: Es spiegelt die aktuelle Annahme wider, dass ADHS-Symptome eher fließend und keine stabilen Merkmale sind. Zum Beispiel kann das Symptom der Unaufmerksamkeit über das gesamte Leben hinweg relativ präsent sein, während Hyperaktivität und Impulsivität mit dem Alter eher nachlassen oder verlagert werden. So wird aus der motorischen Unruhe häufig eher eine innere Unruhe, weil wir zum Beispiel gelernt haben, still(er) zu sitzen. Impulsive Verhaltensweisen, die wir als Kinder an den Tag gelegt haben, haben wir uns abtrainiert oder versuchen, sie weitestgehend zu unterdrücken und nur in bestimmten Situationen rauszulassen. Unterdrücken Menschen allerdings Verhaltensweisen und Gefühle, die sie eigentlich in sich haben, birgt das viele Risiken. Es setzen häufig Bewältigungsmechanismen ein, die ungesund sein können, und je älter wir werden, desto größer ist das Risiko. Denn als Erwachsene kommen wir zum Beispiel problemlos an Substanzen wie Nikotin, Alkohol oder andere Drogen, und wir dürfen Fahrzeuge bewegen. Mögliche Folgen: Substanzmittelmissbrauch und Verkehrsdelikte.

Während sich Hyperaktivität und Impulsivität zum Erwachsenenalter hin eben verändern, durch Mechanismen bewältigt oder unterdrückt werden und so weniger sichtbar sind, bleibt das Symptom der Unaufmerksamkeit tendenziell über alle Altersgruppen hinweg stabil und verändert sich kaum. So entsteht sogar oft der Eindruck, dass die Unaufmerksamkeit mit dem Alter zugenommen hat, weil sie mehr in den Vordergrund tritt. Diese Schwankungen in den Symptomen und ihren Ausprägungen können dazu führen, dass beispielsweise aus Kindern mit der Diagnose »ADHS kombiniertes Erscheinungsbild« schließlich Erwachsene mit »ADHS vorwiegend unaufmerksames Erscheinungsbild« werden. Das nennt sich in der Fachsprache »heterotypische Kontinuität« und bedeutet, dass eine bestehende Basisstörung, abhängig vom Alter, unterschiedlich auftreten kann.

Diese Weiterentwicklung der Begriffe und die neuesten Forschungsergebnisse haben dazu geführt, dass sich der allgemein genutzte Sammelbegriff »ADHS« durchgesetzt hat; vor allem in medizinischen Kontexten, die sich in der Regel auf das DSM-5 berufen.

In Deutschland sieht das aber tatsächlich noch etwas anders aus. Hierzulande richtet man sich zwar auch nach einem Klassifikationssystem, aber nicht dem DSM-5, sondern aktuell noch nach der ICD-10. Diese Abkürzung steht für *International Statistical Classification of Diseases and Related Health Problems* und dieses Handbuch wurde schon in den 1990er-Jahren von der Weltgesundheitsorganisation (WHO) herausgegeben. Zwar wurde die ursprüngliche Fassung der ICD-10 immer wieder angepasst, teilweise aber nur auf nationaler Ebene abgewandelt. Wenn Krankheiten und psychische Störungen aber international vergleichbar sein sollen, sollte es zukünftig für die Erforschung unbedingt einheitliche Diagnosen geben. Sonst versteht eben plötzlich jede*r etwas anderes unter »ADHS« oder eben »ADS«. ADHS-Diagnosen sollten deshalb am besten auf Basis beider Handbücher gestellt werden, da sich die ICD und DSM – vorausgesetzt, sie werden richtig eingesetzt – sehr gut ergänzen. 2019 wurde von der WHO die nagelneue ICD-11 veröffentlicht, die im Januar 2022 in Deutschland in Kraft getreten ist. Und siehe da: Die Kriterien für ADHS stimmen in allen wichtigen Punkten nun weitestgehend mit dem DSM-5 überein.

Obwohl die ICD-11 theoretisch schon einsetzbar wäre, wird es in Deutschland noch dauern, bis es auch in der Praxis endlich so weit ist. Laut dem Bundesinstitut für Arzneimittel und Medizinprodukte (BfArM) werden das Prüfen, Anpassen und Einführen noch mindestens fünf Jahre in Anspruch nehmen. Manche Schätzungen gehen aber davon aus, dass es 10 bis 15 Jahre dauern könnte, bis die ICD-11 im klinischen Alltag angekommen ist. Solange wird die tief in unserem Gesundheitswesen verankerte 10. Auflage der ICD weiterhin Bestand haben und wohl dafür sorgen, dass Menschen immer noch »ADS«-Diagnosen erhalten, obwohl der wissenschaftliche Stand, ganz streng genommen, schon ein anderer ist.

Weil dieses Wissen noch nicht zu allen, die sich mit dem Thema ADHS beschäftigen, durchgedrungen ist, habe ich mich dazu entschieden, das »H« im Titel dieses Buches einzuklammern. Auf diese Weise möchte ich dafür sorgen, dass sich wirklich ALLE sofort darin wiederfinden können und wissen, dass auch sie mitgemeint sind. Hier in meinem Text halte ich mich aber – wie auf meinem Instagram-Kanal *@kirmesimkopf* – an den aktuellsten Stand der Forschung und spreche von ADHS, so wie es das DSM und die ICD mittlerweile empfehlen.

3 Es ruckelt im Betriebssystem: Exekutive Dysfunktion

Die beiden Wörter, die ich jetzt schreibe, sollte sich jeder Mensch im Zusammenhang mit ADHS merken. Sie sind bei Weitem wichtiger als zum Beispiel zu wissen, was hinter den vier Buchstaben A-D-H-S steht. Die beiden Wörter lauten: **exekutive Funktionen.**

Jede*r, der*die in seinem Leben schon mal mit einem Windows-Betriebssystem gearbeitet hat, erinnert sich vielleicht an die Datei-Endung ».exe«. »EXE« ist eine Abkürzung für den englischen Begriff »executable«, den man mit »ausführbar« übersetzen kann. Klickt man eine Datei mit dieser Endung an, wird das Programm, das sich dahinter verbirgt, ausgeführt. Und da unser Hirn quasi wie ein Betriebssystem funktioniert, sieht es hier nicht anders aus. Der Sammelbegriff »exekutive Funktionen« kommt aus der Hirnforschung und Neuropsychologie und bezeichnet die geistigen Prozesse, mit denen ein Mensch, unter Berücksichtigung aller Umweltfaktoren, sein Verhalten steuert. Diese Steuerzentrale liegt, wie bereits erwähnt, im **Frontallappen** unseres Gehirns, und hier lohnt es sich besonders, noch einmal genauer hinzuschauen. Denn diese wichtigen Fähigkeiten sind der Kern dessen, womit Menschen mit ADHS in ihrem Leben zu kämpfen haben. Natürlich hat jeder Mensch gelegentliche Beeinträchtigungen dieser Funktionen, aber eben nicht im gleichen Ausmaß wie ein Mensch mit ADHS. Denn die Entwicklung und Nutzung sind bei ADHS-Hirnen oft durch eine Fehlfunktion im Bereich dieser Selbststeuerung gekennzeichnet, die sich auch **exekutive Dysfunktion** nennt.

Die exekutiven Funktionen – Unser Selbstmanagementsystem

Damit in unserem Gehirn alles geschmeidig läuft, braucht es die bereits erwähnten Neurotransmitter, allen voran Dopamin und Noradrenalin, in ausreichender Menge an den richtigen Stellen. Ansonsten fällt es schwer, sich zu motivieren, eine Aufgabe zu beginnen und zu Ende zu bringen, etwas zu organisieren und zu planen, Informationen zu behalten und zu verarbeiten, Emotionen zu regulieren, Entscheidungen zu treffen und aus Fehlern zu lernen. Diese Dinge lernt ein Mensch in der Regel circa ab dem zweiten Lebensjahr und ihre Entwicklung ist mit circa Mitte zwanzig abgeschlossen. Beeinträchtigungen in diesen Bereichen zeigen sich aber häufig erst ab dem

12. Lebensjahr. Die exekutiven Funktionen lassen sich dabei auf drei wichtige Anforderungen eingrenzen:

Die Impulskontrolle

Wer kennt es nicht? Wir sitzen am Schreibtisch und müssen eine Aufgabe erledigen, und plötzlich schießt uns ein Gedanke durch den Kopf. Vielleicht denken wir an unsere Lieblingsserie, die wir unbedingt weiterschauen wollen, oder wir sehen, dass die Sonne doch noch mal rausgekommen ist, und malen uns aus, wie schön jetzt ein leckeres Eis aus der Eisdiele wäre. Oder vielleicht betritt auch jemand das Zimmer, eine Person, über die wir uns total freuen, weil wir so gerne mit ihr quatschen, oder vielleicht auch jemand, der uns gerade noch gefehlt hat.

Funktioniert unsere Impulskontrolle ausreichend, können wir unsere Aufmerksamkeit und unser Verhalten jetzt steuern. Wir geben dem Impuls, eine Serie zu gucken oder ein Eis essen zu gehen, nicht nach. Wir lassen uns nicht ablenken oder von unserer Aufgabe abbringen, bis sie erledigt ist – alles andere kommt später.

Das Arbeitsgedächtnis

Auch wenn unser Arbeitsgedächtnis nur einen begrenzten Speicherplatz hat, ist es enorm wichtig. Es speichert vor allem vorübergehend nützliche Informationen, bis sie weiterverarbeitet werden können. Das ist besonders hilfreich, wenn es um Zwischenschritte geht. Im Matheunterricht zum Beispiel, wenn wir uns eine Zwischenlösung merken müssen, um eine

Aufgabe auszurechnen. Oder wenn wir grammatikalisch korrekte Sätze verstehen oder bilden wollen oder von einer Sprache in die andere übersetzen und wieder zurück. Wenn wir an der Kasse stehen und auf unser Wechselgeld warten, aber auch, wenn wir eine Anleitung für etwas bekommen, an die wir uns halten sollen. Zum Beispiel, ob in den Leihwagen Benzin oder doch Diesel kommt, oder wenn wir nach dem Weg fragen und uns jemand die Richtung beschreibt. Oder wenn wir verschiedene Alternativen miteinander vergleichen, um zu entscheiden, was für uns die beste Lösung ist.

Die kognitive Flexibilität

Auf dem Arbeitsgedächtnis und der Impulskontrolle baut unsere geistige Flexibilität auf. Je besser sie ausgebildet ist, desto schneller können wir uns auf neue Anforderungen einstellen. Wir schaffen es, Situationen und Menschen aus anderen und neuen Perspektiven zu betrachten und dazwischen hin und her zu wechseln. So sind wir offen für andere Meinungen, wir lernen aus Fehlern, und es fällt uns nicht schwer, uns auf neue Lebenssituationen und Arbeitsanforderungen einzulassen.

Je flexibler wir sind, desto leichter fällt uns das Zusammenspiel aus Vorausschauen, also zu denken, bevor wir handeln, und abzuschätzen, wie wir unsere Kräfte am besten einteilen, und Zurückschauen, also zu reflektieren und aus dem, was wir erfahren haben, zu lernen. Im besten Fall funktionieren Vorausschau und Rückschau zusammen, und wir behalten dabei zusätzlich auch noch alle anderen Menschen um uns herum im Blick. Je besser wir uns dabei anstellen, desto zufriedener ist unsere Umwelt mit uns und wir mit uns selbst.

Bei Menschen mit ADHS sieht das alles etwas anders aus. Der Psychloge Thomas E. Brown hat in über 25 Jahren Arbeit mit Kindern, Jugendlichen und Erwachsenen mit ADHS ein Modell entwickelt, um die komplexen kognitiven Funktionen zu beschreiben, die bei ADHS beeinträchtigt sein können. Er teilt sie in die sechs folgenden Cluster ein, die miteinander in unterschiedlichsten Kombinationen zusammenarbeiten und unterschiedlich stark beeinflusst sein können:

1 Aufgaben organisieren, priorisieren und aktivieren

Ewig aufschieben und alles auf den letzten Drücker? Wer hiermit Probleme hat, dem fällt es schwer, endlich mit etwas anzufangen. Auch das Einschätzen von Zeit und zu erkennen, was Priorität hat, fällt nicht leicht.

2 Fokussieren, Aufmerksamkeit aufrechterhalten und auf die Aufgabe lenken

Ständig mit den eigenen Gedanken beschäftigt, leicht ablenkbar, schnell den Fokus verlieren, zeichnet dieses Cluster aus. Dazu muss, wer hier beeinträchtigt ist, häufig daran erinnert werden, bei der Sache zu bleiben, und wechselt ständig zwischen den Aufgaben hin und her.

3 Aufmerksamkeit regulieren, Anstrengung und Verarbeitungsgeschwindigkeit aufrechterhalten

Wir träumen in der Gegend herum und wirken passiv, die Motivation lässt schnell nach, und wir werden langsamer, was sich negativ auf die Produktivität auswirkt. Sehr zur Irritation unserer Umwelt, denn was gestern noch schnell und gut geklappt hat, kann sich heute ziehen wie ein endloses Kaugummi.

4 Frustration bewältigen und Emotionen kontrollieren
Klappt etwas nicht so, wie wir wollen, oder sorgt nicht für die nötige Stimulation, sind wir schnell frustriert. Auf Kritik reagieren wir dünnhäutig und sind schnell gereizt. Dazu kann es noch sein, dass wir uns unnötig den Kopf zerbrechen und uns Szenarien ausmalen, die uns entmutigen und verstimmen.

5 Arbeitsgedächtnis nutzen und bei Bedarf darauf zugreifen
Egal ob Gegenstände, Termine, Gedanken oder beabsichtigte Handlungen – all das ist schnell vergessen, und die gewünschte Information lässt sich genau in den Momenten, in denen wir sie brauchen, nicht abrufen.

6 Verbale und motorische Handlungen regulieren
Menschen, die hier Probleme aufweisen, handeln impulsiv, ohne lange genug nachzudenken. Sie fühlen sich innerlich und/oder äußerlich unruhig.

Wieso wir vorhaben, etwas zu tun – und es **doch nicht machen**

Wenn wir eine Aufgabe erledigen sollen, kommen eben genau diese Funktionen zum Einsatz, um die alltäglichen Hügelchen des Lebens zu meistern. Für die meisten Menschen einfach nur ein Automatismus, über den sie nicht lange nachdenken müssen, weshalb sie dazu neigen, jemandem mit ADHS zu sagen: »Mach doch einfach!« Doch für Menschen mit ADHS gleichen die alltäglichen Aufgaben oft einem unbezwingbaren Berg. Ich habe vor einiger Zeit ein gutes Beispiel dafür in einem tollen Buch gelesen, das 2022 veröffentlicht wurde. Es heißt *Understanding ADHD in Girls & Women.* Autorin ist die britische Psychologin Dr. Joanne Steer, die sich dafür mit ein paar anderen ADHS-Expert*innen sowie Mädchen und Frauen mit ADHS zusammengetan hat. In einem Kapitel erzählt ADHS-Coach Valerie Ivens von ihrer Zusammenarbeit mit der ADHSlerin Jemma. Eines der Beispiele hat sich in meinen Kopf eingebrannt: Jemma sitzt im Unterricht und hat es verpasst, sich eine Aufgabenstellung von der Tafel abzuschreiben, weil es zu laut um sie herum war und sie sich nicht richtig konzentrieren konnte. Als sie am Ende des Unterrichts zur Lehrerin geht, um ihr das Problem zu schildern, wimmelt die sie nur ab. Sie wisse nicht, was das Problem sei, die Anweisungen wären klar gewesen, und es sei außerdem nichts Neues. Wenn sie immer noch ein Problem hätte, solle Jemma ihr eine Mail schreiben und einen Termin vereinbaren, jetzt hätte die Lehrerin keine Zeit für sie. Ja, ziemlich unempathisch, aber mit klarer Ansage: »Schick mir eine Mail, und wir setzen uns zusammen, damit ich es dir noch mal erklären kann!« Was Ivens jetzt macht, ist: Sie zerbröselt für die Lesenden diese »einfache Aufgabe« mal in ihre Einzelteile, die für ADHS-Hirne ziemlich komplex werden kann:

1 Gefühle managen (z. B. Unverständnis der Lehrerin; eigene Scham etc.) – dafür braucht es die exekutive Funktion: emotionale Regulation.

2 Vorbereitungen für die E-Mail (z. B. Erinnerung machen; an den Laptop setzen; Mailadresse der Lehrerin raussuchen; ins eigene Postfach reinkommen, trotz vergessenem Passwort etc.) – dafür braucht es die exekutiven Funktionen: Organisation und Zeitmanagement.

3 Entscheiden, was man schreiben will (z. B. ausführliche Schilderung oder kurz und knackig; sachlich oder emotional etc.) – dafür braucht es die exekutiven Funktionen: emotionale Regulation und zielgerichtete Ausdauer.

4 Herausfinden, warum man ein Problem hat – dafür braucht es die exekutiven Funktionen: emotionale Regulation und Metakognition (Auseinandersetzung mit den eigenen kognitiven Prozessen).

5 Mail schreiben – dafür braucht es die exekutive Funktion: Aufgabeneinleitung.

6 Eigene Verfügbarkeit feststellen – dafür braucht es die exekutiven Funktionen: Organisation, Arbeitsgedächtnis und Zeitmanagement.

7 E-Mail vervollständigen und senden – dafür braucht es die exekutiven Funktionen: zielgerichtete Ausdauer, emotionale Regulation und Aufgabenerfüllung.

8 Schauen, ob eine Antwort kam – dafür braucht es die exekutiven Funktionen: Organisation und emotionale Regulation.

9 Antworten und Terminbestätigung – dafür braucht es die exekutiven Funktionen: Organisation, Zeitmanagement und emotionale Regulation.

Und so werden aus dem kurzen Vorhaben »einen E-Mail-Termin mit einer strengen Lehrerin vereinbaren, um Probleme zu besprechen« plötzlich neun Aufgaben, die zwar jeder Mensch erledigen müsste, aber sie fühlen sich für Menschen ohne ADHS eben nicht so an, als wären es viele einzelne kleine Aufgaben, sondern ein einziges To-do. Doch es gibt alleine in diesem Beispiel zig Möglichkeiten für einen Menschen mit ADHS zu scheitern. Und zwar weil sein Gehirn damit beschäftigt ist, Aufgaben in ihre Einzelteile zu zerlegen, und weil an jedem Punkt eine oder mehrere exekutive Dysfunktionen dafür sorgen können, dass wir zwar sagen oder vorhaben, etwas zu machen, es aber doch nicht tun. Und am Ende schämt man sich auch noch und fühlt sich, als wäre man zu nichts fähig – nicht einmal dazu, eine beschissene kleine E-Mail zu schreiben.

Nur die Spitze des Eisbergs – Wieso wir endlich **erkennen** müssen, was im **Verborgenen** liegt

Deshalb ist es so wichtig, dass wir begreifen, welche essenzielle Rolle diese exekutiven Funktionen bei Menschen mit ADHS spielen. Wenn unsere Umwelt oder wir selbst also das Gefühl haben, wir »funktionieren« gerade nicht reibungslos, dann sind mit höchster Wahrscheinlichkeit manche oder alle dieser Funktionen akut beeinträchtigt. Doch leider fehlt es oft an Wissen und Verständnis in unserem Umfeld. Dort reagiert man nämlich selten so wohlwollend und verständnisvoll wie nötig, wenn wir mal wieder die Mathehausaufgabe nicht gelöst bekommen; wenn jeder Vogel, der am Fenster vorbeifliegt, interessanter ist als das Mittagessen; wenn wir unser Heft zu Hause liegen lassen, die Sandburg unserer kleinen Schwester kaputt machen oder Papas Auto gegen die Wand fahren.

Das führt häufig zu einem schier endlosen Teufelskreis, der sich durch das ganze Leben ziehen und schwerwiegende Folgen haben kann. Dazu zählen anhaltende Konflikte im Elternhaus und in der Schule, ein mangelndes Selbstvertrauen, körperliche und psychische Traumata, biopsychosoziale Fehlentwicklung sowie eine gestörte Persönlichkeitsentwicklung, Schulabbrüche, Substanzmittelmissbrauch, Unfälle, Beziehungsprobleme oder psychische Folgeerkrankungen wie Depressionen, Süchte, Angststörungen, suizidale Gedanken und vieles mehr.

Das sind Dimensionen, die den meisten Menschen nicht bewusst sind, selbst wenn sie vermeintlich denken, dass sie wüssten, was ADHS ist, selbst wenn sie einen Menschen im Umfeld haben, der*die ADHS hat. Weil diese Tragweite vielen nicht klar ist, wachsen zwar etliche Kinder mit einer Diagnose auf, doch sie und ihre Eltern werden nicht genügend darüber aufgeklärt, welchen Einfluss ADHS haben kann – und zwar ein Leben lang. Denn das ADHS-Gehirn tickt nun mal, wie es tickt.

Fakt ist: Viele dieser bis hierhin angesprochenen Probleme resultieren auch daraus, dass Menschen zu spät oder gar nicht diagnostiziert werden, dass sie nicht ausreichende Informationen erhalten und/oder langfristig nicht die nötige Hilfe bekommen. All das resultiert letztendlich daraus, dass wir allgemein zu wenig über ADHS wissen und es deswegen immer noch jede Menge Vorurteile gibt. Außerdem herrscht in unserer Gesellschaft ein defizitärer Umgang mit psychischen Erkrankungen, mentaler Gesundheit und Diversität im Allgemeinen.

So wachsen Menschen heran, die ständig das Gefühl haben: Ich kann mich noch so bemühen, aber wie ich bin, bin ich nicht richtig. Für mich ist streng genommen kein Platz in dieser Welt. Meine »Andersartigkeit« ist keine Facette menschlichen Seins, sondern im Endeffekt ein Fehler im System. Und durch die Tabuisierung solcher Gefühle und Themen entsteht dann oft das Gefühl, man wäre ganz alleine mit seinen Problemen. Das ist aber nicht wahr. Denn wir sind viele.

4 Haben wir nicht alle ein bisschen ADHS? – Die Menge macht's

Es gibt unendlich viele Momente in meinem Leben, da gehe ich durch die Wohnung und habe das Ziel, eine Aufgabe zu erledigen. Sagen wir mal, endlich den sich stapelnden Papiermüll zur Tonne neben dem Haus zu bringen. Während ich den riesigen Haufen hochhebe, schneide ich mich an einem Metallding, das aus einem Pappkarton hervorsteht, und fange direkt ein bisschen an zu bluten. Also Kartonagen und Co. erst mal vor der Haustür abstellen und zurück ins Haus, ein Pflaster suchen. Zum Glück habe ich daran gedacht, den Schlüssel mit rauszunehmen. Auf ins Bad, da dürfte noch eine Packung Pflaster sein. Als ich die Schublade des Badezimmerunterschranks wieder schließen will, merke ich, dass sie nicht richtig zugeht. Nanu? Liegt da etwa eine lose Schraube und blockiert den Schließmechanismus? Kurz mal die Schublade rausheben und mit der Handytaschenlampe ins Innere des Schranks leuchten. Jep, lose Schraube, dann brauchen wir hier wohl erst mal einen Schraubenzieher. Also Handy kurz ablegen und auf in die Abstellkammer! Dort angekommen, sehe ich, dass die Waschmaschine blinkt. Fuck! Wieder stundenlang die nasse Wäsche in der Maschine liegen lassen. Was soll's, dann noch 'ne Runde. Mist, wo hatte ich noch mal das neue Waschpulver hingestellt? Oh, da steht ja noch eine Dose von der leckeren Tomatensoße, die uns meine Freundin aus Italien mitgebracht hat. Mein Magen knurrt auch echt übel, wann habe ich eigentlich das letzte Mal was gegessen? Vielleicht koche ich als Überraschung noch mal die leckere vegane Bolognese, die mir und meinem Freund so gut schmeckt? Er kommt ja gleich von der Arbeit und hat sicher Hunger! Eine Viertelstunde später, ich stelle gerade die Pfanne mit dem Olivenöl auf die Herdplatte und schalte auf die höchste Stufe, obwohl mein Freund mir schon 100-mal gesagt hat, dass ich das Öl nur langsam erhitzen soll, betritt selbiger auf einmal die Küche und schreckt mich aus meinen Gedanken:

»Äh, kurze Frage – wieso hat es die Pappe nur bis vor die Tür geschafft, und weißt du eigentlich, dass dein Schlüssel draußen steckt und voller Blut ist? Ich musste mir gerade erst mal die Hände waschen und habe gesehen, die Schublade vom Badezimmerschrank liegt abmontiert mitten im Raum?« Er schmunzelt. »Was hast du bitte getrieben, wolltest du nicht heute das ganze Chaos beseitigen?« Ich schaue bedröppelt auf den Boden, mein Blick streift dabei die dampfende Papiertüte in seiner Hand.

»Was hast du da?«

»Na, unser Abendessen? Ich hatte dir doch geschrieben, dass wir heute nicht kochen brauchen und ich uns was mitbringe. Hast du meine Nachricht nicht gesehen?«

Ich denke an mein Handy, das gerade wahrscheinlich immer noch den Badschrank erleuchtet, wenn der Akku nicht schon aufge-

geben hat. Auf der Herdplatte hinter mir zischt auf einmal das vergessene Olivenöl laut auf. Mein Freund schaltet den Herd demonstrativ auf Stufe 1 runter, spart sich aber den Kommentar. »Bitte, bitte, sag jetzt nicht, du hast für uns gekocht. Ich wollte dir unbedingt 'ne kleine Freude machen, als Dankeschön, weil du doch heute so viel im Haushalt gemacht hast – den Papierkram, die ganze Wäsche …«

FUUUUUCK! DIE WÄSCHE!

Seitdem ich meine Diagnose öffentlich gemacht habe, melden sich ganz regelmäßig Menschen bei mir, die vermuten, dass sie auch ADHS haben könnten. Einige davon sind auch aus meinem direkten Umfeld, zum Beispiel Freund*innen oder Freund*innen von Freund*innen, deren Partner*innen, Kolleg*innen und so weiter. Ob diese Menschen nun ADHS haben oder nicht, kann ich nicht ausreichend beurteilen – ich bin schließlich weder Therapeutin noch Medizinerin. Es gibt aber gewisse Anzeichen, bei denen ich ihnen rate, ihrem Verdacht weiter nachzugehen.

Leider gibt es aber auch Menschen, die hören hier und da etwas auf TikTok, Instagram oder YouTube und sind sich dann plötzlich sicher, dass sie ADHS haben. Es gibt beispielsweise 15-sekündige Videos, in denen so was gesagt wird wie: »Wenn du diese 5 Dinge kennst, hast du ADHS!« Unter den Dingen, die anschließend in dem Video aufgezählt werden, sind Sätze wie »Du kannst ein und denselben Song tagelang auf Repeat hören« oder »Laute Kaugeräusche bei anderen machen dich wahnsinnig«.

Oft gibt es einen Zusammenhang zwischen diesen Beispielen und ADHS. Trotzdem halte ich solche Videos für problematisch. Denn nur weil man einzelne Symptome, Verhaltensweisen oder Ähnliches auch aus seinem eigenen Alltag kennt, heißt das nicht, dass man automatisch auch eine klinische

Diagnose erhalten würde. Denn bei einer ADHS treten nicht auf einmal Dinge auf, die quasi sonst kein anderer Mensch auf diesem Planeten hat. Wir sind auch anatomisch genauso aufgebaut wie jede*r andere. Wir haben keine telepathischen Kräfte, können keinen Laser schießen und verfügen nicht über zwei Gehirne. Wir sind keine Aliens – auch wenn wir uns manchmal so fühlen –, sondern ganz normale Menschen. Bei uns sind nur manche Dinge stärker oder eben weniger stark ausgeprägt, und das fällt dann im Zusammenleben auf, weil es sich eben nicht nur um eine Phase handelt, sondern weil es immer vorhanden ist. Es ist eigentlich ziemlich offensichtlich, wenn man die Mechanismen dahinter erkennt.

Obwohl es diese »typischen ADHS-Mechanismen« gibt, ist mir wichtig zu betonen: Man kann nicht pauschal sagen, dass sich ein Mensch mit ADHS genau SO verhält. Dafür gibt es einfach zu viele Faktoren, die beeinflussen, wie sich ADHS entwickelt und ausprägt. Um das Ganze vielleicht noch ein bisschen anschaulicher zu machen, habe ich an dieser Stelle trotzdem mal ein Potpourri an Situationen und meinen damit verbundenen Umgang mitgebracht, auch wenn ich nicht vermeiden kann, dass sich auch darin Menschen wiederfinden werden, die kein ADHS haben. Denn: Vielleicht steckt nicht in jedem Menschen ADHS, aber in jeder*m ADHSler*in ganz sicher ein Mensch.

Heute ist gestern schon morgen – Aufschieberitis

Dass ich wirklich mal ein Buch schreiben würde, habe ich selbst nicht für möglich gehalten. Klar, Pläne hatte ich viele. Und das nicht mal nur in meinem Kopf. Es gibt unglaublich viele angefangene Ideen von mir, zum Teil reifen, warten und schimmeln sie seit Monaten und Jahren vor sich hin. Da wäre ein fast fertiges Musikalbum mit selbst geschriebenen Songtexten, komponierten Melodien und grandiosen Beats eines befreundeten Producers. Dann noch ein Konzept zu einem Kinderbuch über Diversität sowie zwei Romananfänge über ungleiche Paare. Einige Seiten voller Notizen über die unglaublich spannende Lebensbiografie meines Partners, »die wir unbedingt mal aufschreiben müssen, um ein Buch daraus zu machen«. Mehrere zu drei Vierteln fertige Kurzgeschichten und eine lange Liste mit weiteren Ideen und Skizzen. Sie stehen handschriftlich in meiner großen Sammlung von Notizblöcken, in digitalen Notiz-Apps und in Ordnern auf meinem Desktop mit Titeln wie »Skizzen« oder »Kreatives«. Beziehungsweise lagen sie dort, bis ich sie wieder in Ordner und diese wieder in Ordner gepackt habe, damit ich sie nicht ständig sehen muss. Sie schwirren fast täglich durch meinen Kopf, zusammen mit all den anderen unerledigten Dingen; solche, die man getrost aufschieben kann, »bis man mal Zeit dafür hat«, und solche, die man besser nicht aufschieben sollte, es aber trotzdem tut. Einige dieser Ideen rollen nur verächtlich mit den Augen und rümpfen die Nase, wenn sie sich in meinen Gedanken breitmachen und mit mürrischem Gesicht ihre Schulden eintreiben. Andere von ihnen schauen mich mit traurigen Augen an, huschen an mir vorbei und trauen sich gar nicht mehr richtig, auf sich aufmerksam zu machen. Sie verschwinden lieber schnell wieder in den Untiefen meiner Ordner und Notizhefte.

Alleine jetzt, in diesem Moment, driften meine Gedanken wieder in vierzig verschiedene Richtungen. Wie bringe ich Struktur in diesen Text rein? Wo ist mein Ladekabel? Was macht der Nachbar da unten seit Stunden im Garten? Wieso tut mein Rücken schon wieder so weh? Wann bau' ich endlich die blöde Schranktür an? Fuck, ich muss mich dringend bei der Steuerberaterin melden! Wann habe ich morgen das erste Meeting? Habe ich meine Kopfhörer geladen? Bis wann muss ich die Mahnung von H&M noch mal zahlen? Ich würde gerade so gerne 'ne Runde Fahrrad fahren, aber meine Reifen sind immer noch platt. Hatte die Vermieterin sich eigentlich zurückgemeldet wegen des Problems mit der Heizung? Wieso bin ich nur immer so verpeilt? Wann ist endlich wieder Sommer? Wann habe ich eigentlich das letzte Mal was getrunken? Boah, jetzt fängt der Nacken auch noch an … Wieso sitze ich noch mal hier? Und wo war noch mal mein scheiß Ladegerät? Und parallel dazu muss ich versuchen, klare Gedanken zu fassen und mich auf die Aufgabe zu konzentrieren, die vor mir liegt, während sowohl in meinem Kopf als auch auf meinem Laptop mindestens zwanzig Tabs gleichzeitig offen sind.

Auf diese Weise befinde ich mich in dem einzigen Zustand, in dem ich es wirklich schaffe, produktiv zu sein: Ich mache wirklich *alles* gleichzeitig – Mails checken, die IT anrufen, mit dem zweiten Handy parallel in der Warteschleife einer Kundenhotline stecken, googeln, wie man noch mal »konfiszieren« schreibt, ein neues Rollo fürs Arbeitszimmer bestellen, weil ich meinem Nachbarn nicht mehr jeden Tag bei der Gartenarbeit zusehen möchte, googeln, wie viel Wasser ein Mensch am Tag trinken sollte, und eine Playlist bei Spotify finden, die mich nicht ablenkt, weil ich jeden Songtext im Kopf mitsummen muss. Nacheinander gibt es bei mir nicht. Es passiert immer alles gleichzeitig. Oder gar nicht.

Gleichzeitig kommt dann noch mein Freund ins Zimmer und sagt, dass die Staubsaugerbeutel leer seien. Nur als Feststellung, nicht als Auftrag. Ich antworte schon gar nicht mehr, sondern google automatisch unser Staubsaugermodell und packe die passenden Beutel in meinen virtuellen Warenkorb zu den Rollos. »Äh, Erde an Angelina? Hast du mitbekommen, dass ich mit dir rede?« – »Schon bestellt!« – »Was?« – »Na, die Beutel.«

Ich habe manchmal das Gefühl, wenn Menschen mir ihre »Probleme« mitteilen, springe ich sofort darauf an und suche nach einer Lösung. Wie ein Programm. Dann spucke ich die bestmöglichen Ergebnisse aus und verliere jedes Mal ein bisschen Akkuladung, ein bisschen Energie. Und wenn ich meine eigenen Sachen dann mal wieder nicht fertig bekommen habe, schiebe ich es auf die Dinge, die ich für andere geregelt habe, obwohl sie mich nicht mal wirklich danach gefragt haben. Ich arbeite Aufgaben selten von vorne nach hinten, von A bis Z, durch, sondern springe wie ein Zufallsgenerator durch die Gegend. In Windeseile scanne ich eine Aufgabe und fange immer mit dem an, was sich einfach anhört, was ich direkt verstehe und was mir liegt. Ich baue also viele kleine, halb fertige Teile und versuche dann, sie am Ende zu einem großen Ganzen zusammenzufügen. Das war schon in der Schule so – mal habe ich mit der letzten Aufgabe angefangen, dann einen Teil vom Anfang erledigt, dann wieder zur Mitte zurück. Das birgt natürlich Fehler, man vergisst, dass man zwar Aufgabe 2 a) und c) gemacht hat, aber dass b) ja noch nicht beantwortet war.

Beim Schwanken zwischen sehr schneller Auffassungsgabe und ewigem Sich-in-Details-Verlieren habe ich dann immer wieder vergessen, die Uhr im Blick zu behalten oder zu prüfen, ob es noch eine Seite 2 gibt. Damit blieb ich oft »hinter meinen Erwartungen zurück«, wie die Lehrer*innen meiner Mutter dann am Elternsprechtag mitteilten. »Außerdem hat sie zu oft ihre Hausaufgaben und ihr Schwimmzeug vergessen, dabei weiß sie genau wie alle anderen, wann sie was dabeihaben muss. Und sie quatscht zu viel. Sie ist ein intelligentes junges Mädchen, aber sie hält sich und andere vom Unterricht ab. Sehr schade.«

Eigentlich wäre dieses Buch auch schon viel früher fertig gewesen, denn ich wusste quasi, bevor ich anfing, es zu schreiben, was genau ich drinstehen haben wollte. Trotzdem rückt der Abgabetermin immer näher, und ich bin noch nicht mal im Ansatz fertig. Denn jedes Mal, wenn ich mich an den Laptop setzen will, um wenigstens ein paar Seiten zu schaffen, fallen mir circa eintausend andere Dinge ein, die ich auch noch »ganz dringend« erledigen muss. Zum Beispiel den Speicher entrümpeln (kein Witz, ich habe wirklich parallel zum Buchschreiben damit angefangen), den Kühlschrank auswischen, Klamotten aussortieren und zum Altkleidercontainer bringen, mit meiner Mutter das Grab meiner Oma besuchen, meiner Freundin beim Umzug helfen, meine Newsletter-Abonnements abbestellen, den Teppich reinigen, einen Termin beim Hautarzt vereinbaren – all die Dinge, die ich sonst ewig vor mir hergeschoben habe, gehen mir plötzlich so leicht von der Hand, weil sie alle eine Ausrede dafür sind, wieso ich »keine Zeit« habe, das Buch zu schreiben.

Man spricht hierbei auch oft von »Aufschieberitis« – einem Verhalten, das sicher vielen Menschen ein Begriff ist. Alles scheint plötzlich wichtiger zu sein, und selbst ein Haushaltsmuffel wird plötzlich zur Putzfee Hauptsache, wir können die eigentliche Aufgabe vor uns herschieben, obwohl wir wissen, dass sie eigentlich erledigt werden sollte beziehungsweise erledigt werden muss.

Bis hierhin könnte man dieses Verhalten noch als Phänomen beschreiben, das hin und wieder auftritt, vor allem wenn es um unliebsame Haushaltsaufgaben geht oder im Zusammenhang mit beruflichen, schulischen oder akademischen To-dos steht. Bei Menschen mit ADHS kann diese Form des Aufschiebens aber häufig weitaus größere Dimensionen annehmen – und zwar *nonstop*. Denn hier ist es fast nebensächlich, um welche Aufgabe es sich handelt, sie wird einfach nicht erledigt. Alltägliche Dinge, wie etwa dreckiges Geschirr in die Spülmaschine räumen, die Einkäufe aus der Einkaufstüte holen und in die dafür vorgesehenen Schränke verräumen, Termine vereinbaren oder absagen, jemandem zum Geburtstag gratulieren, Rechnungen bezahlen oder den Müll rausbringen, können zu einer beinahe unlösbaren Aufgabe mutieren, die man immer weiter vor sich herschiebt. Ja, sogar Dinge wie Wasser trinken, etwas essen, duschen oder kurz mal pinkeln gehen können bis ins Unermessliche aufgeschoben werden. Die Folge – räumliches Chaos, Schuldgefühle, zwischenmenschliche Konflikte, unbefriedigte Grundbedürfnisse, finanzielle Einbußen und vieles mehr. Und so wird aus dem negativen Gefühl, das uns die Aufgabe vorher vermittelt hat und weswegen wir sie ursprünglich mal vermieden haben, ein wirkliches Problem. Wenn das Aufschieben so extrem und dauerhaft wird und sogar krankhafte Ausmaße annimmt, also pathologisch wird, sprechen Fachleute von **Prokrastination**.

Prokrastination ist ein anerkanntes Störungsbild. Wer davon betroffen ist, kann sich nicht von selbst dazu überwinden, etwas vermeintlich Unangenehmes, etwas, das Konzentration erfordert, oder etwas eine andere Tätigkeit Unterbrechendes zu tun. Koste es, was es wolle. Schuld daran ist in der Regel eine gestörte Selbstregulation. Dabei spielt laut Psycholog*innen vor allem die fehlende Konzentration eine große Rolle. Denn neben dem Gefühl, etwas zu vermeiden, das uns in irgendeiner Form Energie kosten könnte, schießen auch hier wieder Tausende nebensächliche Gedanken durch unseren Kopf und halten uns davon ab, mit einer Aufgabe zu beginnen, geschweige denn, sie zu Ende zu bringen. Und es gibt einfach kaum eine Möglichkeit, dass unser Gehirn uns vermitteln kann: »Vertrau mir, du wirst dich besser fühlen, wenn du es hinter dich gebracht hast. Du wirst stolz auf dich sein, auch andere werden zufrieden sein, und du darfst dich sogar dafür belohnen!« Keine Chance. Das ADHS-Hirn macht an dieser Stelle dicht. Denn es kann sich beim besten Willen nicht vorstellen, dass Kosten und Nutzen gleich viel wiegen. Dann lieber lustige Katzenvideos auf TikTok anschauen. Die machen nämlich sofort glücklich. Genau wie Schokolade. Oder neue Sneaker.

Tatsächlich bin ich damals auf das Thema »Prokrastination« gestoßen, bevor ich zum ersten Mal von ADHS im Erwachsenenalter gehört habe. Beziehungsweise: ADHS tauchte zum ersten Mal im Zusammenhang mit meinen Recherchen zum Thema Aufschieben auf und nicht umgekehrt. Ich plante im Oktober 2019 eine Themenwoche zum Thema Bildung für *@maedelsabende*, einen Instagramkanal von WDR & funk. In diesem Zusammenhang wollte ich gerne etwas von meinem eigenen Umgang mit Druck während der Schulzeit und an der Uni erzählen und mit anderen das Gefühl teilen, dass man trotz verbindlicher Deadlines die Dinge häufig erst auf den letzten Drücker erledigt.

Bei meinen Recherchen stieß ich auf die Universität Münster, die in ihrer Psychotherapie-Ambulanz eine eigene »Spezialambulanz Prokrastination« anbietet, in der Studierende beraten und ihnen sogar Therapiemöglichkeiten zur Verfügung gestellt werden. Außerdem ist diese Prokrastinationsambulanz eng mit der wissenschaftlichen Forschung verbunden, mit dem Ziel, die Behandlung von chronischem Aufschieben zu verbessern. Mich interessierte bei meinen Recherchen vor allem eine Möglichkeit: den Grad meines Aufschiebeverhaltens mit einem von der Universität entwickelten Selbsttest zu ermitteln. Dieser besteht aus zusammenhängenden Fragebögen, die sich mit den Themen »Aufschiebeverhalten«, »Depressivität« sowie »Aufmerksamkeitsproblem« beschäftigen. Nachdem man den Onlinetest vollständig ausgefüllt hat, kann man ihn anonym auswerten lassen und bekommt im Anschluss direkt eine individuelle Rückmeldung darüber, ob es sich noch um eine normale Aufschieberitis oder doch schon um richtige Prokrastination handelt. Ich arbeitete mich also circa 25 Minuten durch diverse Fragestellungen, heraus kamen dabei grob zusammengefasst folgende Punkte: Prokrastination? Check! Depressivität? Check! Und – Aufmerksamkeitsprobleme? Check! Meine Werte lagen 90 Prozent über dem Durchschnitt der Antworten, die Menschen ohne Auffälligkeiten angegeben hatten. Na, herzlichen Glückwunsch!

Natürlich kann und darf ein solcher Test keine Diagnose ersetzen, aber hier stand zum allerersten Mal, dass die Ursache eines Aufschiebeverhaltens dieses Ausmaßes tatsächlich eine Aufmerksamkeitsdefizit-/Hyperaktivitätsstörung sein könnte. Man riet mir, dies doch einmal professionell abklären zu lassen. Und was habe ich mit dieser Info gemacht? Ich habe sie überlesen beziehungsweise ignoriert. Weil ich überhaupt keine Ahnung hatte, was das für mein ganzes Leben bedeuten könnte oder dass ADHS wahrscheinlich der Grund für all meine großen und kleinen Probleme wie etwa krankhaftes Aufschieben, depressive Episoden, Stress, Verspannungen, zwischenmenschliche Konflikte und, und, und sein könnte. Denn in meinem Kopf gab es einfach keinerlei Verbindung zwischen diesen Problemen und dem Thema ADHS im Erwachsenenalter. Da ging kein Alarmsignal an, das mir sofort sagte: »Angelina, das ist es! Du hast ADHS! Lass dich diagnostizieren!« Erst als einen Monat später der für mich lebensverändernde Moment im Fernsehstudio bei Jürgen Domian stattfand, konnte ich auch dieses Puzzleteil endlich in das Gesamtbild einfügen.

Ich **entscheide** mich, mich **nicht zu entscheiden** – Die Analyse-Paralyse

Ich habe letztens eine halbe Ewigkeit auf dem Teppich gesessen, weil ich nicht wusste, ob ich nach einem anstrengenden Arbeitstag noch eine Runde mit meinem Freund und dem Hund rausgehen sollte oder nicht. Was dafür sprach: Nach acht Stunden Sitzen endlich mal die erste frische Luft schnappen und sich zum ersten Mal an diesem Tag ein bisschen bewegen. Auf der Gegenseite: Bewegung, Regen, kalt, dunkel.

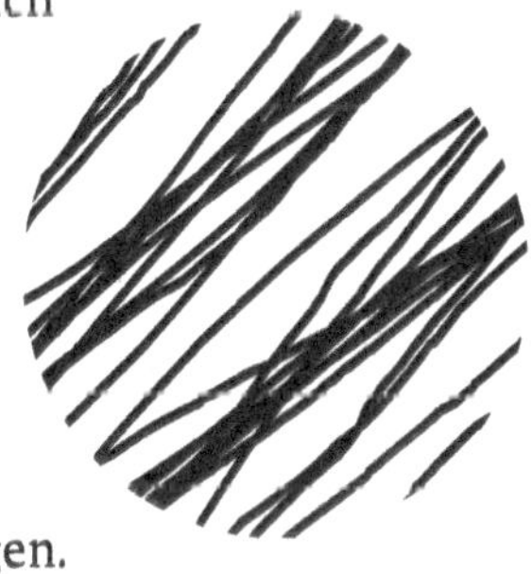

So eine Entscheidung kann für mich, je nach Energielevel, zu einer fast unlösbaren Aufgabe werden. Viele Menschen würden sagen: »Hä? Entweder du willst oder du willst nicht. Ich verstehe das Problem nicht.« Aber ganz so einfach ist es nicht. Denn in meinem Kopf können schon bei der kleinsten Entscheidung kriegsähnliche Zustände herrschen. Und meine innere Schweinehündin mutiert dann mal eben zu einem Super-Saiyajin, wenn sie etwas nicht will. Das kann dann auch schon mal in Tränen, Diskussionen oder Resignation enden.

Im Fall der Spaziergangsgeschichte wurde mir die Entscheidung einfach abgenommen: Während ich da hockte und die Argumente in meinem Kopf versuchten, sich gegenseitig außer Gefecht zu setzen, hatte ich nicht mitbekommen, dass Hund plus Freund schon längst das Haus verlassen hatten. So sehr war ich in diesem Prozess gefangen. Erst als es plötzlich klingelte, weil die beiden schon wieder zurück waren, wurde ich aus meinem Zustand herausgerissen.

Es gibt dafür auch einen Fachbegriff, der meiner Meinung nach die Situation sehr treffend beschreibt: (ADHS-)*Paralyse* beziehungsweise *Analyse-Paralyse*. Der Journalist und Autor des Blogs *Living with Adult ADHD* Austin Harvey beschreibt es in einem Artikel für das Onlinemagazin MEDIUM folgendermaßen: »Stell dir vor, du sitzt auf einem Stuhl, an den du gefesselt bist, inklusive deiner Hände. Währenddessen schwirrt eine Fliege um deinen Kopf, immer und immer wieder. Sie saust an deinen Ohren vorbei, du hörst sie, du siehst sie, aber du kannst nichts machen. Diese Fliege symbolisiert einen Gedanken, eine Aufgabe. Und jetzt stell dir vor, da ist nicht nur eine Fliege, sondern ein ganzer Schwarm, der pausenlos um dich herumfliegt, aber du kannst nichts tun, damit sie dich in Ruhe lassen.«

Ihr habt doch sicher schon mal Kühe oder Pferde auf einer Weide gesehen, die permanent von nervigen Fliegen belagert werden und die die ganze Zeit damit beschäftigt sind, sie mit ihrem Schwanz von sich zu vertreiben. Alleine das ist schon mühselig, und jetzt stellt euch vor, ihr habt nicht mal diesen Schwanz. Für Harvey dient diese Metapher dafür, den Zustand eines Menschen mit ADHS zu beschreiben: In seinem Kopf schwirren pausenlos Tausende Gedanken herum, die super schwer einzufangen sind. Je mehr Aufgaben da sind, desto schwieriger wird es für uns, mit etwas zu beginnen, sich zu organisieren und es durchzuziehen. Dieses permanente Herumwirbeln kann sogar dazu führen, dass wir uns fühlen, als wären wir an einen Stuhl gefesselt und nicht in der Lage, irgendwas zu tun. Wir fühlen uns wie paralysiert. Das kann auch vorkommen, wenn eine Entscheidung getroffen werden soll. Es müssen dabei nicht mal unbedingt die großen Entscheidungen des Lebens sein, wie: Will ich Kinder oder nicht? Soll ich kündigen oder nicht? Soll ich mir dieses Auto anschaffen oder nicht? Es können auch ganz kleine Entscheidungen sein. Entscheidungen, die für Menschen ohne ADHS nicht mal als solche zu identifizieren sind. »Hast du Lust, eine Runde spazieren zu gehen?«, »Möchtest du noch Nachtisch bestellen?«, »Wollen wir heute den Spider-Man-Film oder den Batman-Film gucken?«. Bei mir herrscht da manchmal ein totaler Blackout.

So ein von außen betrachtet irritierendes Verhalten kann ganz unterschiedliche Gründe haben. Viele Menschen mit ADHS haben nicht per se Probleme, sich zu entscheiden, mit etwas anzufangen oder sich auf etwas zu konzentrieren. Es kommt immer darauf an, was es ist und welche Bedeutung es jeweils für uns hat. Dinge sehr schnell entscheiden zu müssen, wenn es zum Beispiel akuten Handlungsbedarf gibt, eine plötzliche Krise oder ein Notfall eintritt, triggert vor allem die Impulsivität von Menschen mit ADHS. Plötzlich fassen sie souverän einen Beschluss, während alle anderen noch hadern, in Panik verfallen oder noch nicht einmal begriffen haben, worum es genau geht und wie eine Lösung aussehen könnte. Hier wird nicht lange nachgedacht, hier wird gehandelt!

Sind allerdings zu viele Informationen vorhanden, zu viele Entscheidungsmöglichkeiten gegeben und wird uns empfohlen, uns etwas »gut zu überlegen« und erst mal »in Ruhe« darüber nachzudenken, kann das dazu führen, dass wir uns gar nicht entscheiden. Es kann zum Beispiel passieren, dass ich im Restaurant sitze und maximal verzweifelt bin. Denn ein Menü, selbst wenn es nur fünf Gerichte enthält und ich schon zehnmal dort gewesen bin, kann mich und andere in den Wahnsinn treiben. Denn mein Hirn agiert ungefähr so: »Worauf haben wir Lust? Süßlich oder doch lieber scharf? Mal was Neues wagen oder das von letztem Mal? Oh, das hier klingt gut! Aber das hier auch. Hoffentlich schmeckt das ... und ich hoffe, ich vertrage es überhaupt. Oh, das wäre aber auch lecker dazu. Könnte das dann zu viel sein? Soll ich mein Gegenüber fragen, ob wir uns etwas teilen wollen? Dann könnte es aber wieder zu wenig sein. Außerdem weiß ich gerade nicht, ob er*sie Pilze mag. Ich würde sie ja einfach rauspicken, aber vielleicht kann man die Kellnerin auch fragen, ob sie das so halb/halb machen kann? Dann kostet das bestimmt extra. Hoffentlich ist das nicht so eine Miniportion. Was hat mein Gegenüber jetzt bestellt? Hätte ich das auch nehmen sollen? Was ist, wenn ich doch lieber das gehabt hätte und gleich neidisch auf den anderen Teller schiele? Und Mist – was soll ich überhaupt trinken?«

Das ist nur ein klitzekleiner Ausschnitt aus meinem Gedankensalat zu einer scheinbar unwichtigen Entscheidung, die mich aber trotzdem jede Menge Energie kostet. Jedes Mal.

Auch die Angst, sich falsch zu entscheiden, und ein häufiges Gefühl von Reue spielen eine nicht unerhebliche Rolle. Zu oft haben Schnellschüsse auch dazu beigetragen, dass ich unglücklich mit einer Entscheidung bin, zum Beispiel bei der Speisenauswahl im Restaurant, oder die in extremeren Fällen zu einem echten Problem geführt hat. Deshalb neigen Menschen mit ADHS auch dazu, Dinge einfach auszusitzen. Frei nach dem Motto: Ich mache jetzt einfach die Augen zu, ich melde mich einfach nicht zurück, ich ignoriere das Problem oder die Aufgabe, und hoffentlich zieht der Sturm dann über mich hinweg, und die Dinge lösen sich einfach von alleine.

Wenn mein **fehlendes Zeitgefühl** den Stand-by-Modus aktiviert

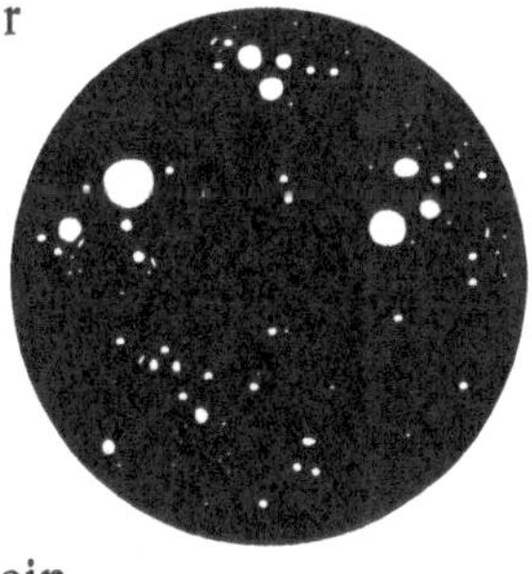

Ich bin jetzt knapp über 30 und habe immer noch kein Zeitgefühl. Wie viel passt in einen Tag? I don't know! Oft würde ich aber gerne einfach alles machen und lege mir schön viele Termine hintereinander. Hä? Na klar schaffe ich es, morgens mit dem Hund zu gehen, dann Sport zu machen, dann kurz einzukaufen, dann ein Telefonat zu führen, dann am Schreibtisch zu sitzen und zu schreiben und am frühen Abend eine Freundin zu treffen. Am Ende des Tages habe ich dann oft nur einen Bruchteil davon geschafft und fühle mich mies.

Bei vielen Menschen mit ADHS ist die Zeitwahrnehmung gestört, was dazu führt, dass sie so etwas wie »zeitblind« sind. Das muss nicht immer bedeuten, dass sie regelmäßig zu spät zu Terminen kommen, weil sie sich verzetteln und die Zeit aus den Augen verlieren (so wie ich). Es kann auch bedeuten, dass sie, wenn sie eine zeitlich undefinierte Aufgabe bekommen oder selbst einschätzen sollen, wann sie mit was anfangen und wie lange sie dafür brauchen werden, einfach aufgeschmissen sind. Denn sie wissen einfach nicht, wie lange etwas dauern wird oder welche Aufgabe/Aktivität sie priorisieren sollen.

Auch das hat natürlich wieder mit den exekutiven Funktionen zu tun: Der Teil unseres Gehirns, der fürs Planen, Terminieren, Zielesetzen und Organisieren zuständig ist, ist zufällig auch der Teil, der mitunter am meisten von ADHS beeinflusst wird. Man geht außerdem davon aus, dass Zeitwahrnehmung auch eine sensorische Komponente hat, die tief in uns verwurzelt ist. Das Gehirn arbeitet dabei mit einem anderen wichtigen Player in unserem Körper zusammen: dem Herzen.

Unser Herzschlag ist in der Regel sehr regelmäßig und somit voraussagbar. Das Hirn nimmt die Infos des Pulses und kann damit ungefähr abschätzen: »Okay, das Herz schlägt so und so oft in der Minute, also ist eine Minute circa so und so lang.« Das kombiniert es dann mit sensorischen Messungen von Licht, Temperatur und anderen Signalen und bekommt so ein Gefühl für Zeit.

Bei Menschen mit einer gestörten Zeitwahrnehmung, wie ich sie habe, führt das im Alltag dazu, dass sich manche Momente wie Kaugummi anfühlen und man dann plötzlich in einem dunklen Zimmer sitzt und nicht weiß, wo der ganze Tag auf einmal hin ist. 1999 stellte der Psychiater und Forscher Gabor Maté eine gegensätzliche Hypothese auf, mit ganz ähnlichem Ergebnis. Er ging davon aus, dass Menschen mit ADHS sogar sehr wohl Zeit wahrnehmen können, nur leider zu sehr. Seine Annahme war es, dass sie wortwörtlich wahrnehmen können, »wie die Zeit verrinnt«, was extremen Stress auslöst, der wiederum zu unaufmerksamem oder hyperaktivem und impulsivem Verhalten führen kann.

Und es führt ebenfalls dazu, dass ich einfach nicht mit etwas anfange, weil ich noch »massig Zeit« habe. Sagt mir zum Beispiel jemand: »Abgabe ist dann in drei Wochen, am 26. des Monats«, speichert mein Gehirn einfach: »Wir erledigen die Aufgabe am 26.« Dass ich vorher noch Zeit gebraucht hätte, um alles vorzubereiten, mich einzulesen und die Aufgabe auch wirklich sorgfältig zu erledigen, versteht es nicht. Deshalb habe ich für jede Klausur, jede Prüfung, wenn's hochkommt, häufig nur 24 Stunden Zeit zum Lernen gehabt. Jede Bewerbung, jede Abgabe von irgendwas – immer erst auf den letzten

Drücker, oft sogar erst am Tag der Deadline. Das geht mal gut und manchmal auch weniger. Es heißt nicht ohne Grund: »Nur unter Druck entstehen Diamanten.«

Spaß beiseite: Dass man mit der Pistole auf der Brust plötzlich zu Höchstleistungen aufläuft, geht spannenderweise nicht nur mir so, das belegen auch diverse Untersuchungen. Eine erstmals 2016 veröffentlichte iranische Studie hat die Zeitwahrnehmung von Grundschüler*innen mit und ohne ADHS bei neutralen Aufgaben und bei »emotional aufgeladenen« Aufgaben unter Zeitdruck untersucht. Während die Kinder mit ADHS bei neutralen Aufgaben erwartungsgemäß schlechter abschnitten, sah es bei den emotional aufgeladenen Aufgaben anders aus. Da war es nämlich genau umgekehrt: Während der ausgelöste Stress (der zum Beispiel auch den Puls beeinflusst) bei der Kontrollgruppe zu Verzögerungen führte, sorgte die emotionale Stimulation bei den Kindern mit ADHS erst dafür, dass ihr Hirn die Zeit richtig wahrnahm und alle Funktionen aktivierte.

Auch ein typisches Phänomen, das mir im Zusammenhang mit ADHS und Zeit immer wieder begegnet: Termine, die einen komplett ausknocken. Zwischen 10 und 13 Uhr kommen die Handwerker? Super, dann mache ich bis dahin genau – gar nichts. Ein Telefonat um 15 Uhr? Bis dahin kann ich natürlich nicht anfangen zu arbeiten. Um 17 Uhr muss ich bei einem wichtigen Arzttermin sein? Klasse, dann setze ich mich so lange auf einen Stuhl und sitze die Zeit ab, aus panischer Angst, den Termin zu verpassen. Und so sitze ich da und warte und warte, während meine Gedanken nur noch um den Termin kreisen, und ich hänge bis zur besagten Uhrzeit im Stand-by-Modus fest, während ich mich dafür schäme und schuldig fühle, meine Zeit mal wieder nicht sinnvoll genutzt zu haben.

Zu laut, zu schnell, zu viel – Die **Labertasche**

Erinnert ihr euch noch an meine Grundschullehrerin? Die, die mich erschießen wollte, weil ich so viel quasselte? Also rein hypothetisch natürlich. Viel und gerne zu sprechen ist oft nichts anderes als ein Persönlichkeitsmerkmal. Extrovertierte Menschen haben zum Beispiel oft große Konversationsfähigkeiten. Und viele Menschen können ein gutes Gespräch mit Freund*innen oder auch völlig Fremden genießen und trotzdem erkennen, wann Ruhe die beste Antwort ist. Denn wer bei Bedarf leicht aufhören kann zu reden, bei dem ist die Geschwätzigkeit wahrscheinlich nur ein Aspekt seines Charakters.

Allerdings können verschiedene Formen bestimmter Kommunikationsmuster auch als Symptom von psychischen Erkrankungen/Besonderheiten auftreten. Druckhaftes Sprechen tritt oft als Teil manischer Episoden auf, wohingegen desorganisierte Sprache ein schizophrenes Symptom sein kann. Ausschweifendes oder exzessives Reden kann mit einer sozialen Angst einhergehen. Man hat Angst, das Falsche zu sagen oder von anderen beurteilt zu werden, und redet am Ende oft mehr als beabsichtigt, um die Angst auszugleichen und die Sorge darüber, was andere über einen denken, zu beruhigen. Es ist auch nicht ungewöhnlich, dass Menschen mit bipolarer Störung während einer manischen Episode lange über Erfolge, Ziele oder Pläne sprechen, was für Außenstehende oft übertrieben und wenig realistisch klingt. Und Menschen mit einer narzisstischen Persönlichkeitsstörung sprechen möglicherweise viel über ihre Fähigkeiten, Dinge, die sie erreicht haben, oder wichtige Menschen, die sie kennen, um Aufmerksamkeit und Anerkennung zu ernten.

Viele Menschen mit ADHS neigen dazu, vor allem hyperverbal zu sein, also sehr viel zu sprechen. Sie haben dabei oft das Gefühl, dass sie die Worte, die aus ihnen herausfließen, nicht wirklich kontrollieren können. Sie springen von Gedanke zu Gedanke und reihen diese so schnell aneinander, dass der Inhalt Zuhörende überfordert oder zusammenhangslos wirkt. Oft fällt es den Sprechenden auch schwer, darauf zu warten, dass sie an der Reihe sind, oder sie neigen dazu, andere zu unterbrechen. Interessant zu beobachten ist aber die Kommunikation zwischen zwei Menschen mit ADHS, die ähnliche Kommunikationsmuster haben: Hier wirkt es manchmal so, als befände man sich in einem olympischen Pingpongturnier. Die Gedanken sprudeln, Sätze springen hin und her, die Themen wechseln in Sekundenschnelle, und trotzdem liegt die Konzentration oft bei 110 Prozent, denn es fällt ihnen unglaublich leicht, den Worten des anderen zu folgen und gleichzeitig die eigenen Gedanken zu formen. Ich habe mir sagen lassen, für Außenstehende ist dieses Gesprächspingpong oft unglaublich anstrengend, aber für mich ist es immer ein wahres Fest.

Ich würde mich generell auch als einen sehr gesprächigen und offenen Menschen beschreiben. Schon immer. Ich weiß aber erst seit meiner ADHS-Diagnose: Das hängt bei mir auch mit einem der drei Kernsymptome zusammen, das bei mir wirklich 10 von 10 ausgeprägt ist: meiner Impulsivität. Ich gehe meistens ganz intuitiv meinen Impulsen nach. Ich lasse meine Gefühle und Bedürfnisse zu und denke bis zu einem gewissen Grad nicht an mögliche Konsequenzen. Das kann für bereichernde Momente und Bewunderung sorgen, aber auch zu etwas führen, das bei vielen Menschen mit ADHS sehr stark ausgeprägt ist: das sogenannte **Oversharing.** Oversharing bedeutet, dass man persönliche oder unangemessene Dinge in der falschen

Umgebung oder zu der falschen Person sagt. Oder, wie in meinem Fall, alles, was ich denke, fühle und sehe, direkt auf Instagram zu teilen oder Privates in meine Arbeit einfließen zu lassen. Das passiert oft, ohne dass ich darüber nachdenke, ob es zu persönlich ist, wie mich andere dann sehen oder ob ich morgen noch genauso denke. Ich habe da oft keinen Filter und das Bedürfnis, meine Gedanken, meine Meinung, meine Gefühle einfach rauszulassen.

Später überkommen mich dann manchmal der Zweifel und die Scham. Habe ich zu viel preisgegeben? Habe ich zu viel geredet, zu detailliert erzählt? Es gab auch schon Momente, in denen jemand aus meinem Umfeld zu mir meinte: »Glaub mir, lösch deine letzte Story. Das ist einfach *too much information*, später bereust du es wieder.« Was sich von außen betrachtet vielleicht als übergriffig lesen lässt, ist in Wahrheit eine Instanz, für die ich oft sehr dankbar bin. Wenn ich zu dem Zeitpunkt nämlich bereits selbst gezweifelt habe, ob ich dieses Foto, diesen Text, dieses Video wirklich mit der ganzen Welt teilen will, helfen mir solche Interventionen total. Wenn ich aber von etwas überzeugt bin und es sich trotz äußerer Zweifel für mich komplett gut und richtig anfühlt, mache ich keinen Schritt zurück. Denn Fakt ist: Ich bin ein unglaublich euphorischer, enthusiastischer und empathischer Mensch, was sich auch als »sehr emotional« zusammenfassen ließe. Einflüsse von außen, zum Beispiel Kommentare über die Art und Weise, wie ich bin oder was ich erzähle, haben dazu geführt, dass ich irgendwann anfing, mich zurückzunehmen und »sehr emotional« durch »zu emotional« zu ersetzen.

Mittlerweile bin ich aber an einem Punkt angekommen, an dem ich mich nicht mehr dafür rechtfertigen oder schämen möchte, dass ich ein großes Mitteilungsbedürfnis habe. Ich möchte mich nicht mehr zurücknehmen oder kontrollieren.

Ich möchte nicht mehr darüber nachdenken, was Menschen von mir denken. Ich möchte nicht mehr darüber nachdenken, ob ich dadurch unprofessionell, selbstdarstellerisch, nervig oder cringe wirke oder mich verletzlich zeige und angreifbar mache. So bin ich nun mal. So denke ich, so arbeite ich, so bin ich. Ich LEBE für Emotionen. Ich erfinde mich jeden Tag neu, ich liebe die Unbeständigkeit und meinen Wankelmut und finde trotzdem immer mehr in meine Mitte. Dann bin ich halt eine Labertasche. Na und? That's me.

Das ist die einzige Antwort, die ich Menschen geben kann, wenn sie mich fragen, was eine Diagnose im Erwachsenenalter überhaupt bringt. Sie hilft mir dabei zu verstehen, wer ich wirklich bin, meine Maske abzulegen und endlich ICH zu sein.

Aus den **Augen**, aus dem **Sinn**

Ihr könnt euch nicht vorstellen, wie oft ich in meinem Leben die Wörter »Scheiße« und »Fuck« benutzt habe. Nicht um jemanden zu beleidigen, sondern weil mir plötzlich etwas siedend heiß wieder eingefallen ist. Das Teewasser, das ich nach jedem Mal Aufwärmen wieder vergesse, weil ich so vertieft in etwas anderes bin. Ein wichtiges Meeting, das in einer Minute anfängt und seit Tagen dick und fett in meinem Kalender steht. Eine Rechnung, die ich unbedingt bezahlen muss, damit ich keine Post vom Inkassounternehmen bekomme. Dass ich auf keinen Fall klingeln soll, wenn ich vor der Tür meiner besten Freundin stehe, weil es Stunden gedauert hat, bis das Baby endlich eingeschlafen ist, und ich trotzdem auf die Schelle drücke. Alles

Dinge, die in meinem Leben schon so häufig passiert sind, dass sie für mich zum alltäglichen Autopilot-Kram gehören, der trotzdem immer und immer wieder für maximales inneres und äußeres Chaos sorgt.

Dieses Phänomen wird häufig mit zwei Begriffen in Verbindung gebracht, und zwar **Objektpermanenz** und **Objektkonstanz.** Sie wurden maßgeblich durch den Schweizer Entwicklungspsychologen Jean Piaget geprägt und haben eine wichtige Bedeutung in unserem Alltag. Objektpermanenz ermöglicht es uns zu wissen, dass Objekte und Personen weiter existieren, auch wenn sie sich außerhalb unserer Wahrnehmung befinden. Objektkonstanz beschreibt die Fähigkeit zu wissen, dass die Beziehung zu Personen zuverlässig und konstant bleibt, auch wenn sie gerade nicht unsere Bedürfnisse befriedigen. Wir wissen, dass unsere Eltern für uns sorgen und sich um uns kümmern, auch wenn sie gerade nicht in Reichweite sind, weil wir zum Beispiel auf Entdeckungskurs über den Spielplatz krabbeln oder vorübergehend bei einer Tagesmutter sind. Dass wir uns etwas vorstellen können, was wir gerade nicht sehen oder spüren, hilft uns auch dabei, flexibel zu sein und uns schnell an neue Situationen anzupassen, weshalb diese Fähigkeiten bereits im frühesten Kindesalter entwickelt werden.

Auch wenn diese beiden Konzepte keine anerkannten ADHS-Symptome sind, stellen viele Menschen mit ADHS eine Verbindung zu ebendiesen Begriffen her. Vor allem wenn es um ihre Vergesslichkeit geht: Befindet sich etwas oder jemand nicht in ihrer unmittelbaren Nähe und wird deshalb nicht über die Sinne wahrgenommen, ist es quasi nicht existent. Natürlich darf man das hier nicht allzu wörtlich nehmen. Menschen mit ADHS ist durchaus bewusst, dass ein Mahnschreiben noch da ist, auch wenn es in der Schublade liegt. Dass jemand ihnen eine Nachricht bei WhatsApp geschrieben hat, die nicht dadurch beantwortet wird, dass man sie öffnet. Oder dass die Wäsche in der Maschine auch wirklich »da« ist. Trotzdem verpassen sie Fristen, schreiben »Ich antworte dir gleich« und tun es anschließend doch nicht oder vergessen die nassen Jeans auch noch ein drittes Mal ...

Das Arbeitsgedächtnis hat diese Information jedoch häufig als »nicht superduperwichtig« abgespeichert, und so werden sie augenblicklich beiseitegeschoben, denn die Konzentration liegt auf den Dingen, die uns aktiv »reizen« und dadurch wichtiger erscheinen. Oder aber auf Dingen, die für eine positive Stimulation sorgen könnten und uns somit easy von der Hand gehen. Je eher wir an etwas scheitern könnten und bei den einzelnen Schritten, die eine Aufgabe mit sich bringt, ins Stocken geraten, desto eher landet sie auf dem »Für später«-Stapel in unserem Hirn, und der liegt leider maximal weit weg. Das geht manchmal sogar so weit, dass ich in dem Moment, in dem ich etwas tun will, nicht mehr weiß, was ich gerade vorhatte. Ich gehe also von einem Raum in den anderen, und beim Übertreten der Türschwelle ist das Vorhaben vorbei. Ich stehe dann verdutzt da und frage mich: »Was zur Hölle wollte ich hier noch mal?!« Das führt dann häufig dazu, dass ich durch die Wohnung eile und das, was ich tun will, laut vor mir hersage: »Kichererbsen, Kichererbsen, Kichererbsen!« – wenn ich zum Beispiel eine Dose Kichererbsen für mein Mittagessen aus der Abstellkammer holen möchte. Oder ich schnauze jemanden an, der mich versehentlich in meinem Arbeitsablauf stört: »Nicht jetzt! Ich muss das hier gerade zu Ende machen, bevor sich wieder alles zerstreut!« Oder es platzt einfach verbal aus mir heraus: »Sorry, ich musste das kurz sagen, sonst wäre mein Gedanke direkt wieder weg gewesen!« Deshalb sind Notiz-Apps, To-do-Listen, Planer und Co. auch so verdammt wichtige Tools für Menschen mit ADHS – wenn wir uns dann noch daran erinnern, wo wir etwas notiert haben.

Die Objektkonstanz kann sich natürlich auch auf unsere Beziehungen auswirken. Denn auch Menschen und das, was sie für uns bedeuten und vor allem was wir ihnen bedeuten, können ebenfalls aus unserem »Blickfeld« verschwinden. So können wir intensive Momente mit Menschen verbringen, ihnen nahe sein und eine tolle gemeinsame Zeit haben, und dann plötzlich hört man nichts mehr von uns. Weil wir uns genau wie an Gegenstände und Termine auch nicht mehr an das Gefühl erinnern können, das wir an besonderen Abenden, während intensiver Urlaubstrips oder bei Menschen, die uns eigentlich sehr wichtig sind, gespürt haben, weshalb auch Vermissen manchmal schwerfallen kann. Und es macht es auch in manchen Momenten so schwierig zu wissen, dass man anderen etwas bedeutet.

Die ADHSlerin Ameera Ladak bringt es in einem Blogpost auf dem Community-Portal des Gesundheitsunternehmens *The Mighty* perfekt auf den Punkt: »Ich habe festgestellt, dass, wenn ich Leuten meine ADHS-Symptome erkläre, sie ziemlich viel Verständnis für meine zerstreute Natur haben, wenn es um körperliche Dinge geht. Sie verstehen, dass ich meine Schlüssel verliere, ich verliere meine Socken, ich verliere sogar meine Schuhe – aber dieses Verständnis gilt nicht für Emotionen und Gefühle. Sie verstehen nicht, dass ich auch die Liebe, die sie für mich haben, die Fürsorge, die sie für mich haben, verliere und ich sie nicht finden kann, wenn ich sie wirklich brauche. Ich brauche es ständig direkt vor meinem Gesicht, damit ich daran denken kann.«

Nächster Halt: Koblenz! **Oder:** Wieso ich den 30. Geburtstag meiner Freundin **verpasst habe**

Gerade sitze ich im Zug Richtung Hamburg. Dort werde ich auf einer Konferenz über ADHS im Job sprechen und darüber, welche Chancen dort verborgen liegen. Ich bin natürlich nicht so früh ins Bett gegangen, wie ich es mir vorgenommen hatte, sondern habe erst abends damit angefangen, meinen Koffer zu packen, und dann festgestellt, dass ich viele coole Kleidungsstücke besitze, die endlich mal der Öffentlichkeit präsentiert werden könnten. Leider passt keines der Teile zum anderen, was mich später noch in extremen Stress bringen wird. Außerdem habe ich es natürlich nicht geschafft, mir ausreichend Essen für die über fünf Stunden lange Fahrt von Aachen nach Hamburg vorzubereiten, habe nur 0,5 Liter Leitungswasser dabei und verdurste jetzt schon, weil die Tablette, die ich morgens genommen habe, wie immer für maximale Mundtrockenheit sorgt.

Ich kalkuliere mit den 27 Minuten Umsteigezeit am Kölner Hauptbahnhof. Da hole ich mir Proviant für die Fahrt, und dann geht's weiter mit dem ICE in Richtung Hamburg. Leider kommt doch alles etwas anders: Natürlich hat der Anschlusszug in Köln Verspätung. Da steh' ich nun an Gleis 5, mit meinem belegten Brötchen, dem Apfel, den Nüssen, dem Schokoriegel und der 1,5 Liter Flasche Wasser, und der Zug kommt und kommt nicht. Aus 5 Minuten werden 10, aus 10 werden 20 und aus 20 werden am Ende unglaubliche 60 Minuten (plus die 27 Minuten Wartezeit, versteht sich).

Genervt und ohne reservierten Sitzplatz hieve ich meinen schweren Koffer mit vier Paar Schuhen für 1,5 Tage in den Zug und bin jetzt schon fertig mit den Nerven.

Plötzlich schießt mir eine ähnliche Situation durch den Kopf. Ebenfalls eine Zugfahrt nach Hamburg und zurück, für einen Dreh mit der selbst ernannten »Kackfluencerin« *@kikidoyouloveme*, die ihren Instagram-Kanal und ihre Reichweite für ähnliche Belange wie ich nutzt – nur dass sie über die Themen Reizdarm und Panikattacken aufklärt. Es war der 6. Januar 2022, und ich war voller Vorfreude nach Hamburg aufgebrochen, um mit Kiki über allerlei Darmthemen zu sprechen. Die Fahrt mit dem ICE Sprinter der Deutschen Bahn sollte fünf Stunden dauern. Gebraucht habe ich fast das Doppelte. Denn der Zug musste mehrfach aus diversen Gründen pausieren, und zwar richtig, richtig lange.

Das Interview mit Kiki am nächsten Tag lief zum Glück sehr gut. Ich hatte sogar noch Zeit für einen Kaffee mit einer Freundin, dann musste ich aber schnell noch einen Covid-Test machen und wieder zurück, denn eine meiner engsten Freundinnen feierte gleich doppelt: ihren 30. Geburtstag und eine Einweihungsparty. In Aachen. Und wo war ich an diesem Abend? Auf dem Weg nach Koblenz.

Wer sich ein bisschen mit den Bahnstrecken in NRW auskennt, weiß vielleicht, dass Koblenz weder vor Köln kommt noch vor Aachen. Vor Koblenz kommt zum Beispiel Köln-Deutz. Da hätte ich aussteigen *müssen*. Ich dachte aber, der Zug würde auch über den Kölner Hauptbahnhof fahren. Upsi. Vor Koblenz kommt außerdem noch Bonn (Beuel). Dort hätte ich aussteigen *können* und hätte wieder zwanzig Minuten zurückfahren können bis nach Köln-Deutz, um von dort aus wieder in einen Zug nach Aachen zu steigen. An diesem Tag gab es aber leider keinen Halt in Bonn. Der fiel wegen Bauarbeiten aus. Upsi. Und deshalb war ich also auf dem Weg nach Koblenz. Upsi. Wo ich noch nie im Leben war und auch noch nie weniger hinwollte als zu diesem Zeitpunkt. Auf mich warteten schließlich mein Zuhause und die Geburtstags- und Einweihungsparty meiner Freundin. Zusätzliche Fahrtzeit, weil ich nicht rechtzeitig ausgestiegen war: eine weitere Stunde. Sechs hatte ich da schon hinter mir. In Koblenz würde ich dann aussteigen, knapp dreißig Minuten auf den Zug zurück warten, um – wie erwähnt – in Köln-Deutz meinen Anschluss nach Aachen zu nehmen. Das bedeutete also weitere zwei Stunden Fahrt. Upsi.

Wollt ihr wissen, wie oft mir so was schon passiert ist? So oft, dass ich es nicht mehr zählen kann. Nicht immer solche Strecken, nicht immer im Zug, aber Situationen wie diese sind mein ständiger Begleiter, und zwar seit ich denken kann. Ich habe die meiste Zeit meines Lebens in einem 250-Seelen-Dorf gelebt, und ich habe es gehasst. Nicht nur, weil man dort als »Neuzugezogene« auch nach 15 Jahren nicht von jedem Menschen gegrüßt wurde oder weil es gefühlt die Hälfte des Jahres nach Gülle gerochen hat. Nein, ich habe es vor allem gehasst, weil dort nur einmal die Stunde ein Bus kam. Bis 18 Uhr. Und am Wochenende gar keiner.

Ich weiß es noch genau: Der Bus kam immer um Viertel vor, also 15 Minuten vor jeder vollen Stunde. Und wann war ich an der Haltestelle? Um Punkt 13:45 Uhr, um 16:46 Uhr, um 10:44 Uhr. Aber selbst wenn ich ausnahmsweise mal halbwegs pünktlich da war – verpasst habe ich ihn trotzdem regelmäßig. Denn nur weil ein Bus in solchen Dörfern einmal die Stunde kommt, heißt das nicht unbedingt, dass er auf einen wartet. Im Gegenteil, er brettert einfach durch, manchmal sogar, wenn man dort sitzt. Was nun? Zufußgehen war untersagt, denn rund um das Dorf waren weit und breit nur Felder, Wiesen und Wälder – zu gefährlich für ein junges Mädchen allein. Also entweder auf den nächsten Bus warten (und ja, ich habe es auch geschafft, ihn zweimal hintereinander zu verpassen) oder, wenn es einen wichtigen Termin gab wie etwa Mathenachhilfe oder Chor, dann hieß es: Ressourcen aus dem Umfeld anzapfen. Das war dann erst mal meine Mama.

Ich weiß nicht, was dieses Geräusch all die Male in ihr ausgelöst hat, wenn sich fünf Minuten nachdem ich zur Türe gesprintet war und ein hektisches »Bin weg, bis später!« in ihre Richtung gerufen hatte, der Schlüssel wieder im Schloss herumdrehte und ich ein zaghaftes »Maaahmaaaa ...« in die Wohnung hauchte. War Mama nicht da, kam der deutlich unangenehmere Teil: Opa anrufen. Ich wusste zwar, dass mein Opa mich liebte, aber sagen wir mal so, speziell in diesen Situationen musste man sich das schon stark in Erinnerung rufen, um es nicht zu vergessen. Da war nämlich jedes Mal etwas los. Während er in der einen Hand das Telefon hatte, hielt er mir eine lange Standpauke: darüber, wie so etwas denn jedes Mal aufs Neue passieren könne und dass Dinge wie Pünktlichkeit, Verlässlichkeit und Co. die wichtigsten Tugenden seien. Mit so einem Verhalten würde ich nicht weit kommen, versuchte er mir einzutrichtern. Doch im Hintergrund hörte ich längst, wie er mit der freien Hand bereits nach dem Hut griff und in den Jackenärmel schlüpfte. Auch »wenn es nur noch fehlen würde, dass ich meinen Kopf irgendwo liegen lasse«, aber der sei ja zum Glück festgewachsen. Auf meinen Opa konnte ich mich immer verlassen.

Man kann sagen, dass meine Großeltern mich in all unseren gemeinsamen Jahren sehr stark geprägt haben und ich ohne sie nicht dort wäre, wo ich heute bin, und nicht diejenige, die ich heute bin. Meine Oma wurde 1936 geboren. Während des Krieges wurden meine Uroma und sie von meinem Uropa getrennt und landeten für einige Zeit in russischer Gefangenschaft. Da war meine Oma noch ein kleines Kind. Sie waren damals 400 Gefangene. Bei ihrer Befreiung waren sie nur noch 40. Von da an fing es an, dass meiner Oma immer wieder mal die Beine wegknickten. Bis zu ihrem Tod wusste kein Arzt genau, was die Ursache dafür war. Aber das hat sie nie gestört. Wenn sie wollte, hat sie sich die Stöckelschuhe ausgezogen und irgendwem ihre Ohrclips in die Hand gedrückt, um sich mit Jungs zu kloppen, die ihre Freundinnen belästigen wollten. Sie hat trotz Rohrstock und anderer Züchtigungsmethoden im Unterricht Widerworte gegeben, wenn sie sich unfair behandelt fühlte, sodass ihre Mutter das ein oder andere Mal in der Schule vorstellig werden musste. Und meine Oma war sogar Rock-'n'-Roll-Stadtmeisterin und hat alle in Grund und Boden getanzt, bis ihre Beine wortwörtlich nicht mehr konnten. Dann ging es halt weiter mit Sitztanz. Ihr wurde gesagt, sie würde nicht älter als 24 Jahre werden, sie könne nie Kinder bekommen und erst recht keine Enkel. Ich habe meine Oma kennengelernt, da saß sie schon im Rollstuhl. Sie war der empathischste Mensch, den ich kannte, mit einem Herzen voller Freude, der nur das Gute im Menschen sah. Meine Oma hat immer zu mir gehalten, egal, was ich »angestellt« oder wie ich mich verhalten hatte. Sie hat mir so viel gegeben und alle um sich herum mit ihrer einzigartigen Art angesteckt.

Wieso ich euch das erzähle? Wahrscheinlich weil ich heute mehr als jemals zuvor merke, wie sehr ich so bin wie sie und wie meine Mutter. Wie viele Eigenschaften ich von ihr habe, von denen ich heute weiß, dass sie Teil meiner ADHS sind und mich auch zu dem Menschen machen, der ich bin. Und weil ich begreife, dass sich dieses Band nahtlos von mir über meine

Mutter bis zu ihr weben lässt und höchstwahrscheinlich noch viele Generationen weiter zurück.

Leider konnte mein Opa mich nicht überall retten. Wenn ich zum Beispiel auf dem Weg zu einer wichtigen Uniklausur oder zu einem weit entfernten Pressetermin für die Lokalzeitung, für die ich mal geschrieben habe, in die falsche Bahn gestiegen bin: Upsi. Oder wenn ich heute auf dem Weg nach Hause in die falsche Buslinie steige und plötzlich an der Endstation lande und für fast 40 Euro mit dem Taxi zurück nach Hause muss, um meinen Feierabend nicht mit den Busfahrern verbringen zu müssen: Upsi. Ich habe mir als Studentin von meinem letzten Monatsgeld einmal Stiefel für den Herbst gekauft und sie keine fünf Minuten nach dem Kauf am Bahnhof stehen lassen: Upsi. Zwei Wochen später habe ich in der U-Bahn eine Tüte voller neuer Klamotten stehen lassen, für die ich mir extra etwas Geld zusammengespart hatte: Upsi. Ich erinnere mich auch an eine Situation, ebenfalls während des Studiums, in der ich ein Geburtstagsgeschenk für eine Freundin bei H&M gekauft hatte und die Tüte an der Bushaltestelle liegen ließ. Aufgefallen ist mir das in diesem Fall erst zu Hause: Upsi. Heute würde ich mich ärgern und noch mal losgehen, um ein weiteres Geschenk zu holen. Wisst ihr, was ich damals gemacht habe? Ich bin nicht zu dem Geburtstag gegangen. Ich habe abgesagt, weil ich »Kopfschmerzen« hätte, aber eigentlich hatte ich nur kein Geld mehr für ein neues Geschenk.

Apropos Geburtstag: Zu der Feier meiner Freundin im Januar 2022 bin ich nach meinem langen Umweg über Koblenz tatsächlich auch nicht mehr gegangen. Obwohl ich da ein Geschenk hatte. Grund waren die über neun Stunden, die ich bis nach Hause gebraucht hatte. Eine Zugfahrt, die damit endete, dass ich riesigen Durst, aber keinen Tropfen Wasser mehr hatte, dafür aber diesmal wirklich Kopfschmerzen. Hinzu kamen meine mittlerweile von den In-Ear-Kopfhörern überreizten Ohren, die ich – obwohl ich sie eigentlich dringend brauche – einfach nicht mehr in meine Ohrmuscheln pressen konnte, weil die so wehtaten. Geräuschempfindlichkeit ist tatsächlich eines von vielen sensorischen Problemen, mit denen ADHS-Gehirne so zu kämpfen haben. Das Problem: Dem ADHS-Hirn fällt es sehr schwer, die unwichtigen Informationen herauszufiltern. Alle Geräusche wirken quasi gleich intensiv, was die Konzentration erheblich beeinflussen kann. Vor allem wenn man eh schon am Limit ist.

Neben dem unerträglichen Lärm in meinen gestressten Hörorganen und meinem Kopf, in dem die tausend üblichen Gedanken gerade gegen Wände aus Watte donnerten, nahm ich wahr, wie die defekte Abteiltür kläglich klapperte, zwei Sitze neben mir jemand mit seiner kranken Mutter telefonierte, schräg hinter mir jemand leise Videos ohne Kopfhörer schaute und ein Papa seiner kleinen Tochter liebevoll ein Kinderbuch vorlas. Ich blickte mit meinen müden roten Augen auf das Schild mit dem Zeichen für »Ruheabteil« und weinte leise in mich hinein. Upsi.

Letztendlich kam ich theoretisch noch rechtzeitig zur Party zu Hause in Aachen an. Es war »gerade einmal« 20 Uhr, und die Feier war noch nicht einmal richtig losgegangen. Schon auf der Fahrt hatte ich meiner Freundin von dem verpassten Ausstieg erzählt, aber natürlich hatte ich mich nicht getraut zu sagen, dass ich es auf gar keinen Fall zu ihrer Party schaffen würde. Ich wollte wie immer niemanden enttäuschen. Während die Gäste also so langsam eintrudelten und meiner Freundin einen unvergesslichen Abend bereiteten, schleppte ich mich mit verheulten Augen und einem Migränekopf, der sich wie eine Piñata anfühlte (nachdem zwanzig Kinder darauf eingeprügelt hatten), mit meinem Koffer die Treppen des Bahnhofs hinunter (der Aufzug war natürlich defekt) und kroch zum Auto meines Freundes. Der war bereits zum dritten Mal an diesem Tag wegen mir losgefahren. Das erste Mal hatte ich ihn wegen seines Covid-19-Impftermins losgeschickt, den ich damals für ihn vereinbart hatte. Der war aber gar nicht heute, wie ich es fälschlicherweise in den Kalender eingetragen hatte, sondern schon vor fünf Tagen: Upsi. Das zweite Mal war er losgefahren, um mich das erste Mal vom Bahnhof abzuholen. Da war ich gerade irgendwo zwischen Köln und Koblenz: Upsi. Das dritte Mal stand er nun mit dem Auto da und wartete auf mich: Upsi. Seine Genervtheit war mittlerweile verflogen, und in seinen Augen sah ich nur noch Mitleid. Ich ließ mich erschöpft auf den Beifahrersitz sinken und schlief sofort ein.

5 Rückblickend war es schon immer klar: Mein Leben vor der Diagnose

Kurz vor meinem fünften Geburtstag brachte ich mir das Lesen bei. Aus Langeweile. Meine Mutter erinnert sich noch genau, wie sie mit mir durch die Aachener Altstadt lief und ich plötzlich beim Überqueren der Straße an ihrem Jackenzipfel zog und ohne jede Vorwarnung zu ihr sagte: »Guck mal, Mama, R-A-T-H-A-U-S-A-P-O-T-H-E-K-E!«

Um ein Haar hätte uns ein Taxi erwischt, als wir da mitten auf der Straße standen: ich fröhlich grinsend, sie mit heruntergeklappter Kinnlade, völlig fassungslos darüber, was gerade passiert war. Ich glaube, an diesem Tag hat sie zum ersten Mal gemerkt, dass da irgendwas im Busch ist. Und mit diesem

Gefühl war sie nicht ganz alleine: Bereits in der ersten Klasse kam eine Lehrerin auf meine Mutter zu, und sagte, dass ich in bestimmten Bereichen schon sehr weit wäre, an anderer Stelle aber schnell gelangweilt sei und Aufgaben nicht zu Ende bringen würde. Außerdem hätte ich eine sehr schnelle Auffassungsgabe und würde über einen für mein Alter schon sehr weit entwickelten Wortschatz verfügen. Sie fragte meine Mutter deshalb, ob sie schon mal darüber nachgedacht habe, mich auf »Hochbegabung« zu testen.

An dieser Stelle möchte ich betonen, dass es bis jetzt keinerlei eindeutige Nachweise gibt, die einen Zusammenhang zwischen ADHS und »überdurchschnittlicher Intelligenz« herstellen. Generell sehe ich das soziale Konstrukt »Intelligenz«, das die kognitive Leistungsfähigkeit eines Menschen anhand seines IQs messbar machen soll, mittlerweile kritisch. Es dient häufig nicht nur dazu, den Lernerfolg unter guten Bedingungen vorherzusagen, sondern war schon oft ein Mittel, Privilegien aufrechtzuerhalten, Menschen in Kategorien einzuteilen und andere zu unterdrücken. Auch die »(Hoch-) Begabung« ist bis heute kein klar definierter Begriff und wird immer wieder wissenschaftlich diskutiert. Klar ist aber, dass das, was die meisten unter »Intelligenz« verstehen, im Zusammenhang mit einer sogenannten Begabung nur ein Einflussfaktor von vielen zu sein scheint. Und auch wenn ADHS und »Begabung« zwei unterschiedliche Felder sind, gibt es doch einige Überschneidungen.

Viele positive Eigenschaften, die Menschen mit ADHS aufweisen, wie sehr kreativ sein, besondere Ideen oder Lösungsansätze haben, spontan und flexibel sein, sich engagieren oder durchsetzungsstark handeln, können auch bei sogenannten hochbegabten Menschen verstärkt auftreten. Genauso können sich auch negative Aspekte in beiden Bereichen überdeutlich zeigen, zum Beispiel stören, weil man sich langweilt, unaufmerksam sein, weil man unter- oder überfordert ist oder weil man häufig Konflikte hat, beispielsweise mit Lehrer*innen, Eltern oder Autoritäten im Allgemeinen. Das Problem: Bei Kindern, die bei Intelligenztests überdurchschnittlich abschneiden, wird ADHS oft erst viel später erkannt, da das eine das andere häufig bis zu einem gewissen Grad ausgleichen kann und so weniger sichtbar macht. So oder so ähnlich könnte es laut meiner Diagnostikerin auch bei mir gewesen sein.

Tatsächlich war meine Mutter dem Vorschlag nicht ganz abgeneigt, mich auf »Hochbegabung« zu testen, und ging mit mir zu einem sozialpädiatrischen Zentrum, kurz SPZ. Dies ist ein Diagnose-, Beratungs- und Behandlungszentrum für Kinder, Jugendliche, Eltern und Familien, in dem man beispielsweise Kinder auf »Hochbegabung« oder auch ADHS testen lassen kann. Hier wurden dann einige Tests mit mir gemacht, einen Teil der Unterlagen habe ich immer noch. Diese habe ich dann 2020 auch mit in meine ADHS-Diagnostik gebracht.

Jetzt könnte man sich fragen: Wieso hat Angelina erst mit 29 Jahren eine Diagnose erhalten? Wieso hat sie keine Diagnosen aus der Kindheit? Vielleicht wäre sogar im Zuge der »Hochbegabten«-Diagnostik das Thema ADHS irgendwann konkret aufgekommen, und die leise Vorahnung meiner Mutter hätte sich bestätigt? Die Antwort ist nicht so einfach, aber zumindest für mich persönlich absolut nachvollziehbar: Meine Mutter zweifelte damals an ihrer Entscheidung, mich diversen Tests zu unterziehen, um anschließend womöglich eine Diagnose in den Händen zu halten und handeln zu müssen. Ihre Sorge war groß, dass ein positives Testergebnis, eine Diagnose und ein damit verbundener »Stempel« einen Einfluss auf mein noch so junges Leben haben könnten. Vielleicht würde es bedeuten, dass ich immer wieder zu Ärzt*innen oder Psycholog*innen müsste. Vielleicht würde man mir auch Medikamente verschreiben, die ich dann regelmäßig einnehmen müsste und die mein Wesen verändern könnten? Was wäre, wenn man mich deswegen in der Schule anders behandeln würde? Wenn mich andere Kinder ausgrenzen oder hänseln würden? Oder wenn man mir unterstellen würde, dass ich jetzt immer eine »Extrawurst« bekäme?

Als alleinerziehende Mutter, die in vielen wichtigen Fragen erst mal auf sich alleine gestellt war, entschied sie sich damals aufgrund der massiv vorherrschenden Vorurteile und aus Sorge, dass ich dadurch eventuell Nachteile erfahren könnte, dafür, dem nicht weiter nachzugehen. Schließlich waren die »Auffälligkeiten« die zu meiner Testung geführt hatten eher positiv motiviert gewesen. Hätte ich ernsthafte Probleme gehabt, hätte sie sicher anders entschieden. Bin ich meiner Mutter deswegen rückblickend böse? Kein bisschen. Natürlich habe ich mir schon so oft Gedanken darüber gemacht, was gewesen wäre, wenn ich die Diagnose früher gehabt hätte. Wäre mein Leben anders verlaufen? Wäre ich jetzt ein anderer Mensch? Wahrscheinlich. Aber es ist nun mal, wie es ist.

Außerdem darf man nicht vergessen, dass wir hier von den 1990er-Jahren sprechen: Konzentrationsfördernde Mittel oder sonstige Therapieverfahren fanden gerade in Bezug auf Kinder entweder kaum Anwendung oder waren absolut verschrien. Und auch jetzt, fast 25 Jahre später, sind wir noch immer nicht an dem Punkt, an dem Eltern völlig entspannt reagieren, wenn es heißt, ihr Kind sei »anders als andere«. Da gehen immer noch viele Alarmglocken an, weil man Angst hat, dass eine Diagnose das Leben eines Kindes negativ beeinflussen könnte. Spoiler-Alarm: Eine fehlende Diagnose kann das auch. Und das meistens um einiges drastischer.

Ich bin doch **kein** »Psycho« – **oder?**

Psychische Gesundheit war für mich immer ein Begriff, der weit weg von mir lag. Ein abstrakter Zustand, von dem man vielleicht mal in einer Univorlesung hört, der in einem Film oder Song thematisiert wird, über den man über drei Ecken etwas erzählt bekommt oder über den ich als Journalistin berichte. Ich wusste, was es bedeuten kann, wenn die Psyche nicht gesund ist, aber ich habe es nie mit mir selbst in Verbindung gebracht. Ich war mal hier und da mit einer Erkältung oder einer Blasenentzündung bei einer*m Allgemeinmediziner*in, beim Orthopäden, als ich die Schulter entzündet hatte, und beim Kieferorthopäden wegen einer Zahnspange. Aber meine Psyche war immer okay. Das dachte ich zumindest – bis ich mich durch die Uni gekämpft hatte und ins Arbeitsleben einstieg.

Plötzlich war ich jeden Tag ohne Ende gestresst, dazu musste ich noch einen eigenen Haushalt, regelmäßiges Pendeln, Partnerschaft, Freunde und Familie unter einen Hut bringen – ich ging ziemlich schnell auf dem Zahnfleisch. Natürlich geht das vielen Menschen so. In einer Gesellschaft, die sich permanent weiterentwickelt und die vor lauter Optionen und Erwartungen kaum noch greifbar ist, kann man schon mal schnell unter Druck geraten. Ich aber hatte ständig das Gefühl, dass nur ich an alltäglichen Dingen scheiterte, während alle anderen irgendwie klarkamen.

Dieses Gefühl warf mit der Zeit immer mehr Fragen auf: Wie machen das denn andere? Wieso sieht das bei denen immer so leicht aus, und ich verzettele mich permanent? Wieso komme ich immer zu spät, verschiebe ständig Termine und bin immer abgehetzt? Während andere manchmal 10 oder 12 Stunden arbeiteten und danach noch Freund*innen trafen oder zum Sport gingen, lag ich nach maximal acht Stunden schon völlig fertig auf meinem Teppich im Wohnzimmer, unfähig, mich vor Rücken- und Nackenschmerzen zu bewegen, und schaffte es gerade noch, meine Verabredung wieder abzusagen. Und je gestresster und erschöpfter es in mir zuging, desto mehr versuchte ich, meiner Umwelt nach außen zu vermitteln: Alles super, ich krieg das auch hin!

Mein Körper dankte es mir mit mehreren Magenschleimhautentzündungen und einem Reizdarm. Also machte ich mich auf den Weg zum Gastroenterologen, einem Fachmann für den Magen-Darm-Trakt. Aber sowohl eine Magen- als auch eine Darmspiegelung ergaben, dass meine Probleme keine körperliche Ursache hatten. Der Arzt vermutete einen psychosomatischen Grund und empfahl mir, zu einem*r Psycholog*in zu gehen. Dort einen Termin zu machen, davor hatte ich allerdings dann doch ein bisschen Bammel. Also versuchte ich es erst mal wieder mit Aufschieben, wie bei allen unliebsamen Sachen. Außerdem versuchte ich es mit der guten alten Selbstkritik, die schon so viele Jahre meine stetige Begleiterin war. Denn wer sein Leben lang immer wieder zu hören bekommt, er*sie würde sich nicht genug Mühe geben oder müsse sich endlich mehr anstrengen, entwickelt natürlich irgendwann Selbstzweifel. Also fragte ich mich: Kann ich vielleicht einfach nicht mit Stress umgehen? Oder bin ich zu undiszipliniert und faul? Ist das alles normal, wenn man erwachsen ist, oder stehe ich kurz vor einem Burn-out? Ich verstand es einfach nicht, denn mein Job machte mir ja eigentlich Spaß, und trotzdem war meine Energie immer schneller aufgebraucht als bei allen anderen.

Als sich dann irgendwann dunklere Gedanken dazugesellten, die mich zum Teil so runtergezogen haben, dass ich gar keinen Antrieb mehr hatte und mein Umfeld anfing, sich Sorgen zu machen, dachte ich noch mal darüber nach, mir vielleicht doch professionelle Hilfe zu suchen. Zum Glück hatte ich zu dem Zeitpunkt eine sehr einfühlsame Hausärztin, die wirklich sehr schnell erkannt hat, dass ich richtig struggelte und dringend Hilfe brauchte. Sie gab mir eine lange Liste mit Therapeut*innen im Kölner Raum, die ich – nachdem sie zwei Wochen auf meinem Schreibtisch herumlag – an einem Tag, an dem ich etwas Kraft geschöpft hatte, abtelefonierte.

Wer sich schon einmal auf die Suche nach einem Therapieplatz gemacht hat, weiß, was jetzt kommt. Denn Deutschland hat ein Therapieplatzproblem. Das liegt aber nicht daran, dass es zu wenig Psychotherapeut*innen gibt, sondern zu wenige Kassensitze. Die Psychotherapeutin Anke Glaßmeyer erklärt es auf ihrem Instagram-Kanal *@diepsychotherapeutin* so: Um eine Praxis als psychologische*r Psychotherapeut*in zu eröffnen, braucht es meistens erst mal einen Masterabschluss in Psychologie. Darauf folgt eine drei- bis fünfjährige Weiterbildung zur*m psychologischen Psychotherapeut*in. Erst danach darf man selbstständig Patient*innen in einer eigenen Praxis behandeln. So weit die Theorie. Was dann noch fehlt, ist ein Kassensitz. Diesen benötigt man in Deutschland, um die Behandlungskosten mit den gesetzlichen Krankenkassen abrechnen zu können. Da diese aber durch das Psychotherapeut*innengesetz von 1999 limitiert sind, sind die Zulassungen begrenzt. Denn damals wurden die Sitze in Abhängigkeit vom Bedarf in der jeweiligen Region verteilt. Allerdings ist innerhalb der letzten 23 Jahre in der Gesellschaft glücklicherweise die Bereitschaft gestiegen, sich psychologische Hilfe zu suchen. Die Bedarfsplanung der Kassenärztlichen Vereinigungen hat zwar anhand komplizierter Berechnungen hier und da für neue Sitze gesorgt, doch Anke Glaßmeyer und viele ihrer Kolleg*innen, ebenso wie die Bundespsychotherapeutenkammer (BPtK), kritisieren, dass es bei Weitem nicht genug Kassensitze gibt, um den aktuellen Bedarf zu decken. Und dass, obwohl es ausreichend junge ausgebildete Psychotherapeut*innen geben würde. Die Folge: endlos lange Wartezeiten für Menschen mit zum Teil akuten psychischen Problemen.

In einer Umfrage vom Rundfunk Berlin-Brandenburg (rbb) bei 123 psychotherapeutischen Praxen in ganz Deutschland im Jahr 2022 kam heraus, dass über 50 Prozent der Patient*innen nach dem ersten Kontakt mehr als vier Monate auf eine psychotherapeutische Behandlung warten. Der Bedarf kann kaum gedeckt werden, sodass Therapeut*innen zum Teil nicht einmal mehr Wartelisten führen können. Ein weiteres Problem, das Anke Glaßmeyer aufführt, ist, dass die bestehenden Kassensitze zum Teil als »heiße Ware« gehandelt werden. Denn um einen der begehrten Sitze zu ergattern, muss in den meisten Fällen ein*e andere*r Therapeut*in seinen/ihren Sitz verkaufen, und erst dann können sich andere Kolleg*innen darauf bewerben. Die Zahl der Bewerber*innen ist hoch, und noch höher sind die Preise, die sich manchmal im sechsstelligen Bereich bewegen. Diese Kosten kommen dann noch zu der eh schon sehr teuren Ausbildung dazu.

Und genau diese Erfahrung musste ich bei der Suche nach einer Psychotherapie nun auch machen. Bei den ersten drei Nummern erwartete mich nur der Anrufbeantworter, bei der nächsten eine Leitung, die durchgängig besetzt war. Als ich bei der fünften Nummer endlich ein Freizeichen vernahm, wurde meine Vorfreude schnell getrübt: Aufnahmestopp! Ich ließ mich vorsichtshalber trotzdem auf die Warteliste schreiben. Und tatsächlich – ich rechnete schon gar nicht mehr damit –

meldete sich nach einigen Wochen eine medizinische Fachangestellte aus der Praxis mit der Warteliste und verkündete mir, dass ein Platz frei geworden sei.

Schon nach dem ersten Gespräch habe ich gemerkt, dass es doch etwas anderes ist, wenn man seine Probleme nicht nur mit der besten Freundin teilt. Denn ein*e Therapeut*in ist jemand, der*die dafür ausgebildet ist, dir zuzuhören, dir die richtigen Fragen zu stellen und mit dir nach individuellen Lösungen zu suchen. Ich konnte endlich mal ganz frei reden, völlig wertfrei und ohne Unterbrechungen. Alleine alles, was mich gerade beschäftigt, ganz unverblümt zu verbalisieren war schon ein gutes Gefühl. Und obwohl ich mich total freute, endlich über mein Anliegen mit einer professionell ausgebildeten Person sprechen zu können, sollte ich nach nur sechs therapeutischen Sprechstunden die Therapie wieder abbrechen. Dazu aber später mehr.

Wie ein Kultseelsorger (zufällig) das **fehlende Puzzleteil** lieferte

Im Rahmen meiner Tätigkeit bei *@maedelsabende* als freie Journalistin für den WDR hatte unsere damalige Chefin und Erfinderin des Formats folgendes Konzept entwickelt: Um genügend Zeit zu haben, die relevanten Thematiken zu bearbeiten und sowohl unsere persönlichen Gedanken als auch die Fakten und die Meinungen von Expert*innen und Betroffenen unterzubringen, bekam jedes Thema eine sogenannte Themenwoche. Sieben Tage lang beleuchteten wir sieben verschiedene Aspekte eines Themas. Als Host bedeutete das für mich ziemlich viel Verantwortung: Ich war dafür zuständig, Informationen zu sammeln, Gesprächspartner*innen zu finden und aus dem vorhandenen Rohmaterial einen fertigen Beitrag für Instagram zu produzieren. Außerdem musste ich die Gespräche vor Ort führen und mit dem Handy selbst filmen sowie die gesamte Themenwoche moderieren und anschließend auch noch mit den Follower*innen in den Austausch gehen.

Mit der Zeit hatten sich bei uns vier Hosts vor der Kamera gewisse Profile entwickelt, also jede*r von uns hatte bestimmte Themengebiete, auf denen er oder sie Expert*in war. Meine beiden Bereiche waren »psychische Gesundheit« und »Beziehungen«, egal ob freundschaftlicher, familiärer oder romantischer Art. In einer Themenkonferenz im Frühjahr 2019 legten wir schon mal die nächsten Themen für die kommenden Monate fest. Für mich hieß es, in meinen nächsten Themenwochen unter anderem die Themen »Heiraten«, »Alkoholsucht«, »Mütter« und »Väter« und zum Ende des Jahres das Thema »Geheimnisse« zu beleuchten. Die Planung für die Woche über Geheimnisse begann im November 2019. Ich freute mich besonders darauf, denn ich durfte noch mal meinen alten Arbeitsplatz, den Radiosender 1LIVE, besuchen, weil dort mein letzter Gesprächspartner für die Geheimnis-Woche viele Jahre regelmäßig aus und ein ging: Late-Talk-Master Jürgen Domian.

Domians Telefon-Talkradio-Sendung, die auch im WDR Fernsehen übertragen wurde, hat besonders im Sendegebiet Nordrhein-Westfalen einen absoluten Kultstatus. Ganze 21 Jahre, von 1995 bis 2016, riefen hier beinah Nacht für Nacht anonyme Anrufer*innen an und erzählten von zum Teil skurrilen Erlebnissen, sonderbaren sexuellen Vorlieben oder ihren dunkelsten Geheimnissen, während »Domian« Fragen stellte, auf das Gesagte reagierte und Ratschläge erteilte. Zum Beispiel hatte er mal eine Frau am Hörer, deren Fetisch es war, erwachsene Männer zu stillen. Es riefen Menschen an, die in zwei Beziehungen gleichzeitig steckten, Menschen, die in ihrer Kindheit von einem Familienmitglied sexuell missbraucht worden waren und nun zum ersten Mal darüber sprachen, und auch jemand, der überzeugt davon war, dass die Erde eine Scheibe ist, fand hin und wieder den telefonischen Weg ins Studio.

Jürgen Domian war als Moderator dieser Sendung also ein passender Interviewpartner für meine anstehende Themenwoche. Nachdem wir unser Gespräch abgedreht hatten, war noch ein bisschen Zeit für Small Talk. Ich erzählte Jürgen, dass nicht nur ich, sondern ganz besonders meine Mutter ein riesiger Fan seiner Arbeit sei und bis heute beim Kochen die Mitschnitte seiner Sendungen auf YouTube im Hintergrund laufen ließ. Daraufhin machte er mir spontan ein total nettes Angebot: Seine Radiosendung war, mittlerweile in abgeänderter Form, als Fernsehsendung mit dem Titel »Domian Live« wieder ins Leben gerufen worden. Kommende Woche, in der Nacht von Freitag auf Samstag, würde eine neue Folge mit spannenden Gästen in der WDR-Kantine aufgezeichnet, und er freue sich sehr, wenn meine Mama und ich als Zuschauerinnen im Publikum dabei wären. Seine Einladung nahmen wir dann als kurzes Handyvideo auf, in dem Jürgen meiner Mutter liebe Grüße übermittelte. Natürlich freute sie sich riesig über diese Einladung und war ganz aus dem Häuschen. Denn es war für sie etwas ganz Besonderes, zu einer Livesendung eingeladen zu werden. So was hatte sie vorher noch nie erlebt. Wie besonders diese Einladung aber erst für mich und mein ganzes Leben sein sollte und dass diese Sendung quasi der Schlüssel zu meinem »Geheimnis« sein würde, das war mir zu dem Zeitpunkt natürlich noch nicht klar.

Tatsächlich wäre es um ein Haar nicht mal dazu gekommen. Wie schon erwähnt, wurde die Sendung sehr spät produziert. Meine Mutter lag normalerweise zwischen 21 und 22 Uhr im Halbschlaf auf dem Sofa, und mir ging es oft ähnlich. Als wir uns an dem besagten Freitag trafen, kochten wir erst mal bei mir und quatschten, bis es dunkel wurde. Gegen 22 Uhr mussten wir dann langsam in Richtung WDR aufbrechen, doch weil sich die erste Müdigkeit so langsam anbahnte, spielten wir sogar kurz mit dem Gedanken, das Ganze vielleicht doch einfach abzublasen. Da die Einladung aber so persönlich gewesen war und es ja auch ein cooles gemeinsames Erlebnis wäre, entschieden wir uns doch dazu hinzugehen. Zum Glück!

Eingeladen sind vier unbekannte Gäste, die sich selbst beworben haben, also nicht von Jürgen oder seinem Team vorab recherchiert wurden. Eine totale Überraschungskiste also. Zusätzlich können Zuschauende, die die Sendung live im TV anschauen, anrufen und ihre Gedanken zu dem jeweiligen Gast kundtun. Der erste Gast ist Jason, 56, der sich laut eigener Aussage »auf dem Weg von einer Frau zu einem Mann« befindet. Nach circa 21 Minuten, um 23:51 Uhr, wird Jason von der examinierten Krankenschwester Yvonne, 44, abgelöst, die mit Domian über die »katastrophalen Pflegezustände in Deutschland« sprechen will. Ein wichtiges Thema, aber ich merke schon, wie meine Augen langsam müder werden und ich mich auf meinem Stuhl zusammenreißen muss, um nicht vor laufenden Kameras einzuschlafen. Minute 35, mittlerweile ist es schon nach zwölf, als Domian unter angeregtem Klatschen eine junge Frau auf der Bühne begrüßt. Ihr Name ist Carina, sie ist 24 Jahre alt. Ihr Thema: »ADHS im Erwachsenenalter«. Keinerlei Reaktion in mir, ich bin immer noch sehr müde.

»… das kann man sich ein bisschen so vorstellen«, sagt Carina auf der Bühne, »als ob man im Kopf durch 500 Programme im Fern-

seher gleichzeitig zappt, aber jemand anders hat die Fernbedienung.« In mir regt sich ein müdes Schmunzeln. Das Gefühl kenne ich nur zu gut. Jetzt will Domian wissen, wie sich das in Carinas Alltag so bemerkbar macht. Carina fängt an zu erzählen: von insuffizientem Dopamin und dem Belohnungszentrum in unserem Gehirn, von Rechnungen, die bezahlt werden wollen, einem chaotischen Haushalt und anderen Aufgaben, die man als erwachsener Mensch normalerweise ohne Murren erledigt, auch wenn sie keinen Spaß machen. Carina berichtet, wie ihr Gehirn da einfach Unterschiede macht, weil es sagt: »Was habe ich davon, dass ich den Scheiß jetzt erledige? Was ist meine Belohnung?« Und wenn es keine unmittelbare Belohnung gibt, hat sie so was wie eine unüberwindbare Mauer in ihrem Kopf, komme, was wolle. Ich bin mittlerweile übrigens hellwach.

Ich habe diese Geschichte schon so oft erzählt, aber selbst jetzt gerade, während ich diese Zeilen schreibe, bekomme ich noch Gänsehaut und habe Tränen in den Augen. Rückblickend weiß ich: Das war ein Schlüsselmoment für mein ganzes Leben. Für meine Vergangenheit, meine Gegenwart und meine Zukunft. Mein fehlendes Puzzleteil. Jetzt aber zurück in die Szene, zurück ins umfunktionierte Studio in der WDR-Kantine mit meiner Mama, Domian und all den Kameras, wo es sich aber so anfühlt, als wären da nur Carina und ich.

Spotlight direkt auf Carina, die einen für andere unbedeutenden Schwank aus ihrem Alltag erzählt und mir damit direkt aus der Seele spricht. Die gar nicht weiß, dass sie da gerade mein fehlendes Puzzleteil in den Händen hält, von dem ich gar nicht wusste, dass ich danach suche. Mittlerweile sitze ich kerzengerade auf meinem Stuhl und habe schwitzige Hände. Domian stellt eine Frage, die sich wahrscheinlich viele Zuschauende gerade stellen:

»Mich wundert es – bei ADHS würde ich jetzt denken, du bist extrem aktiv und kannst nicht still sitzen und musst die ganze Zeit etwas tun. Aber das hört sich gerade nach dem totalen Gegenteil an.« Carina entgegnet, dass sie durchaus aktiv sei, sogar hyperaktiv, aber eben nur in ihrem Inneren:

»Es schwirren dir permanent tausend Gedanken durch den Kopf, und das hemmt dich einfach in der Aktion.«

Nicht nur ich höre ihr gebannt zu. Ich sehe Domian an, dass er viele Fragen hat. Er will wissen, wie es bei Carina zu Hause aussieht. Sie sagt, dank Ritalin sei es kein Saustall mehr. Was sie beruflich machen würde?

»Ich studiere Psychologie. Ich möchte später mal eine Praxis aufmachen, die sich an Erwachsene mit ADHS richtet. Ich will, dass die Menschen zu mir kommen können und ich ihnen aus der Tiefe meines Herzens sagen kann: ›Ich verstehe dich!‹ Denn ich hatte selbst gute Psychiater*innen und Psycholog*innen, aber niemanden, der*die wirklich wusste, wie es sich anfühlt.« Jetzt sprechen die beiden noch über ihre Kindheit bei diversen Ärzt*innen, die alle nichts finden konnten, ihre Schulzeit zwischen »sehr gut« in kreativen Fächern und Sprachen bis »mangelhaft« in Naturwissenschaften, über chronische Schlafprobleme, ihr fotografisches Gedächtnis und darüber dass sie eigentlich nie für Prüfungen lernen musste. Entweder sie konnte etwas direkt – oder gar nicht.

Ich kann es immer noch nicht fassen. Das bin haargenau ich! Sie sprechen darüber, dass Carina letztendlich erst vor vier Jahren, also mit zwanzig, diagnostiziert wurde, wie sehr ihr Partner manchmal von der ADHS genervt ist und dass man beim Sex nicht drum rumkommt, auch mal die Einkaufsliste für morgen durchzugehen. Ich höre gebannt zu und hake alles mit einem »Wie bei mir« ab. Mein Kopf explodiert beinahe. Tausende Gedanken schießen mir durch den Kopf. Wie kann es sein, dass ich noch nie davon gehört habe? Wo bekomme ich noch mehr Infos? Was wäre gewesen, wenn wir *nicht zur Sendungsaufzeichnung gegangen wären, weil wir zu müde waren? Was denkt meine Mutter gerade?*

Das Gespräch neigt sich langsam dem Ende zu. Carina möchte noch betonen, dass es Dinge gibt, die Menschen mit ADHS extrem viel Spaß machen können, für die sie eine große Leidenschaft entwickeln und worauf sie sich dann perfekt konzentrieren können.

»Dass wir uns gar nicht konzentrieren können, stimmt nämlich ganz und gar nicht!« Wie recht sie hat. Denn ich weiß jetzt schon: Dieses Thema lässt mich so schnell nicht mehr los. Vielleicht sogar nie wieder.

Danach kommt noch ein Gast, aber ich höre nicht mehr zu. Ich habe nur noch einen einzigen Gedanken: ICH HABE ADHS! Als meine Mutter und ich nach der Sendung aus dem Gebäude gehen, platzt es direkt aus mir heraus:

»Und, wie fandest du's?«

»Spannend«, sagt Mama.

»Ich musste tatsächlich bei dem, was die eine erzählt hat, total an mich denken«, sage ich vorsichtig, doch in dem Moment ist mir längst klar, dass es egal ist, was meine Mutter antworten wird. Ich spüre in jeder meiner Fasern, dass mein Gefühl richtig ist.

»Die mit dem ADHS?«, fragt meine Mutter und gähnt dabei verstohlen, während sie in ihrer Handtasche nach dem Autoschlüssel sucht.

»Ich auch«, lächelt sie mich müde an. »Ein bisschen.«

Jetzt bloß **nicht aufgeben:** Wieso ich meine **Therapeutin** in den Wind schoss

Sosehr ich manchmal für Dinge brenne und dann genauso schnell wieder die Lust daran verliere, wusste ich sofort: Das hier ist anders. Denn nicht alles, was ich mir in den Kopf setze, verpufft so schnell wie meine Pläne, Gemüse auf dem Balkon zu züchten, meinen Keller auszumisten oder regelmäßig ins Fitnessstudio zu gehen. Dieser Funke war bereit, ein Feuer zu entfachen, da war ich mir sicher. Ich wusste nur noch nicht, wie groß es werden würde.

Direkt am nächsten Tag stürzte ich mich in die Recherche. Mein Job und mein unbändiger Fokus auf Dinge, die mich interessieren, kamen mir dabei natürlich zugute. Als Erstes durchforstete ich das Internet nach Informationen. Ich klickte mich durch Blogs, machte diverse Online-Selbsttests, durchwälzte Studien und bestellte die wenigen gut bewerteten (Sach-)Bücher, die es zum Thema gab. Parallel dazu ließ ich meine ganze Kindheit und Jugend noch mal Revue passieren: die Schulzeit, das Studium, die Konflikte zu Hause, meine Beziehungen, meine Stärken und meine Schwächen – und alles passte wie die Faust aufs Auge. Offensichtlich begleitete mich diese neurologische Besonderheit, die mein Gehirn einfach anders ticken lässt, schon mein ganzes Leben lang, und ich wusste nichts davon.

Und nun? Am liebsten hätte ich es damals schon in die Welt hinausgebrüllt: »Ich weiß jetzt endlich, was es ist! Es ist ADHS!« Aber dafür war es noch zu früh. Erst mal weihte ich etwas zögerlich meinen Freund und eine enge Freundin in meinen Verdacht ein, die beide anfangs nicht wirklich überzeugt waren. Deshalb druckte ich mir zur Unterstützung eine Liste mit 25 Hinweisen auf ADHS der Website *adhs-ratgeber.com* aus. Heute weiß ich, dass es sich dabei natürlich nicht nur um offizielle Diagnosekriterien handelte, aber sie gaben mir und meinem Umfeld einen ersten wichtigen Anhaltspunkt. Denn ich konnte 25 von 25 Punkten mit Ja beantworten:

- Konzentrationsprobleme, Ablenkbarkeit
- »Aufschieberitis«
- Fehlende Tagesplanung
- »Verzetteln«, Unfähigkeit, Prioritäten zu setzen
- Chaos im Kopf
- Innere Unruhe und Getriebensein
- Ständig in Bewegung, häufige Änderung der Körperhaltung
- Sich schnell angegriffen fühlen
- Sehr schnell und sehr heftig emotional aufgewühlt sein
- Handeln, ohne über die Folgen nachzudenken
- Schnelle und starke Gefühls- und Stimmungsschwankungen
- Depressive Stimmungs-Einbrüche mit Gefühlen von Minderwertigkeit, Aussichtslosigkeit und Resignation
- Sich schnell gelangweilt und antriebslos fühlen
- Mangelnde emotionale Abgrenzung von anderen Menschen
- Schlechte Wahrnehmung der eigenen Stimmungen, Gefühle und Bedürfnisse
- Gefühle als »Knäuel« wahrnehmen und nicht differenzieren und beschreiben können
- Unregelmäßige Essenszeiten, Essen »vergessen«
- Haltestelle verpassen, Zug, Bus verpassen
- Dinge verlegen, vergessen
- Häufiges Zuspätkommen
- Vergessen von Terminen/Verabredungen
- Spontane, unüberlegte Einkäufe
- Unordnung im Haushalt
- Sammelwut
- Wenige Freunde (»keine Zeit für Freunde«)

Spätestens danach waren sie auch davon überzeugt, dass ich der Sache zumindest mal auf den Grund gehen sollte. Für mich stand es zu diesem Zeitpunkt allerdings schon fest, und meine Euphorie hatte endgültig die letzten Zweifel beseitigt. Alles, wofür ich mich so oft geschämt hatte, machte mir plötzlich nicht mehr so viel aus. Denn es gab jetzt höchstwahrscheinlich eine wissenschaftliche Erklärung und offenbar auch jede Menge Verbündete.

Sollte ich tatsächlich ADHS haben, dann war ich damit wahrscheinlich nicht alleine – das behaupteten zumindest meine Recherchen. Schätzungen zufolge gibt es alleine in Deutschland mindestens 2,5 Millionen von ADHS betroffene Erwachsene. Genau wie ich stoßen auch sie wahrscheinlich immer wieder an ihre eigenen Grenzen und fragen sich vielleicht, was mit ihnen eventuell nicht stimmt. Und wozu kann es führen, wenn man nicht so funktioniert, wie die Gesellschaft es gern hätte? Man eckt an. Und: Es regnet immer wieder Kritik, meistens von anderen Menschen, aber irgendwann auch von sich selbst. Das führt dazu, dass man sich zum Beispiel permanent verstellt, um »reinzupassen«, oder sich immer mehr zurückzieht, sodass man nicht nur in Konflikte gerät, sondern im schlimmsten Fall auch tiefgreifende psychische Probleme entwickelt.

Nach dem Abend in Jürgen Domians Sendung und meinen Recherchen zum Thema ADHS verstand ich langsam auch noch eine andere Sache: Psychische Gesundheit war schon mein Leben lang ein Thema gewesen. Nur dass ich früher einfach nichts davon wusste, weil ich nie eine richtige Diagnose erhalten hatte. Stattdessen führte ich einen ständigen Kampf gegen mich selbst: Man möchte ja dazugehören, die gleiche Leistung wie andere bringen und nicht faul, schwach oder gestresst wirken. Ein Kampf, den man als Mensch mit ADHS in unserer Gesellschaft fast nur verlieren kann.

Auf einmal hatte ich das Gefühl, ich hätte es schon immer wissen müssen. Oder zumindest meine Eltern, die Lehrer*innen oder irgendwelche Ärzt*innen hätten einen Verdacht haben müssen. Vielleicht wäre mir vieles erspart geblieben? Oder ich wäre ganz andere Wege gegangen? Wenn ich doch 25 von 25 Punkten auf der ADHS-Checkliste ankreuzen konnte, wieso hatte es dann noch nie jemand anderes in Erwägung gezogen?

Plötzlich machte sich doch wieder eine kleine Angst in mir breit. Was wäre, wenn ich mich jetzt total darauf versteifte und es dann doch nicht stimmte? Andererseits war ich noch nie in meinem Leben von etwas so überzeugt gewesen, aber das Problem mit den Menschen, die einen am besten kennen, ist, dass sie einen am besten kennen. Oder dass sie das zumindest denken. Wenn ich jetzt mit meinem Verdacht um die Ecke kommen würde, hatte ich zu große Angst, dass sie mich sofort wieder davon abbringen würden. »Bist du immer noch da dran?« Oder: »Ja und, selbst wenn? Du bist doch auch all die Jahre gut ohne Diagnose durchgekommen! Wieso also jetzt so einen Aufwand betreiben und sich womöglich einen ›Stempel‹ abholen?« So oder so ähnlich stellte ich mir die Reaktionen vor.

Deshalb suchte ich Rat bei einem Menschen, den ich noch nicht so lange kannte. Einer Internetbekanntschaft, wenn man so will. *@la_frecks* aka Stef hatte ich damals im Rahmen einer Themenwoche zu »Gewalt in der Partnerschaft« interviewt. Dafür war ich bis ins Berliner Hinterland gereist, um Stef persönlich in ihrem Zuhause zu treffen, denn sie war zu der Zeit nicht viel unterwegs. Ihr gewalttätiger Ex-Partner hatte sie damals fast umgebracht, in einer Nacht-und-Nebel-Aktion war sie daraufhin mit ihren beiden Hunden aus den USA zurück nach Deutschland geflohen. Die emotionale, psychische und körperliche Gewalt hatten dazu geführt, dass Stef neben einer posttraumatischen Belastungsstörung und vielen anderen Dingen auch Probleme mit ihrem Gleichgewichtssinn hatte, ausgelöst durch eine stumpfe Gewalteinwirkung auf ihren Kopf. Oft war ihr deshalb sehr schwindelig. Ein ruhiges Treffen in ihren eigenen vier Wänden und die Möglichkeit, sich zwischendurch ausruhen zu können, schienen da eine gute Option für ein so intimes Thema. Das Interview dauerte vielleicht eine halbe Stunde, ich fuhr aber erst nach über sechs Stunden wieder in mein Hotel nach Berlin zurück. Dazwischen aßen wir veganes Chili, ich half dabei, ihren altersschwachen Seelenhund zu pflegen, und wir redeten und redeten und redeten. Es war praktisch nach einer Minute eine Verbindung da, die wir beide sofort spürten, obwohl wir uns davor nur über Instagram kannten. Aber ja, auch das machen Social Media möglich.

Mittlerweile weiß ich, dass ich mit meiner Verbindung zu Stef nicht alleine bin, denn sie ist für viele ein ganz besonderer Mensch. Diese Frau hat die Gabe, Menschen das Gefühl zu geben: Du kannst mir vertrauen, hier bist du sicher. Und deshalb war es auch Stef, die als Erste von meinem konkreten Verdacht erfuhr, noch vor meinen Freundinnen und meiner Familie. Denn sie hatte mich von Anfang an ernst genommen in meinem Gefühl, dass da etwas ist, und meine Gedanken nicht bewertet, geschweige denn abgewertet. Im Gegenteil: Ihre Sensibilität war empfänglich für die meine und umgekehrt. Eine Eigenschaft, die mir immer wieder bei Selfcare-Aktivist*innen, Sinnfluencer*innen und Awareness-Schaffenden begegnet und für die sie bzw. wir gerne mal belächelt werden. Aber Stefs neutrale, aber empathische Haltung nahm mir in dem Moment alle Unsicherheiten. Ich traute mich dadurch, den Verdacht auch mit anderen zu teilen und mich weiter auf die Suche nach konkreten Antworten zu begeben. Nichts anderes tue ich übrigens auch mit meiner Aufklärungsarbeit – ich empowere andere, den Dingen auf die Spur zu gehen, und gebe ihnen dafür mit meiner Geschichte und den vielen Infos gewisse Tools mit an die Hand, die sie auf diesem Weg begleiten und stark machen, aber auch schützen können.

Da so eine reine Selbstdiagnose allein aber selten eine gute Idee ist, war mein nächster Gedanke natürlich, das Ganze professionell abklären zu lassen. Aber bei wem? Wie? Wann? Wo? Tausend Fragezeichen in meinem Kopf. Also machte ich mich auf zu meiner damaligen Therapeutin, um ihr die »frohe Botschaft« zu verkünden. Doch ihre Reaktion fiel ganz anders aus, als ich erwartet hatte.

»Aha. Das klingt ja interessant. Da kenne ich mich tatsächlich überhaupt nicht aus, aber man lernt ja immer noch dazu«, war ihre erste, wenig ermutigende Reaktion. »Das hätte ich jetzt nicht bei Ihnen vermutet. Ich muss aber auch gestehen, dass ich ADHS in den 22 Jahren Berufserfahrung noch nie diagnostiziert habe. Ich nehme den Gedanken gerne mal mit zu einer Gesprächsrunde mit Kolleg*innen«, schlug sie mir vor und schob dann hinterher: »So, wo waren wir stehen geblieben?«

Genau in dieser Sekunde wusste ich: Ich werde die nächste halbe Stunde noch freundlich lächelnd zu Ende bringen, und dann war's das. Ich war unglaublich sauer und enttäuscht. Ich war mir so unglaublich sicher, dass dies mein fehlendes Puzzleteil war und ich so schnell wie möglich diagnostiziert werden musste, und stieß selbst bei einer Person, die vom Fach ist, direkt auf taube Ohren. Aber mit dieser Erfahrung war und bin ich nicht allein: Sehr viele Menschen, die sich mit ihrer Vermutung, ADHS zu haben, an Menschen wenden, die ihnen eigentlich weiterhelfen sollten, berichten Ähnliches. Denn leider machen die Vorurteile und falschen Annahmen auch vor Menschen, die sich eigentlich damit auskennen sollten, keinen Halt. Besonders wenn es um ADHS im Erwachsenenalter geht. Mir wurde schon von Psychiater*innen erzählt, die mit den Augen rollen, sobald diese vier Buchstaben nur ausgesprochen werden. Oder von Therapeut*innen, die von einer »Modediagnose« sprechen oder besonders jungen Frauen entgegnen, dass sie ja viel zu erfolgreich oder intelligent wären, um ADHS zu haben.

Natürlich kann keine Diagnose vergeben werden, wenn keine ADHS vorliegt. Aber aus reiner Unwissenheit oder Voreingenommenheit einem Menschen mit Leidensdruck sofort das Gefühl zu geben, er sei mit seiner Vermutung völlig auf dem Holzweg, kann auch nicht der richtige Umgang sein. Natürlich ist eine solche Reaktion von Ärzt*innen und Therapeut*innen nicht die Regel. Aber jedes Mal, wenn ein Mensch dadurch von seinem fehlenden Puzzleteil ferngehalten wird, womöglich sogar endgültig resigniert und vielleicht niemals eine Diagnose bekommen wird, ist das für mich eine kaum zu ertragende Vorstellung. Und hier sprechen wir ja sogar von Menschen, die selbst schon einen Verdacht haben, und nicht von denen, die völlig im Dunkeln tappen und nicht mal wissen, dass so etwas wie ADHS im Erwachsenenalter überhaupt existiert. Deshalb ist es unglaublich wichtig, dass es mehr Menschen vom Fach gibt, die sich mit dieser Thematik auseinandersetzen und zumindest wissen, an wen man sich mit seinem Verdacht wenden kann.

Tatsächlich ist es so, dass die Zahl von ADHS-Diagnosen bei Erwachsenen zugenommen hat. Dies hat unterschiedliche Gründe, von denen ich zwei kurz erläutern möchte. Wie im

Kapitel »Eine kurze Geschichte der ADHS« bereits erwähnt, liegt die Betonung wirklich auf dem »kurz«. Die Wender-Reimherr-Skala, die bis heute einen wichtigen Beitrag zur Diagnose leistet, gibt es erst seit 2008 in deutscher Übersetzung. Bis sich solche zentralen Bausteine etabliert haben und Diagnostizierende mit ihnen dann valide und reliabel (also gültig und verlässlich) arbeiten können, dauert es natürlich. Damit, dass nun seit einiger Zeit endlich mehr deutschsprachige Informationen vorliegen, ließe sich der Anstieg der letzten Jahre deutlich erklären. Zweitens setzen sich vor allem immer mehr Frauen mit sich selbst und ihrer mentalen Gesundheit auseinander: Exklusive Daten, die von der britischen Zeitung *The Independent* eingesehen wurden, zeigen zum Beispiel, dass im Jahr 2019 rund 7.700 Frauen einen medizinisch verifizierten Onlinetest gemacht haben, um festzustellen, ob sie ADHS haben könnten. Diese Zahl stieg laut Aussage der britischen Zeitung 2021 auf rund 254.400 Frauen an.

Für mich ist das ein super Zeichen, weil es zeigt, dass das Thema ADHS immer mehr in den Blick der Öffentlichkeit gelangt und Frauen dahingehend auf der Suche nach Informationen, Lösungen und Hilfe sind, die sie dann eben auch finden sollten. Wer hier konsequent von einer »Trenddiagnose« redet, verkennt meiner Meinung nach die Dimensionen und spricht Menschen, vor allem jungen Frauen, ihre Erfahrungen ab, die mit der korrekten Expertise richtig eingeordnet und je nach Leidensdruck behandelt werden könnten.

Der **Verdacht** erhärtet sich – Mein Weg zur **Diagnose**

Nach dem ergebnislosen Gespräch mit meiner Therapeutin war ich mir einfach sicherer als jemals zuvor. Ich gebe normalerweise relativ viel auf die Meinung und Einschätzung von Fachleuten, aber in diesem Fall spürte ich, dass ich mich dadurch nicht abbringen lassen würde. Da die eigene Überzeugung aber kaum für eine Diagnose ausreicht, war mir klar, dass ich mich am besten an jemanden wende, der*die auf ADHS im Erwachsenenalter spezialisiert ist. Dafür gibt es verschiedene Anlaufstellen. Ich bin dafür als Erstes noch einmal zu meiner Hausärztin gegangen, habe ihr von meiner Vermutung und meiner ernüchternden Erfahrung berichtet, und zum Glück hatte sie auch diesmal wieder ein offenes Ohr. Mehr noch, ihr war die Thematik sogar bekannt, und sie konnte sich sehr gut vorstellen, dass bei mir ADHS im Erwachsenenalter vorliegt. Sie riet mir, mich im Internet nach Spezialambulanzen zu erkundigen, die eine gesicherte Diagnose stellen können.

Gesagt, getan – doch auch hier hagelte es erst mal Absagen. Viele der Sprechstunden waren bereits für viele Monate im Voraus ausgebucht. Andere Websites hatten das Wort »Aufnahmestopp« in großen roten Buchstaben auf ihrer Startseite stehen. Also ließ ich mich wieder auf Wartelisten schreiben, diesmal mit Wartezeiten zwischen 12 und 24 Monaten. Mein Wunsch nach einer schnellen Diagnose rückte in immer weitere Ferne, was mein ADHS-Hirn, das gerne alles DIREKT hätte, natürlich fast durchdrehen ließ.

Ich beschloss, die langen Wartezeiten zumindest nicht ganz kampflos zu akzeptieren, und schrieb eine verzweifelte Mail an eine psychiatrische Klinik in Köln. Nur wenige Wochen später, im April 2020, erhielt ich von dem Case-Management der Abteilung *Psychiatrie und Psychotherapie* I & II der LVR-Klinik Köln eine Rückmeldung: Sie würden aktuell keine neuen Patient*innen aufnehmen, ich könne mich aber nach Abebben der Coronakrise noch mal melden, um nach dem aktuellen Stand zu fragen.

Es war nicht mal Ende Mai, da juckte es mir schon in den Fingern. Die Lage war natürlich nicht abgeebbt, im Gegenteil: Zwischen April und Mai waren die Zahlen deutlich gestiegen. An dem Tag, an dem ich meine Antwort verfasste, wurden genau 179.002 laborbestätigte Covid-19-Fälle an das RKI übermittelt. Trotzdem schrieb ich erneut eine Mail, und wie erwartet erhielt ich relativ schnell eine endgültige Absage. Bis auf Weiteres würde die Sprechstunde nicht mehr angeboten, es gäbe nicht genug Kapazitäten, erst recht nicht, um noch weitere Patient*innen aufzunehmen. Theoretisch könne aber jede*r niedergelassene Psychotherapeut*in und Psychiater*in eine Testung durchführen. Man hätte mir eine Liste angehängt mit Praxen im Raum Köln und Umgebung, ich solle mich dort auf die Wartelisten setzen lassen. Vielleicht helfe mir das ja weiter.

Diese besagte Liste nahm ich mir dann als Nächstes vor. Eine Praxis nach der anderen telefonierte ich ab, bis ich auf die Praxis stieß, in der Frau S. tätig war. Einer ihrer Schwerpunkte: ADHS-*Diagnostik und -Therapie bei Erwachsenen*. Der Internetauftritt wirkte modern, ihr Foto sah sympathisch aus, und auch wenn ich mittlerweile nicht mehr wählerisch war, hatte ich ein gutes Gefühl und nahm direkt Kontakt auf. Ich bekam prompt am selben Tag eine Antwort: Alle Termine seien bereits vergeben, und man könne mir leider nicht weiterhelfen.

Ich schrieb daraufhin, dass mir bewusst sei, dass die Wartezeiten enorm lang seien, aber dass es akut sei und ich mich sehr freuen würde, wenn sie mich kontaktieren könnte, wenn in absehbarer Zeit ein Termin für eine umfassende Diagnostik frei werden würde. Es folgte eine sehr freundliche Antwort, in der Frau S. mir erklärte, dass sie Erstgespräche nur unter der Bedingung anbieten würde, wenn sie oder eine Kollegin auch in naher Zukunft einen Therapieplatz frei habe, der zu meinen zeitlichen Kapazitäten passte. Einen Tag später hatte ich plötzlich wieder eine Mail von ihr in meinem Postfach: Gute Nachrichten, wir könnten die ADHS-Diagnostik wohl vorziehen – eine Patientin hätte sich gemeldet, sie wäre kurzfristig für drei Wochen im Urlaub. Danach folgte eine kurze Liste mit Terminen, der erste davon am 8. Juli 2020, meinem Geburtstag. Es fühlte sich an wie ein Zeichen. Schnell sagte ich zu.

Schon in der nächsten Mail, die ich von Frau S. bekam, erklärte sie mir, dass ich nun auf dem Postweg »einen Berg an Unterlagen« zugeschickt bekommen würde, die ich und mein Umfeld ausfüllen müssten. Dieser Berg umfasste Selbstberichte und Fremdberichte wichtiger Bezugspersonen wie meinen Eltern und meinem Partner. Außerdem schrieb sie mir, dass ich Termine bei meiner Hausärztin und einem Neurologen machen sollte. Hier müssten andere Ursachen ausgeschlossen werden, die einer ADHS ähnliche Symptome aufweisen könnten, wie zum Beispiel Hirnerkrankungen, Epilepsie oder Schilddrüsenprobleme. Für die Termine bei Frau S. selbst musste ich neben den ausgefüllten Bögen auch noch Dokumente mitbringen, anhand derer man meine schulische Laufbahn beurteilen konnte, ganz speziell Zeugnisse und Bewertungsbögen aus der Grundschule, sowie den Mutterpass und die Ergebnisse meiner U-Untersuchungen.

In der ersten Sitzung folgte die weitere Anamnese: Ich hatte erst mal die Möglichkeit, ganz in Ruhe zu erzählen, was meine Probleme sind und wo sie gehäuft auftreten. Zu dem Zeitpunkt bin ich tatsächlich »all in« gegangen. Mir war klar, es ergibt keinerlei Sinn, die Dinge zu beschönigen. Oder die Gesamtsituation, wie ich es sonst so oft tat, besser darzustellen, als sie war, nur um keine Schwäche zu zeigen. Die zweite Sitzung war hingegen schon deutlich strukturierter, und in der dritten Sitzung bekam ich alle Fragen gestellt, die aus Frau S. Sicht noch offen waren und die sie für eine Diagnostik brauchen würde.

Ein besonderes Augenmerk lag hier vor allem auch auf der Differenzialdiagnostik, das heißt, die Therapeutin musste abklären, ob bei mir bestimmte psychische Erkrankungen, zum Beispiel Angststörungen, Depressionen, Manie, Schizophrenie oder andere Persönlichkeitsstörungen, auftreten. Diese Differenzialdiagnostik ist wichtig, damit keine Fehldiagnosen entstehen und um abzuklären, ob eventuelle psychische Probleme eher eigenständig oder eher eine Folge einer ADHS sind.

In dieser letzten Phase der Diagnostik war ich mehr als nur aufgeregt. Ich hatte richtig Angst. Was wäre, wenn nun doch keine ADHS vorliegt? Schließlich saß ich hier vor einer Fachfrau, und aus ihrem freundlichen Pokerface ließ sich einfach rein gar nichts ablesen. Zum Ende der Sitzung sagte sie mir, dass, sollte die Diagnostik positiv ausfallen, ich ein Gutachten bekäme, das wir dann Stück für Stück durchgehen würden. Danach könne ich dann mit einer Psychotherapie starten. Außerdem könnte ich mit diesem Gutachten zum Beispiel zu einem Psychiater oder einer Psychiaterin gehen und mir von ihm*ihr Medikamente verschreiben lassen.

Vier Wochen später war es dann so weit. Am 7. August um 10:10 Uhr sollte ich in die Praxis von Frau S. kommen, um das Ergebnis zu besprechen. Schweißgebadet machte ich mich auf den Weg in den Kölner Westen, um mir mein hoffentlich positives Gutachten abzuholen.

Und tatsächlich – da war es:

»Diagnose F90.0 ADHS im Erwachsenenalter, kombinierter Typus.«

Insgesamt sieben Seiten umfasste der psychopathologische Befund und enthielt alle Informationen, die Frau S. in unseren Sitzungen und aus den eingereichten Unterlagen gesammelt hatte: Der Befund wies auf, dass ich schon während der Sitzungen ganz klare Anzeichen einer ADHS gezeigt hatte. Es folgten eine Auflistung der Fragebögen, die zum Einsatz gekommen waren, und eine Analyse, welche Auffälligkeiten Frau S. darin erkannt hatte. Dann kamen die Ergebnisse der standardisierten Testungen, eine Zusammenfassung der Unterlagen, die ergänzend vorlagen. Abschließend ging es eher um meine gegenwärtige Situation: die Lebensbereiche, in denen ich besonders beeinträchtigt war, diverse anamnestische Angaben sowie meine aktuellen Beeinträchtigungen in den Bereichen Konzentration und Aufmerksamkeit, Überaktivität, Ordnung und Selbstmanagement, Impulsivität und Emotionalität.

»Unter Würdigung aller mir vorliegenden Informationen, der Ergebnisse der Fragebögen und der klinischen Diagnostik komme ich zu dem Ergebnis, dass bei Frau Boerger eine ADHS vom kombinierten Typus vorliegt.«

Da stand es. Schwarz auf weiß. Und in mir eine Achterbahn der Emotionen, ganz voran ein Gefühl: Erleichterung.

In dem Moment wollte ich wirklich die ganze Welt umarmen. Endlich hatte ich den eindeutigen Beweis, dass ich nicht einfach zu faul, ungezogen, anstrengend, auffällig, unmotiviert, unzuverlässig oder dumm war. Es gab tatsächlich eine neurologische Erklärung für all die Situationen und Momente, Gefühle und Emotionen, Erlebnisse und Gedanken, für die guten und vor allem die weniger guten.

6 So was wie eine zweite Geburt – Mein Leben nach der Diagnose

Einige von euch kennen sicher das »Gelassenheitsgebet« des US-Theologen Reinhold Niebuhr, von dem im Deutschen vor allem dieser Teil der Übersetzung bekannt ist:

> *Gott, gib mir*
> *die Gelassenheit, Dinge hinzunehmen,*
> *die ich nicht ändern kann,*
> *den Mut, Dinge zu ändern,*
> *die ich ändern kann,*
> *und die Weisheit,*
> *das eine vom anderen zu unterscheiden.*

Auch wenn ich absolut kein religiöser Mensch bin und auch nicht an einen Gott glaube – zumindest nicht nach theologischer Definition –, liebe ich dieses Gebet, das es mittlerweile sicherlich auch auf Frühstücksbrettchen und Tischkalender geschafft hat und heute eher als Sinnspruch genutzt wird. Und es ist wahrscheinlich auch kein Zufall, dass gerade Selbsthilfegruppen wie die *Anonymen Alkoholiker*, die *Narcotics Anonymous* (internationale, auf Gemeinschaft begründete gemeinnützige Organisation von genesenden Drogenabhängigen) oder die *Emotions Anonymous* (Gemeinschaft zur Verbesserung emotionaler und seelischer Gesundheit) Niebuhrs Gebet in leicht abgewandelter Form in ihrer Arbeit verwenden. Denn manchmal fühlt sich eine Diagnose eben an wie so ein Gebet, das erhört wurde, wie eine Erweckung oder vielleicht sogar wie eine zweite Geburt. Denn oft ermöglicht sie einen neuen Blick auf die Dinge und auf sich selbst. Und: Sie bietet neue Möglichkeiten.

Natürlich bedeutet es nicht, dass mein ADHS dadurch weg ist oder »geheilt« werden kann. Aber die Diagnose hilft mir zu verstehen, dass vieles darin begründet liegt, dass mein Gehirn etwas anders funktioniert. Mein Denken und Handeln kollidieren also manchmal damit, wie die Gehirne anderer Menschen ticken, aber daran ist eben selten und vor allem nicht ausschließlich mein Charakter »schuld«. So habe ich mit der Zeit gelernt (und bin auch immer noch dabei), beides voneinander zu unterscheiden.

Das wäre ohne die Diagnose und die vielen Erkenntnisse, die daraus entstanden sind, niemals möglich gewesen.

Spread the word:
Die Geburt von *@kirmesimkopf*

Durch meine Diagnose wurde mir Folgendes schlagartig klar: Wenn ich diesen Moment als so intensiv empfunden hatte, würde es wahrscheinlich vielen anderen Menschen auch so gehen. Viele hatten es bereits hinter sich, andere auch noch vor sich: all die Odysseen, von Ärzt*in zu Ärzt*in zu rennen, die vielen Anrufbeantworter und Wartelisten, die blöden Sprüche, offenen Münder und rollenden Augen. Das sehnliche Warten auf einen Platz, die aufkeimende Angst, falschzuliegen und wieder bei null anzufangen, die hoffnungsvollen Gedanken, endlich eine Antwort zu finden. Genauso wie sie das latente Gefühl kennen mussten, alles zu geben und doch nie das zu erreichen, was andere von ihnen erwarteten. Sich zu verstellen, um irgendwie dazuzugehören. Die Maske, die Selbstzweifel, die Wut und die Verzweiflung. Die verlorenen Turnbeutel, die vergessenen Hausaufgaben, die verschimmelten Butterbrotdosen im Schulranzen. Die verpassten Haltestellen und Chancen, die enttäuschten Nachrichten von versetzten Freund*innen, von vergessenen Geburtstagskindern und geghosteten Dates. Die Tausenden Predigten, die vielen Strafzettel und Mahnungen, die unbeständigen Partnerschaften und die häufigen Ausbildungs- oder Jobwechsel. Das sinnlose Scrollen durch Social Media, die spontanen Onlinekäufe, die unüberlegten Konversationen.

Und während ich da an der Bushaltestelle im Kölner Westen saß und bei knapp 30 Grad auf den Bus wartete, wurde mir nach gerade einmal 15 Minuten mit einer offiziellen Diagnose in der

Tasche klar, dass dies nicht das Ende, sondern erst der Anfang war. Und zwar nicht nur von meiner persönlichen ADHS-Geschichte, sondern von insgesamt allem. Mein Schädel platzte fast, voll von Gedanken und Ideen, die auf mich einprasselten.

Ich hatte in meinem Leben schon so viele Hobbys begonnen, Projekte gestartet und Ideen geschmiedet, aber am Ende scheiterte es oft an der Umsetzung, oder ich verlor nach der Hälfte das Interesse, weil mich plötzlich die nächste Sache viel mehr begeisterte. Aber diesmal war alles anders. Ich hatte tief in mir ein unglaubliches Bedürfnis, meine Geschichte und meine Emotionen und all das, was mit der Diagnose und dem Weg dorthin zusammenhing, mit der Welt zu teilen. Ungefiltert, offen und ehrlich. Und mehr als das: Ich wollte, dass die Welt davon erfuhr, dass es ADHS im Erwachsenenalter gibt, dass es mich gibt, dass es uns gibt. Wie viele undiagnostizierte Menschen wohl da draußen unterwegs waren, mit Leidensdruck und Selbstvorwürfen, die dringend wissen sollten, dass es nicht ihre Schuld ist? Dass es eine Erklärung gibt, die wissenschaftlicher Natur ist und sie vor vielem bewahren könnte? Oder zumindest Dinge retten könnte, die noch nicht in Mitleidenschaft gezogen wurden?

In meinem Kopf entwickelten sich bunte Mindmaps, vor meinem inneren Auge tauchten Menschen aus meinem journalistischen Netzwerk auf, mit denen ich zusammenarbeiten könnte. Ich sah ein Buchcover und Podcast-Playlists vor mir, einen Instagram-Kanal, einen Verein, virtuelle Selbsthilfegruppen und persönliche Treffen. Wie ich auf Bühnen stand und Impulsvorträge hielt oder in Talkshows saß und erstaunten Menschen von meiner Geschichte erzählte.

Also machte ich mich noch am selben Abend auf die Suche nach mehr Informationen. Ich bestellte mir als Erstes Fachliteratur zum Thema und durchforstete weiter das deutschsprachige Internet – und fand nichts. Okay, das stimmt nicht ganz. Ich fand ein paar Vereine und einschlägige Webseiten, natürlich hier und da einzelne ältere Artikel oder einzelne Beiträge auf Instagram, wo Betroffene einen Schwank aus ihrem Leben erzählten. Was ich eher weniger fand: gute wissenschaftliche Daten, Humor und echte Sichtbarkeit.

Ganz anders war es, als ich mir englischsprachige Inhalte anschaute. Ich fand diverse Studien, Ratgeber, Coaches, Memeseiten, Medikamente, Foren, Vereinigungen, Stiftungen, Programme, Podcasts, Initiativen, Forschungszentren und, und, und. Sowohl für Kinder und Jugendliche als auch für Erwachsene. Große Unternehmen wie Microsoft, Ford oder die größte Bank der USA, die JPMorgan Bank, haben ihr gesamtes Personalwesen reformiert, um Menschen, deren Hirne ein bisschen anders ticken, als Arbeitnehmer*innen zu gewinnen und gemeinsam mit ihnen ein Arbeitsumfeld zu schaffen, in dem sie und ihre Hirne sich wohlfühlen. Und nebenbei sorgen sie so für eine diversere und inklusivere Arbeitslandschaft. Zwar richten sich viele dieser berufsbezogenen Programme vor allem an Menschen mit Autismus, aber sie sind ein wichtiges Zeichen für alle ***neurodivergenten*** Menschen da draußen, zu denen auch ADHSler*innen gehören. Was »neurodivergent« genau bedeutet, klären wir später noch.

Auch wenn es hier und da ähnliche Bemühungen in Deutschland gab, waren die aber nicht flächendeckend, nicht modern und erst recht nicht spezifisch an Frauen gerichtet. Wie konnte das sein? War da etwa eine Lücke? Fand ich gerade eine Nische? Meine Nische?

Ich tat also das, was ich am besten konnte: Ich wurde kreativ. Was bräuchte es, um jungen Erwachsenen dieses Thema näherzubringen? Woher bekomme ich valide wissenschaftliche Daten? Wie verpacke ich sie so, dass sie für jede*n zugänglich sind? Wie bekomme ich es hin, dass sie einen weder erschlagen noch ratlos zurücklassen? Die Antwort auf die letzte Frage lag auf der Hand: Ich tue das, was ich mindestens genauso gut kann wie kreativ sein – ich erzähle Geschichten. Vor allem erst mal meine. Ich nehme Menschen mit in meinen Alltag. Ich kläre auf, ich rege mich auf, mache mich lustig und fasse zusammen, ich frage nach, ich decke auf und rege zum Austausch an. Und das alles da, wo sich meine Altersgenoss*innen rumtreiben – online, auf Instagram. Ich biete ein ausgewogenes Maß an Information, Bildung, Beratung, Kultur und Unterhaltung, all das möglichst niedrigschwellig aufbereitet. Nach akademischen und journalistischen Standards recherchiert, so wie es mich meine Praktika, Hospitanzen, mein Studium und vor allem meine journalistische Arbeit gelehrt haben. Und so entstand die Idee für @*kirmesimkopf*.

Nein, es geht **nie mehr weg** – aber es gibt **Möglichkeiten,** damit umzugehen!

Viele Menschen sind höchst verunsichert, sobald sie die Diagnose in der Tasche haben. Was mache ich denn jetzt? Wem erzähle ich davon, wem nicht? Hat das Konsequenzen für mein Berufsleben, meine Partnerschaft, meinen Kinderwunsch, meine Krankenkasse? Natürlich können sich durch eine Diagnose einige Dinge verändern. Das ist aber vor allem der Fall, wenn die Personen das Gefühl haben, es muss oder soll sich auch etwas ändern.

Vielleicht ist nach so einer Diagnose genau der richtige Moment gekommen, um endgültig den Kontakt zu Menschen abzubrechen, die einen ein Leben lang fertiggemacht haben, weil man so eine »katastrophale Person« war. Vielleicht ist es aber auch der Impuls, mit jemandem Frieden zu schließen, den man jetzt auf einmal so viel besser verstehen kann, weil man begreift, dass man nicht die einzige Person mit ADHS oder psychischen Problemen ist? Vielleicht ist die Diagnose auch das »Zeichen«, auf das man die ganze Zeit gewartet hat, um nun doch auf Weltreise zu gehen oder endlich den Job zu wechseln? Vielleicht ist es aber auch der erste Schritt, um eine Kur zu beantragen, eine Klinik zu besuchen, einen Termin bei der Paartherapeutin auszumachen oder sich einen Psychotherapieplatz zu suchen? Der Moment, der einen begreifen lässt, dass man Hilfe verdient hat und nicht so weitermachen muss.

Ich bin tatsächlich eine große Verfechterin von Psychotherapie. Ich finde es einfach grandios, dass wir in einer Zeit leben, in der es die Möglichkeit gibt, sich mit seinen Problemen, Sorgen und Ängsten an Menschen zu wenden, die professionell dafür ausgebildet sind, uns zu helfen. Und das in Deutschland quasi »kostenlos«. Nur um sich das einmal zu vergegenwärtigen: In den USA kostet eine Therapiesitzung laut eines Berichts der Gesundheitsmanagement-Software *SimplePractice* von 2019 im Schnitt zwischen 100 und 200 US-Dollar. Ein durchschnittlicher Erwachsener mit ADHS gibt in den USA etwa 1.493 Dollar pro Jahr für Ärzt*innen und Therapeut*innen aus. Nimmt die Person Medikamente, kommen nochmal circa 735 Dollar dazu. Kosten, die selbst mit einer Krankenversicherung fast alle selbst übernommen werden müssen.

Natürlich tritt auch mithilfe einer Psychotherapie eine Verbesserung nicht von heute auf morgen ein. Es ist ein teils langwieriger Prozess und braucht einfach Zeit. Von dem Gedanken mal ganz abgesehen, dass man vielleicht viele Jahre seines Lebens nicht wusste, was mit einem los ist, und dann plötzlich die Antwort auf alles hat. Außerdem muss man erst mal die richtige Therapieform und den*die richtige*n Psychotherapeut*in für sich finden und vor allem überhaupt einen Platz ergattern.

Aber Psychotherapie ist auch nicht die einzige Möglichkeit, sich Hilfe zu suchen. Es gibt Ergotherapie, Selbsthilfegruppen, ADHS-Coaches, Elternberatung, Ratgeber, Discord-Channels für Lernende, Social-Media-Kanäle, Facebook-Gruppen und, und, und. Nicht jeder Mensch braucht unbedingt eine Psychotherapie, das kommt immer auf den jeweiligen Leidensdruck an. Für manche sind einige dieser Bausteine gerade für den Anfang total super, zum Beispiel wenn sie noch auf die Diagnose oder auf den Platz in einer Klinik warten. Manche nutzen die Bausteine auch begleitend zu einer Therapie, oder sie entscheiden für sich, dass sie überhaupt keine Therapie benötigen. Manche Menschen brauchen vielleicht eher gezielte Unterstützung, zum Beispiel durch eine Finanzberatung, einen Ordnungscoach, eine Haushaltshilfe oder einen Gesundheitskurs. Wichtig ist vor allem: Was einem Menschen mit ADHS helfen kann, kann nur er selbst herausfinden und anschließend umsetzen. Für manches ist man vielleicht nicht sofort bereit, und manchmal benötigt man auch einfach Zeit, um einen Zugang und einen Umgang damit zu finden.

Das gilt vor allem auch für einen weiteren Baustein, den ich bis jetzt noch gar nicht erwähnt habe, der aber in der »Behandlung« von ADHS eine sehr wichtige Rolle einnehmen kann: die medikamentöse Therapie. Leider zählt sie zu den stigmatisiertesten Behandlungsmöglichkeiten bei ADHS, obwohl sie nachweislich für eine Verbesserung der Symptome sorgen kann.

»Da kannst du ja gleich dopen!« – Wieso **Vorurteile** über ADHS-Medikamente so **gefährlich** sind

Um diese Zeilen zu tippen, habe ich mich gut vorbereitet: Ich habe geduscht und eine große Flasche Wasser neben mir stehen. Ich habe mir eine Sportmatte in die Ecke gestellt für ein paar Gymnastikübungen und trage voll aufgeladene Noise-Cancelling-Kopfhörer, die es beinahe schaffen, alle Geräusche um mich herum zu unterdrücken. Ich habe mein Smartphone auf lautlos gestellt und die Zimmertür zugemacht, damit der Hund nicht dauernd gucken kommt, ob ich noch hier sitze. Und ich sollte vielleicht erwähnen, dass ich vor einer halben Stunde eine Tablette genommen habe, die mir ebenfalls dabei helfen wird, dieses Buch zu schreiben. Ihr Wirkstoff: Lisdexamfetamin.

Lisdexamfetamin ist ein Wirkstoff aus der Gruppe der synthetischen Amphetamine mit stimulierender Wirkung auf das zentrale Nervensystem. Psychostimulanzien, einschließlich Methylphenidat (MPH), sind die Hauptstütze der medikamentösen Therapie bei Erwachsenen mit ADHS. Doch die Einnahme solcher Medikamente wird auch heute noch schnell verurteilt oder zumindest sehr kritisch beäugt. Deshalb bin auch ich nicht sofort damit hausieren gegangen, als ich mich dafür entschieden habe, sie für mich auszuprobieren. Denn diese Stimulanzien haben eine ordentliche Palette an Nebenwirkungen, und es gibt mindestens eine genauso lange Liste mit Vorurteilen. Diese halten sich so hartnäckig, dass mein Umfeld erst einmal nicht sonderlich begeistert war, als ich verkündet habe, dass ich bald von einer Psychiaterin eingestellt werde.

Natürlich habe ich mich im Vorfeld ausgiebig mit den Vor- und Nachteilen auseinandergesetzt, und mir war auch klar, dass es nie eine Wirkung ohne Nebenwirkungen gibt. Wenn man den Beipackzettel aufklappt, will man ihn spätestens nach ein paar Zeilen wieder zuklappen und ihn samt Packungsinhalt in die Tonne werfen. Lustiger Fakt am Rande: Das dürfte man nicht mal, denn Präparate, die Lisdexamfetamin enthalten, fallen unter das Betäubungsmittelgesetz und dürfen laut Packungsbeilage nicht im Abwasser oder Haushaltsabfall entsorgt werden. Ich habe mir den Beipackzettel natürlich sorgfältig durchgelesen. Da stand dann so was wie: Magen-Darm-Beschwerden, Appetitlosigkeit, Mundtrockenheit, Kopfschmerzen, Schlafstörungen, Depressionen, Stimmungsschwankungen. Aber auch Halluzinationen, Angstzustände, Selbsttötungsgedanken, Haarausfall, Anfälle von Atemnot, Herzinfarkt oder plötzlicher Tod sind theoretisch mögliche Nebenwirkungen. Natürlich denkt man im ersten Moment: Was zur Hölle ist das?

Ich möchte die Nebenwirkungen von Psychostimulanzien keinesfalls relativieren, trotzdem würde ich an dieser Stelle gerne mal auf den Beipackzettel des Schmerzmittels Ibuprofen aufmerksam machen. Denn Ibuprofen haben wir fast alle zu Hause im Schrank liegen, und sicher haben wir es alle schon mal bedenkenlos zu uns genommen, ohne vorher akribisch den Beipackzettel zu studieren. Da steht unter »Nebenwirkungen« beispielsweise Folgendes: Erbrechen, Blutungen im Magen-Darm-Bereich, Geschwüre, Schwindel, Nierenentzündung mit folgendem Nierenausfall, Atemnot. Auch nicht so toll. Natürlich hinkt der Vergleich: Eine Ibuprofen nimmt man in der Regel nicht täglich über einen langen Zeitraum, und Selbsttötungsgedanken sind mitunter gravierender als eine Nierenentzündung. Aber ich finde, darum geht es nicht nur. Es geht auch hier um den individuellen Leidensdruck eines Menschen. Und weil dieser in meinem Fall eben hoch ausfällt, habe ich die (erhoffte) Wirkung mit den (möglichen) Nebenwirkungen abgeglichen und mich dafür entschieden, die Medikamente auszuprobieren. Und für mich funktionieren sie.

Jetzt könnte man fragen: Hättest du dieses Buch ohne ein Medikament also niemals schreiben können? Ich denke schon. Aber es hätte mich wahrscheinlich mehr Kraft gekostet, als es das eh schon tut. Und wenn mir eine Tablette dabei helfen kann, mich besser zu fokussieren, zu sehen, wo die Prioritäten liegen, und einen Fuß vor den nächsten zu setzen, wieso sollte ich darauf verzichten?

Böse Zungen würden jetzt sagen: »Das klingt ja fast nach Doping! Du steigerst deine Leistung, und das ist ja irgendwo auch unfair.« Dazu sage ich beherzt: »Nein!« Denn ich steigere nicht meine Leistung und bin plötzlich bei 200 Prozent. Vielmehr bleibe ich ohne die Medikamente – wie meine Lehrer*innen damals schon gesagt haben – eher unter den Erwartungen. Das heißt, ich habe nie mein ganzes Potenzial ausschöpfen können, weil ich immer damit beschäftigt war, wie Hodor bei *Game of Thrones* die Tür zuzuhalten, damit nicht Tausende Gedanken und Reize permanent auf mich einprasseln und mich von meiner eigentlichen Aufgabe abhalten.

Es gibt bei ADHS und Medikamenten den schönen Vergleich mit einer Sehhilfe. Natürlich kann man mit einer Sehstörung und ohne Brille sein Leben leben. Die Menschen mit einer leichten Sehschwäche sehen vielleicht nicht, was ganz in der Ferne so passiert oder was direkt vor ihnen liegt. Die mit einer mittleren Sehschwäche müssen schon mehr Kraft aufwenden, um ihre Umwelt unverschwommen wahrnehmen zu können. Und die, deren Sehkraft stark beeinträchtigt ist, können nur schemenhaft erkennen, was um sie herum passiert, und haben somit permanent einen Nachteil im Vergleich zu denen, die über eine volle Sehkraft verfügen. Wenn diese Menschen mit beeinträchtigter Sehkraft jetzt eine Brille anziehen, jede*r genau die, die er*sie braucht, dann haben alle einen vergleichbaren Blick, eine vergleichbare Sicht, und eventuell ähnliche Möglichkeiten und Chancen wie alle anderen. Würde man diesem Menschen eine Brille verwehren, weil man sagt: »Pech gehabt, er*sie ist ja so zur Welt gekommen. So ist es halt ...«? Wahrscheinlich würde man das nicht sagen. Und in meinem Fall hilft mir das Medikament, besser und schärfer zu »sehen«. Deshalb habe ich aber noch lange keinen Röntgenblick.

Trotzdem reagieren die Menschen immer noch, nennen wir es mal, »irritiert«, wenn ich über meine Medikation spreche. Das Interessante: Wenn ich Menschen erzähle, dass ich eine Psychotherapie mache, ernte ich mittlerweile ein verständnisvolles Nicken. »Therapie soll ja gut sein. Sollte jeder mal machen.« Ganz anders aber ist die Haltung oft noch, wenn es um das Thema ADHS-Stimulanzien geht. Manche Menschen stellen mir verstohlen die Frage: »Und ... nimmst du da was gegen?«, als würden sie mich gerade nach meinem Drogenkonsum fragen. Andere gehen ganz klar davon aus, dass ich ja keine Medikamente brauche. Warum auch immer. Und dann gibt es noch die, die entgeistert gucken oder gar nicht erst fragen, sondern direkt die Vorurteilspalette gegenüber medikamentösen Ansätzen bei ADHS auspacken. Das geht dann von »Also ich würde so was ja nicht nehmen« (okay, wieso solltest du auch, wenn du kein ADHS hast?!) über »Verändert sich da nicht dein Wesen total?« und »Ich habe mal gehört, davon verliert man seine Kreativität« bis hin zu »Da kannst du ja froh sein, dass du das jetzt erst nimmst und nicht schon als Kind ruhiggestellt wurdest«.

Sehr gerne werden die Medikamente auch mit einer Substanzmittelabhängigkeit in Verbindung gebracht, und manch einer kann sich Dinge anhören wie: »Das ist ja eigentlich nichts anderes, als wenn ihr Drogen nehmen würdet!« Oder: »Hör mir auf mit dem Kinderkoks!«

Doch das mit den Vorurteilen ist natürlich nicht erst seit gestern so. Das Medikament Ritalin beispielsweise gibt es ja schon seit 1955, und es wurde damals vor allem bei Patient*innen mit Depressionen, aber auch in Studien bei Kindern mit ADHS eingesetzt. In den USA breitete sich dann in der Mitte der 70er-Jahre plötzlich eine starke Anti-Ritalin-Bewegung aus. Der Grund: Mehrere Publikationen behaupteten, dass ADHS keine echte Diagnose sei, in Wahrheit wäre diese »Krankheit« von Pharmaunternehmen nur entwickelt worden, um Geld zu verdienen. Außerdem wurde die Meinung vertreten, dass Hyperaktivität bei Kindern durch Lebensmittelallergien und Lebensmittelzusatzstoffe verursacht würde. Und jetzt ratet mal, wie viele Menschen das auch heute noch denken? Natürlich eine ganze Menge. Ich habe dazu leider keine genauen Zahlen gefunden, aber ich kann euch eine kleine Anekdote erzählen, die ein mir nahestehender Mensch im Urlaub erlebt hat. Dieser Mensch saß eines Abends mit einer Gruppe Leute an einem Tisch, aus der er nur eine andere Person sehr gut und den Rest kaum bis gar nicht kannte. Er war also im Small Talk mit einer ihm bis zu dem Tag völlig fremden Person, und sie kamen irgendwie auf mich und darauf, was ich beruflich mache, zu sprechen. Als er der Frau erzählte, dass ich zurzeit ein Buch über ADHS schreibe und über das Thema aufkläre, unterbrach ihn die Person und meinte sofort:

»Über ADHS? Sie weiß aber schon, dass das eine Erfindung der Pharmaindustrie ist, oder?« Tja, na dann ist dieses Buch wohl spätestens an dieser Stelle zu Ende, schließlich hat diese Frau gerade mit einem Satz die ganze Wissenschaft widerlegt, inklusive meiner eigenen Erfahrungen.

Sidenote: Die Frau, die an diesem Abend erklärt hat, dass die Pharmaindustrie »uns abhängig macht und uns an sich binden will«, habe ich vor dieser Begegnung tatsächlich auch schon mal persönlich kennengelernt. Da unterbrach sie ihr Gespräch, um mich zu maßregeln, wie unglaublich schädlich es sei, dass ich mir eine zuckerfreie Cola zum Essen bestellt hatte, während sie dabei ihre Zigarette ausdrückte und einen Schluck aus ihrem Weinglas nahm. Das habe ich natürlich nicht unkommentiert gelassen.

Zum Thema Abhängigkeit, das die Frau von dem Abendessen so brennend beschäftigte, schrieb mir eine Followerin bei *@kirmesimkopf* mal: »Dafür, dass immer gesagt wird, diese Medikamente machen uns abhängig, vergesse ich sie aber ganz schön oft.« Das fand ich einen treffenden Gedanken dazu.

Aber unterm Strich ist es natürlich nicht lustig, wenn besonders Mütter sich immer wieder vom eigenen Umfeld, aber auch von Pädagog*innen und sogar Menschen, die im medizinischen Bereich tätig sind, anhören müssen, sie seien furchtbare Rabenmütter oder würden der Entwicklung des Kindes schaden, weil sie erlauben, dass ihr Kind ADHS-Medikamente bekommt. Vor allem, während das Kind auf Nachfrage sagt: »Mama, Mama! Endlich sortieren sich meine Gedanken.«

Aber zurück zum eigentlichen Thema: Medikamente. Wie zu Beginn schon erwähnt, haben die meisten Medikamente Nebenwirkungen, die man auch im Zusammenhang mit einer ADHS-Medikation nicht unterschätzen darf oder verharmlosen sollte. Eine ärztliche Beratung und fortlaufende Betreuung sind dabei unerlässlich. Mindestens genauso wichtig ist es, dass die Personen, die die Behandlung durchführen, auf dem aktuellsten Wissensstand sind und diesen Wissensstand dann auch nachvollziehbar an den*die Patient*in oder deren Erziehungsberechtigte weitergeben.

Aber dieses pauschale Stigmatisieren von einem soliden Baustein der ADHS-Therapie, dessen Wirksamkeit schon in zahlreichen Studien nachgewiesen wurde und der für viele ADHSler*innen hilfreich ist, ihnen den Alltag erleichtert und dafür sorgt, dass das Gehirn etwas ausgeglichener arbeitet, ist nicht in Ordnung. Denn diese Medikamente können für manche Menschen einen erheblichen Zugewinn an Lebensqualität bedeuten, damit es in der Schule oder im Job besser klappt oder Beziehungen aller Art reibungsloser funktionieren.

Natürlich sind Medikamente dabei für manche nur eine temporäre Lösung oder nur ein kleiner Teil einer langfristigen Behandlung. Und für wieder andere funktionieren sie vielleicht auch gar nicht. Es ist absolut nachvollziehbar, wenn man, aus welchem Grund auch immer, auf diese Behandlungsmöglichkeit verzichtet. Aber Vorurteile und vor allem die Meinung nicht betroffener Menschen sollten einfach niemals der Grund dafür sein, dass Menschen pauschal Angst vor einer Medikation haben. Jede*r sollte sich trauen dürfen, bei seinem*ihrem Arzt oder seiner*ihrer Ärztin bestimmte Behandlungsmethoden anzusprechen oder Medikamente im Rahmen einer ärztlichen Behandlung auszuprobieren, anstatt sich aus Angst pauschal dagegen zu entscheiden. Und es sollte sich vor allem niemand für die Einnahme eines Medikaments schämen oder rechtfertigen müssen. Eine Person mit Diabetes muss sich ja schließlich auch nicht für sein*ihr Insulin erklären, oder? Wenn ich alle kritischen Menschen adressieren könnte, würde ich ihnen sagen: Bitte hört auf, Unwahrheiten zu verbreiten, wenn ihr nicht gut genug informiert seid. Hört lieber denen zu, die von ihren Erfahrungen damit berichten, und fällt – wenn überhaupt – erst dann ein Urteil für euch selbst.

Es ist **nie zu spät!** – Wieso auch eine **Diagnose** im Erwachsenenalter noch Sinn macht …

Bevor ich darauf eingehen möchte, was mögliche Schritte sein könnten, die man nach einer Diagnose in Angriff nimmt, möchte ich vor allem eine Frage beantworten, die ich immer mal wieder gestellt bekomme. Sie lautet: »Wieso braucht man überhaupt eine Diagnose im Erwachsenenalter?« Diese Frage taucht häufig im Zusammenhang mit folgendem Gedanken auf: Wenn ein Mensch doch jetzt so viele Jahre ohne Diagnose »klargekommen« ist, was soll eine ADHS-Diagnose dann noch für ihn tun? Hier gibt es einen entscheidenden Faktor, der die direkte Antwort liefert: der sogenannte individuelle Leidensdruck. Wenn wir Strategien erlernt haben, die es uns möglich machen, mit ADHS zu leben, ohne dass es uns oder andere großartig stört, verspüren wir tendenziell wenig von diesem individuellen Leidensdruck.

Ich möchte das einmal an dem Beispiel der »Unordnung« klarmachen: Viele Menschen mit ADHS neigen zu desorganisiertem Verhalten, und das bereits seit der Kindheit. Es fällt ihnen schwer, Struktur und Ordnung in ihren Alltag zu bringen und somit auch beispielsweise in ihr Zuhause. Das ist an sich erst mal nicht weiter schlimm, denn es geht niemanden etwas an, ob wir unsere Socken bügeln und nach Farben sortieren oder Müsli aus einer Tasse essen, weil wir keine saubere

Schüssel mehr finden. Außerdem muss Unordnung keineswegs bedeuten, dass man gänzlich unorganisiert ist. Wer im vermeintlichen Durcheinander immer direkt alles findet, was er*sie sucht, hat sicher ein System, auch wenn es anders ist als das der meisten Menschen.

Wenn die Unordnung allerdings unsere Umwelt mit beeinflusst, kann sie zu einem Problem werden. Genauso, wenn wir uns selbst mit dem Chaos um uns herum einfach nicht wohlfühlen. Dann kostet es uns Nerven, Kraft oder Geld und hält uns davon ab, produktiv oder zufrieden zu sein. Vielleicht haben das Chaos in unserem Kinderzimmer und die ständigen Ermahnungen unserer Eltern dazu geführt, dass wir uns als erwachsener Mensch ein gewisses Ordnungssystem antrainiert haben. Oder wir sind im Internet bei unserer Recherche zu »Wie halte ich Sauberkeit und Ordnung?« auf einen simplen Putz- und Aufräumplan gestoßen, an den wir uns im Alltag, so gut es geht, halten. Vielleicht haben wir uns aber auch anderweitig Hilfe gesucht, indem wir eine Putzhilfe eingestellt haben. Oder wir einigen uns mit unser*er Partner*in darauf, dass er*sie die meisten Aufgaben im Haushalt übernimmt, während wir uns um andere Dinge kümmern. Oder wir haben uns ganz einfach damit abgefunden, dass in unseren vier Wänden manchmal chaotische Zustände herrschen, die überquellende Mülltonne oder der Staub auf der Kommode stört uns nicht sonderlich. Vielleicht war es in unserer Kindheit schon immer ein bisschen unordentlich zu Hause, und eigentlich fanden wir das schon damals viel gemütlicher als bei den Schulkamerad*innen, bei denen man vom Boden hätte essen können.

In solchen Fällen ist unser desorganisiertes Verhalten wenig stark ausgeprägt oder hat kaum Einfluss auf unser Wohlbefinden oder das unseres Umfelds. Der damit eventuell verbundene Leidensdruck ist in der Regel minimal. Es kann aber auch ganz anders aussehen: Zum Beispiel könnte es sein, dass sich das Chaos im Laufe unseres Lebens immer mehr ausgeweitet hat. Mittlerweile beschränkt es sich vielleicht nicht mehr nur auf unser Kinderzimmer, sondern auf unsere gesamte eigene Wohnung, den Schreibtisch auf der Arbeit und unser Auto. Zudem vergleichen wir uns ständig mit Menschen in unserem Umfeld. Vielleicht rollt unsere Mutter immer noch mit den Augen, wenn sie unser Schlafzimmer betritt, oder wir schämen uns sogar so sehr, dass wir niemanden mehr in unser zu Hause lassen wollen. Die Schuldgefühle sind groß, und das Selbstwertgefühl ist im Keller. Wir bleiben immer öfter zu Hause, meiden soziale Kontakte und ziehen uns gänzlich zurück. Wir entwickeln Depressionen oder haben Angstzustände. Es stapeln sich angesammelte Gegenstände, von denen wir uns nicht trennen können, weil wir nicht mehr einschätzen können, welchen Wert ein Gegenstand für uns hat. Vielleicht entwickeln wir das sogenannte Messie-Syndrom. Aber das Ganze kann natürlich auch in die andere Richtung ausschlagen: Indem wir krampfhaft versuchen, Ordnung zu halten, entwickelt sich zum Beispiel ein Ordnungs- oder Putzzwang. Die von uns erwartete Sauberkeit wird zur Sucht. Man kann sich in beiden Fällen vorstellen: Der Leidensdruck ist entsprechend hoch und professionelle Hilfe nötig.

Hier kann eine Diagnose sehr nützlich sein. Sie ermöglicht einem beispielsweise den Zugang zu einem Hilfesystem, das ohne gesicherte Diagnose kaum zugänglich ist. Die Zusammenarbeit mit Krankenkassen, Ärzt*innen und Psychotherapeut*innen, die Möglichkeit, Medikamente auszuprobieren, eine Kur zu beantragen, einen Nachteilsausgleich im Studium geltend zu machen oder sogar ab einem gewissen Schweregrad der ADHS-Symptome und damit verbundenen

Teilleistungsschwächen einen Grad der Behinderung feststellen zu lassen. Menschen mit ADHS, die einen hohen Leidensdruck empfinden und vielleicht erhebliche Folgeerkrankungen oder Ähnliches entwickelt haben, müssen dann eben nicht mehr nur mit ihren Symptomen »alleine klarkommen«. Sie haben dank ihrer Diagnose einen Anspruch auf Hilfe, die sich positiv auf ihr Leben, ihre Gesundheit und ihren Alltag auswirken kann.

Senami Hotse, die auch erst im Erwachsenenalter ihre ADHS- und Autismus-Diagnose bekam, schreibt auf ihrem Instagram-Kanal *@sen_vi_*, auf dem sie unter anderem über Rassismus, Intersektionalität und mentale Gesundheit aufklärt, zu ihren Diagnosen: »Sie bieten mir eine Möglichkeit, mich besser zu verstehen und besser auf mich und meine Bedürfnisse achten zu können, anstatt zu versuchen, mich anzupassen und reinzupassen an/in das, was durch die gesellschaftlichen Normen immer wieder als erstrebenswert dargestellt wird und eingefordert wird.«

Genau deshalb rate ich den meisten Menschen, die den Verdacht äußern, dass sie vielleicht ADHS haben könnten, ein Diagnoseverfahren zu durchlaufen. Denn es kostet in der Regel nichts (außer viel Geduld) und kann im besten Fall ein Leben komplett zum Besseren verändern. Wir haben hier in Deutschland das große Glück, über unser Gesundheitssystem einen Termin dafür vereinbaren zu können, dort hinzugehen, uns diagnostizieren zu lassen und gegebenenfalls Behandlungsmöglichkeiten in Anspruch zu nehmen. Und theoretisch muss am Ende des Prozesses außer uns, der Ärztin oder dem Psychologen und unserer Krankenkasse niemals irgendjemand davon erfahren, wenn wir das nicht wollen.

Die YouTuberin und Mental-Health-Aktivistin Jessica Meyer hat auf ihrem Instagram-Kanal *@lunarjess* in einem

Video, in dem sie über Gründe für eine Diagnose spricht, noch einen weiteren Grund genannt, wieso eine Diagnose für sie wichtig war, den ich nicht unerwähnt lassen möchte. Er lautet: Zugehörigkeit. In ihrem Video erzählt sie, dass sie sich ihr Leben lang nie wirklich zugehörig gefühlt hat. Ihre »Eigenarten« waren oft eine Einladung für andere, sich über sie lustig zu machen, was dazu führen kann, dass man sich »wie ein Alien« fühlt. Die Diagnose ermöglicht ihr den Austausch mit anderen »Gleichgesinnten« und kann auch zu der Erkenntnis führen: »Vielleicht muss ich ja gar nichts großartig verändern, wenn ich eigentlich ganz zufrieden mit mir bin?« Und das kann dann auch ganz unweigerlich zu der Frage führen, die die Aktivistin Carina Waldmann auf ihrem Instagram-Kanal *@radicalsoftness__* mal so schön gestellt hat: »Bist du wirklich eine Belastung oder umgibst du dich vielleicht nur mit Menschen, welche dir das Gefühl geben, eine Belastung zu sein?« Vielleicht ist es dann auch an der Zeit, die Menschen in seinem Umfeld mehr oder weniger auszutauschen, die nach einer gewissen Zeit (die wir ja mitunter auch brauchen, um uns neu zu sortieren) immer noch nicht akzeptieren können, dass ADHS von nun an eine sichtbare Rolle in unserem Leben spielt. Und zwar eintauschen gegen Menschen, die mehr so fühlen, denken und handeln wie wir selbst oder uns schlichtweg einfach genau so akzeptieren, wie wir sind.

… und was sie **manchmal** so **schwer** macht

Wenn da nicht die Maske wäre …

Die britische Psychotherapeutin und Autistin Steph Jones hat mal folgenden Post auf ihrem Instagram-Kanal *@autistic_therapist* verfasst: »Nur weil andere Leute meinen Autismus als ›mild‹ erleben«, schreibt sie, »heißt das nicht, dass mein Autismus mild ist. Der Struggle ist in meinem Kopf, und es erfordert große Anstrengungen, meine Herausforderungen zu verbergen.« Die Technik, die Steph Jones beschreibt und die hinter diesem Prinzip steht, nennt man **Masking**.

Masking ist eine Bewältigungs- oder sogenannte Coping-Strategie, durch die man als Betroffene*r versucht, mit schwierigen Ereignissen und vor allem unerwünschten Verhaltensweisen umzugehen. Konkret geht es darum, Symptome zu verbergen oder sie zu (über-)kompensieren. Manche dieser Strategien können dabei helfen, im Alltag um einiges besser zurechtzukommen, andere können allerdings auch zu erheblichen Problemen führen.

Bei Menschen mit ADHS kann Masking ganz unterschiedlich aussehen. Mittlerweile kann ich problemlos in einem Raum mit anderen Menschen sitzen und in einer ganzen Stunde kein einziges Wort sprechen. Während es mir in der Schule total schwergefallen ist, nicht die ganze Zeit mit irgendwem zu quatschen, habe ich jetzt kein Problem mehr damit, einfach andere sprechen zu lassen, mich zurückzuhalten oder unauffällig in meinem Handy zu verschwinden, wenn ich inhaltlich nicht folgen kann.

Das Ganze sieht allerdings anders aus, wenn es dabei um Dinge, zu denen ich eine starke Meinung habe, oder um kreative Prozesse oder um Entscheidungen geht, die mich betreffen könnten. Dann bin ich so was von am Start und diskutiere alles aus. Ein anderes Setting, in dem ich häufiger ohne Punkt und Komma rede, ist im privaten Kontext. Da braucht nur jemand zu fragen, wie es mir geht oder wie meine Woche bis jetzt so war, und ich rattere los wie ein Maschinengewehr. Das liegt vor allem daran, dass ich mir sehr viele Gedanken mache, mich sehr oft reflektiere und Informationen und Wissen aufsauge wie ein Schwamm. Aber nicht jede*r ist so einen Redeschwall gewohnt. Menschen, mit denen ich mich unterhalte, könnten genervt von meinen Äußerungen sein, oder sie könnten es als unhöflich erachten, dass ich so viel rede. Gerade introvertiertere Menschen könnten in bestimmten Kontexten durch mein Verhalten weniger Lust haben, sich zu äußern.

Deshalb habe ich mich schon sehr oft dazu gezwungen, absichtlich weniger zu sprechen, damit ich nicht immer den größten Redeanteil habe, als »wirr« oder »anstrengend« wahrgenommen werde, andere ständig unterbreche oder etwas sage, was von anderen als unangebracht wahrgenommen werden könnte. Diese Art von Selbstregulation ist somit auch eine Form des Maskings. Und, Gott, es fällt mir manchmal sehr schwer, aber es hilft trotzdem oft genug, den sozialen Frieden zu wahren.

Das Ganze muss sich nicht nur auf verbales Verhalten von Menschen mit ADHS beziehen: Egal ob im Klassenzimmer, im Kino, beim Geschäftsessen oder, wie ich in meiner Kindheit, im öden Gottesdienst – meistens sind hektische Bewegungen, Aufstehen und Rumlaufen, in einer Minute fünfmal die Sitzposition ändern oder sonstige körperliche Aktivitäten unerwünscht. Also machen wir was? Wir betreiben »Stimming«, übersetzt: selbst stimulierendes Verhalten. Das bedeutet, wir leiten das Bedürfnis, uns zu bewegen, und unsere innere oder motorische Unruhe einfach um, indem wir mit dem Bein wippen, mit dem Stuhl kippeln, an unseren Haaren zupfen, mit den Fingern auf dem Tisch trommeln, anfangen zu summen oder den Kugelschreiber 5.000-mal auf- und zuklicken.

Eine andere meiner persönlichen Masking-Strategien ist es, nach außen so zu tun, als habe man alles im Griff, obwohl es hinter den Kulissen ganz anders läuft: Ach, das bisschen Haushalt? Steuerunterlagen? Termine regeln? Einkaufen gehen und gesund kochen? Nichts leichter als das! Schafft ja schließlich jede*r! In Wahrheit gehe ich aber regelmäßig in dieser Alltagslast unter. Also versuche ich zu delegieren – und das geht ins Geld und an die Nerven. Bekomme ich den Haushalt nicht gewuppt, bleiben mir nur zwei Möglichkeiten: Entweder ich lebe im Chaos und räume höchstens auf, wenn ich Besuch bekomme, oder ich nehme Kohle in die Hand und stelle eine Putzhilfe ein. Dann benötige ich vielleicht noch eine Steuerberaterin oder eine teure Steuer-App, einen Terminkalender, eine Organisationshilfe oder eine persönliche Assistenz und nicht zuletzt Essen vom Lieferdienst. Wer sich das alles leistet, weil er*sie ansonsten in Alltagsaufgaben versinkt, dürfte wohl etwas durchatmen können, ist aber auch eine ganze Ecke ärmer. Und wenn man ehrlich ist, kann sich das sowieso niemand so richtig leisten.

Also muss ich entscheiden: Kommuniziere ich nach außen, dass ich dies und das nicht hinkriege? Kann ich damit leben, dass es bei mir leider nicht aufgeräumt ist, wenn meine Freundin zu Besuch kommt? Und kann meine Freundin damit leben, dass sie nichts im Kühlschrank vorfindet, außer etwas, das vor zwei Wochen vielleicht noch eine Gurke gewesen sein könnte, sowie eine abgelaufene Salsasauce von 2018? Oder treffen wir uns einfach doch direkt bei ihr zu Hause? Spannt jemand den Freund ein und macht bis 3 Uhr morgens mit ihm die Steuern, anstatt auf dem Sofa zu chillen und zu knutschen? Wie oft habe ich schon eine Nachtschicht geschoben, weil ich mich den ganzen Tag nicht konzentrieren konnte, weil mich der Baustellenlärm von gegenüber so abgelenkt hat, so viel anderes in meinem Kopf herumgeschwirrt ist oder ich tagsüber meine ganzen anderen kleinen Feuer löschen musste? Wie oft habe ich riskiert, eine schlechtere Note zu kassieren oder einen Job nicht zu bekommen, weil eigentlich noch mal jemand Vertrautes über meine Texte hätte lesen müssen, damit niemand sieht, wie viele Flüchtigkeitsfehler mir unterlaufen sind, die mir auch beim zwanzigsten Lesen einfach nicht auffallen?

Wegen all dieser Sachen sind Notlügen auch ein ganz typisches Masking-Tool. Denn die Überforderung schlägt in so einem Alltag ganz regelmäßig zu. Wollen wir all die Probleme nach außen zeigen? Die Antwort ist eigentlich ganz einfach: natürlich nicht. Deshalb neige ich schon immer zu Flunkereien: »Jaha … ich stehe schon seit 20 Minuten an der Haltestelle und wäre längst da, aber irgendwie kam die Bahn einfach nicht …« Oder: »Ich bin mir ganz sicher, dass ich die Mail letzten Freitag schon geschickt habe. Können Sie mal im Spamordner nachschauen?« So erarbeite ich mir kleine Zeitfenster, ersetze verlorene Unterlagen oder erkämpfe mir kulante Reaktionen. Wie oft ich dabei durchschaut werde, weiß ich nicht. Denn die Lügen sind selten groß, und ich hoffe dabei meistens auf etwas Menschlichkeit. Blöd nur, wenn so was öfters bei denselben Personen vorkommt und die Bahn dann einmal wirklich Verspätung hat oder die Mail wirklich nicht durchging. Denn diese

Dinge passieren ganz regelmäßig und jedem Menschen, egal ob mit oder ohne ADHS.

Weil ich aber weder als Lügnerin dastehen will noch als »verpeilt, schlampig, dumm, unzuverlässig oder faul« wahrgenommen werden möchte, entwickelt sich daraus häufig eine Maske, die man sich auferlegt, um in dieser Welt zu bestehen. Das ist besonders bei weiblich sozialisierten Personen häufig der Fall. Sie sind die Meister*innen der Tarnung – und der Notizblöcke. Exzessiv alles aufschreiben, damit man es bloß nicht vergisst, ist auch eine ganz häufige Bewältigungsstrategie. Ich schätze, ich habe so an die 30 Planer, Notizblöcke und Bullet Journals hier bei mir zu Hause rumfliegen, viele davon noch komplett unbenutzt. Dazu kommen noch ca. hundert lose Notizzettel, die ich regelmäßig aussortiere, und natürlich jede Menge Notiz-Apps, von denen jede etwas anderes verspricht und in denen sich so mysteriöse Aufzeichnungen befinden wie »Wörter mit OU«, »Song-Idee: Abgrundtief« oder »Memo Laura«, von denen ich weder weiß, was sie bedeuten, noch welche ich jemals wirklich gebraucht habe. Viele Menschen mit ADHS, besonders eben Frauen, neigen deshalb auch zu obsessivem Organisieren von Papierkram und Erstellen von Systemen, um sicherzustellen, dass sie auch finden, was sie brauchen. Ich gehöre tatsächlich (noch) nicht dazu, bin aber dran.

Auch wenn manche dieser Bewältigungsstrategien, zumindest zeitweise, hilfreich sein können, können sie uns auch schaden. Sich ständig zu bemühen, Emotionen, Launen, Energie, Gedanken, Handlungen, Worte und Symptome zu unterdrücken und uns anders zu verhalten, als wir eigentlich sind, kann dazu führen, dass sich so einiges in uns verändert. Denn die ADHS-Symptome lösen sich ja nicht in Luft auf. Sie bleiben in uns und suchen sich andere Wege nach draußen oder andere Möglichkeiten, um abgebaut zu werden. Außerdem ist es ganz schön anstrengend, wie eine Puppenspielerin permanent alle Fäden in der Hand zu halten – vor allem wenn man selbst nicht nur Puppenspielerin, sondern auch die Puppe ist. Diese Anstrengung kann dann zum Beispiel zu Konzentrationsschwierigkeiten führen, wodurch wir nur noch mehr Fehler machen, die wir ja eigentlich krampfhaft versuchen zu vermeiden.

Vor einem bevorstehenden wichtigen Ereignis fühlen wir uns unfähig zu entspannen, weil wir Panik bekommen, die Zeit zu vergessen. Unsere Anspannung wird zu einer Verspannung, egal ob in Form von Rückenschmerzen, Zähneknirschen, Nackenproblemen, Migräne oder einer ständigen Gereiztheit. Das Kopfkarussell beginnt sich zu drehen, egal, ob es Tag oder Nacht ist, wir steigern uns in Szenarien rein, die noch gar nicht passiert sind, und bekommen eine surreale Angst vor Situationen und Personen. Welche Konsequenzen wird der nächste verlorene Turnbeutel haben oder der nicht mehr auffindbare Generalschlüssel vom Büro, für den alle Schlösser im gesamten Gebäude ausgetauscht werden müssen? Die kaputte unersetzbare Vase von Oma, die wir versehentlich umgeworfen haben, oder die Katze der Nachbarn, die wir einfach zu spät im Rückspiegel gesehen haben? Verlieren wir womöglich unseren Job, unsere Freundschaft, unsere Partnerschaft? Wer bin ich überhaupt, während ich versuche, allen zu gefallen, indem ich mich so verhalte, wie ich denke, dass sie es wollen? Jetzt erst mal ein Glas Wein gegen den Kummer, eine Zigarette gegen den Stress, eine Tablette gegen die schlaflose Nacht. Wir sind gefrustet, sauer auf uns und andere und verlieren immer mehr die Lust an allem. Wir schämen uns, weil wir erwartete Leistungen oder erwünschtes Verhalten nicht erbringen können. Wir beginnen deshalb immer mehr, Menschen zu meiden, sagen private Treffen ab, lassen uns krankschreiben, essen weniger oder mehr, als unser Körper braucht. Haben wir den Ofen ausgemacht? Ganz sicher? Ganz, ganz sicher? Lieber noch mal checken. Und noch mal. Und dieses Chaos seit heute Morgen schon wieder – wird Zeit, dass hier noch mal jemand aufräumt und ordentlich durchwischt!

Oder aber wir steigern uns immer mehr hinein, endlich genauso wahrgenommen zu werden wie die, mit denen wir uns vergleichen. Streng dich verdammt noch mal härter an! Wir werden verbissen und versuchen um jeden Preis, dass nichts schiefgeht. Wir entwickeln einen Perfektionismus, der von außen gelobt wird und den wir jetzt ständig erfüllen müssen, damit die Anerkennung nicht schwindet. Wir tun alles, um nicht als Hochstapler*in enttarnt zu werden. Wir brennen still und leise aus, obwohl in uns das Feuer lichterloh brennt, verrennen uns in Vorhaben und Verantwortungen, und nicht selten stürzt dieses Kartenhaus irgendwann über uns zusammen.

Eine der besten Möglichkeiten, die Mehrbelastung durch Masking zu verringern, besteht darin, eine Diagnose und eine Behandlung zu erhalten. Mir sind erst durch meine ADHS-Diagnose viele dieser Mechanismen klar geworden. Deshalb können besonders Behandlungsmöglichkeiten wie Psycho- oder Ergotherapie, ein Coaching oder eine Selbsthilfegruppe dabei helfen, diese Mechanismen zu entschlüsseln und zu schauen: Was hilft mir wirklich? Welche Verhaltensweisen muss ich dringend ersetzen? Wo sind vielleicht auch die Punkte, bei denen ich gar keine neuen Strategien erlernen muss? Und vor allem: Wo darf ich auch liebevoller zu mir selbst sein und mir erlauben, einfach so zu sein, wie ich bin? Ganz egal, ob es anderen passt oder nicht.

Ich habe ja in einem der letzten Kapitel die Frau auf Mallorca erwähnt und merke, dass ich immer noch nicht über diese Geschichte hinweg bin. Ich finde es einfach unglaublich, mit welcher Selbstverständlichkeit Menschen immer wieder (und leider oft genau aus dieser Generation) ungefragt ihre Meinung hinausposaunen. Obwohl sie niemand, wirklich niemand, danach gefragt hat und sie diese Meinung dann oft auch noch als Fakten verkaufen. Eine plumpe, unreflektierte Aussage genügt schon, und es werden damit quasi meine gesamte Identität, alles, wofür ich stehe und arbeite, meine Biografie und mein Leidensdruck (und by the way auch der von Millionen anderer Menschen) infrage gestellt. Was diese Menschen davon haben? Keine Ahnung. Ich frage mich dann immer, ob es ihnen ein Gefühl von Überlegenheit gibt, weil sie durch einen »kritischen« Gedanken, den sie mal irgendwo in einem pseudowissenschaftlichen Youtube-Video aufgeschnappt haben, scheinbar mehr wissen als man selbst. Und das, obwohl man sich selbst tagtäglich mit dem Thema beschäftigt oder als Betroffene aus erster Hand weiß, wovon man spricht.

Ich habe in dem Zusammenhang auch mal die *@kirmesimkopf*-Community gefragt, was sie sich so alles anhören mussten, als sie irgendwem mitgeteilt haben, dass sie ADHS haben. Wenn ich diese Sätze hier gerade tippe, regt sich meine Pulsader schon wieder ein bisschen. Da waren unter anderem Sätze wie: »Das ist alles eine Frage der Einstellung. Du musst nur deinen Geist in Einklang bringen und dich wieder zentrieren.« Was darin mitschwingt, ist der Irrglaube, dass es für eine »Heilung« von ADHS nur ein anderes Mindset oder, auch sehr beliebt, eine »Ernährungsumstellung« braucht – und dann sind alle Probleme überwunden. In anderen Rückmeldungen wurden die Impfungen in der Kindheit zur Ursache von ADHS oder es wurde behauptet, Menschen mit ADHS hätten eindeutig zu viel Zeit vorm Fernseher oder der Konsole verbracht. Es gibt Ex-Männer, die die ADHS des Kindes auf Erziehungsfehler der Mutter schieben; für wieder andere ist es nur eine »faule Ausrede«, um »schlechtes Verhalten« zu entschuldigen, einfach nur eine »Phase« oder »Charaktereigenschaft«, aber sicherlich ohne neurologischen Ursprung oder weitreichende Folgen. Manchen wird ihre ADHS auch einfach abgesprochen: Von »ADHS gibt es doch gar nicht« über »Das haben nur Kinder« bis hin zu »Ja, das gibt es, aber du hast das auf keinen Fall« war bei meiner Umfrage wirklich alles dabei. Und natürlich nicht zu vergessen: »Ein bisschen ADHS hat doch jeder!«

Ich möchte dieses Phänomen eigentlich nicht noch schlimmer machen, als es sowieso schon ist, aber wenn ich schlechte Laune habe, denke ich manchmal: Die Menschen, die solche Dinge sagen, sind ja nur diejenigen, die wirklich sagen, was sie denken. Ich will nicht wissen, wie oft mir schon ins Gesicht gelächelt wurde, während ich jemandem von meiner Diagnose, meiner Arbeit oder ADHS im Allgemeinen erzählt habe, und die Person gegenüber nur dachte: »Also *ich* glaub das ja alles nicht ...«

Wenn man doch nur ein Mann wäre ...

Ich habe ja schon mehrfach erwähnt, dass ich besonders vor meiner Diagnose zwar innerlich an meine Grenzen kam, ich im Außen aber um keinen Preis auffallen wollte. Ein solches Verhalten tritt sehr häufig bei Mädchen, Frauen und weiblich gelesenen Personen auf und ist ein Grund, wieso sie – wenn überhaupt – oft sehr spät diagnostiziert werden.

Ich habe im Zusammenhang mit diesem Unterkapitel die etwas undurchdachte Idee gehabt (ich dachte, das würde superschnell gehen, und saß am Ende bis in die tiefe Nacht daran), mir einen Post von @*kirmesimkopf* anzuschauen, in dem ich die Community gefragt hatte, in welchem Alter sie diagnostiziert worden sind. Dafür habe ich genau 742 Kommentare ausgewertet, von denen ich 579 verwenden konnte. Hauptsächlich verfasst von Frauen, 63 davon nur mit einer Verdachtsdiagnose oder zu diesem Zeitpunkt noch im Diagnoseprozess. Ich weiß natürlich, dass diese Zahlen keinen wissenschaftlichen Anspruch haben, weil ich mir keine Diagnosen habe zeigen lassen, aber es gibt zumindest mal ein Gefühl für die Sache. Dabei rausgekommen ist Folgendes:

0–9 Jahre: 75 Kommentare
11–19 Jahre: 38 Kommentare
20–29 Jahre: 182 Kommentare
30–39 Jahre: 193 Kommentare
40–49 Jahre: 72 Kommentare
50–59 Jahre: 19 Kommentare

Es lässt sich für mich unschwer erkennen: Auch wenn es bereits im Grundschulalter einige (Verdachts-)Diagnosen gibt (die meisten davon zwischen dem 7.–9. Lebensjahr), erfuhren die Menschen aus meiner Umfrage von ihrer ADHS erst im Erwachsenenalter, gehäuft zwischen dem 20. und 40. Lebensjahr. Und besonders vielen erging es so wie mir – sie erfuhren erst mit Ende zwanzig, Anfang dreißig davon (hier waren es zwischen dem 28. und 32. Lebensjahr ganze 103 Kommentare!). Und das ist dann leider meistens, nachdem die Schullaufbahn längst beendet ist, erste Beziehungen vielleicht aus »unerklärlichen Gründen« scheiterten, man sich durch Ausbildung oder

Studium gequält hat, mit einem oder beiden Beinen (wackelig) im Berufsleben steht und zwischen (k)ein Kind zu wollen, Selbstzweifeln und ersten Burn-out-Tendenzen gar nicht mehr weiß, wie einem geschieht. Und das ist, verdammt noch mal, einfach viel zu spät.

Aber wieso ist das so, dass gerade weiblich sozialisierte Menschen häufig lange undiagnostiziert bleiben? Eine Untersuchung der ADHS-Expertinnen Dr. Patricia O. Quinn und Dr. Manisha Madhoo aus dem Jahre 2014 hat 41 Studien analysiert und unter anderem drei zentrale Diagnosehindernisse bei Mädchen und Frauen herausgearbeitet.

Erstens: unauffällige Symptome. Mädchen und Frauen neigen dazu, Symptome wesentlich stärker zu verinnerlichen als Jungen und Männer. Insbesondere bei Mädchen gehen die Symptome eher in Richtung Unaufmerksamkeit und Desorganisation. Das führt dazu, dass das Umfeld diese Symptome oft übersieht und es seltener zu einer Diagnose kommt. Denn durch unsere Sozialisierungsbrille, die uns dabei hilft, ein (heranwachsendes) Individuum in die Gesellschaft und die damit verbundene Übernahme gesellschaftlich bedingter Verhaltensweisen einzuordnen, sieht das für uns nicht nach krankheitsbedingten Symptomen, sondern einfach nach einem »typischen Mädchen« aus. Eine »kleine, verpeilte, leicht chaotische Träumerliese« – das ist erst mal nicht weiter auffällig.

Als Zweites werden Begleit- oder Folgeerkrankungen aufgeführt, die häufig durch eine undiagnostizierte ADHS entstehen können. Da ADHS-Symptome bei Mädchen im Allgemeinen oft als weniger störend für ihre Umwelt empfunden werden, kann es dazu führen, dass sich in der Jugend gravierende Folgen wie Angststörungen, Essstörungen oder

Depressionen entwickeln können. Diese Probleme geraten dann häufiger zuerst in den ärztlichen Fokus und werden deshalb früher diagnostiziert, während die ADHS oft unentdeckt bleibt. Frauen mit nicht diagnostizierter ADHS sind aber laut den beiden ADHS-Expertinnen hauptsächlich deshalb »depressiv«, weil es ihnen schwerfällt, erwartete Leistungen oder erwünschtes Verhalten zu erbringen, wofür sie sich dann häufig schämen. Ängste entstehen wiederum, weil sie nie wissen, was als Nächstes passieren wird und wie lange sie dieses wackelige Kartenhaus noch aufrechterhalten können, ohne darunter zusammenzubrechen.

Als dritten Punkt führt die Untersuchung das Thema Bewältigungsstrategien an. Mädchen und Frauen entwickeln in der Regel bessere Kompensationsmechanismen als Jungen und Männer und können so die negativen Auswirkungen ihrer Symptome leichter verbergen. Viele führen zum Beispiel Listen, um irgendwie organisiert zu bleiben, und versuchen, den gesellschaftlichen Ansprüchen zu genügen. Dieses Verdecken funktioniert zwar häufig gut, macht es für Ärzt*innen und Psychotherapeut*innen aber umso schwerer, ADHS als Ursache für psychische Probleme zu entdecken.

Eine solche Geschlechterungerechtigkeit geht natürlich weit über ADHS hinaus und lässt sich auf so gut wie alle medizinischen Bereiche übertragen, vom Herzinfarktrisiko über Diabetes bis hin zu Erbkrankheiten. Bis in die 1990er-Jahre wurden Medikamente ausschließlich an Männern getestet (ja, auch die, die sich vor allem an Frauen richten), und auch viele Studien, auf die sich noch heute bezogen wird oder die die Grundlage neuerer Forschung bilden, berücksichtigen Frauen nicht ausreichend. Das führt zu einer medizinischen Benachteiligung unvorstellbaren Ausmaßes, im schlimmsten Fall mit Todesfolge. Und hier sprechen wir gerade nur über Männer und Frauen. Jenseits der binären Geschlechter und anderer Genderdimensionen sieht es noch unterirdischer aus. Deshalb muss die Gendermedizin dringend weiter vorangetrieben werden, um ALLEN Menschen zu helfen, und zwar genau so, wie es ihnen auch wirklich hilft.

7 ADHS kommt selten allein: Die Schattenseiten

Wer an ADHS denkt, denkt meistens an die Hauptsymptome: Impulsivität, Unaufmerksamkeit und Hyperaktivität. Aber ADHS ist tatsächlich so viel mehr als das. Es gibt dazu ein Meme, das immer wieder in ähnlicher Form gestaltet und geteilt wird. Darauf zu sehen ist ein Eisberg, der ADHS symbolisieren soll. Die Spitze des Eisbergs, die aus dem Wasser ragt, ist das, was Menschen sehen können. An dieser Spitze stehen die drei erwähnten Symptome. Viel interessanter und auch wesentlich größer ist allerdings das, was sich unter der Wasseroberfläche verbirgt, also das, was die Leute nicht sehen können oder selten auf dem Schirm haben, wenn sie an ADHS denken. Da stehen dann so Begriffe wie: »Gedankenkarussell«, »Entscheidungsparalyse«, »niedriges Selbstwertgefühl«, »Schlafprobleme«, »Zeitblindheit«, »Reizüberflutung«, »Stimmungsschwankungen«, »vergessen zu essen« und vieles mehr. Und das sind nicht mal die ganz harten Brocken – denn wie bereits ein paarmal angedeutet, kann ADHS, vor allem undiagnostiziert oder unbehandelt, ziemlich krasse Folgen haben.

Teuer, teurer, ADHS – Wieso uns das Thema alle kostet

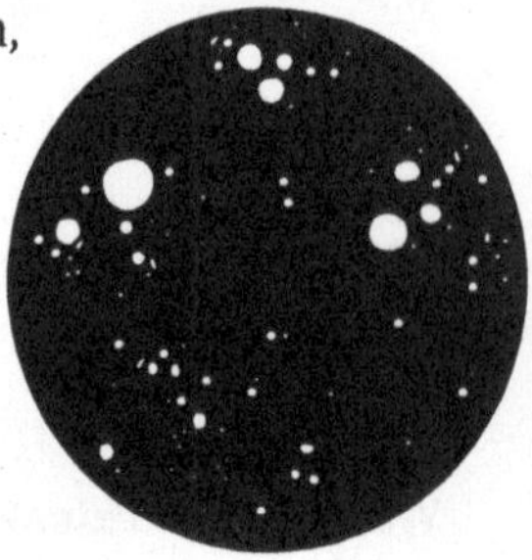

Wenn BWLer*innen von Kosten sprechen, dann sagen sie dazu auch »negative Konsequenzen« – und nichts könnte auch im Kontext von ADHS besser passen. Denn ADHS und unser gesellschaftlicher Umgang damit verursachen negative Konsequenzen und tatsächlich auch beträchtliche Kosten. Und ich spreche hier nicht von den immensen persönlichen Kosten im Sinne von Einschränkungen der Lebensqualität und der Teilhabe, sondern von wirtschaftlichen und sozialen Kosten, die wir alle zu tragen haben, betroffen oder nicht betroffen.

Eine im Juli 2019 im *Journal of Attention Disorders* publizierte Studie hat sich sowohl die direkten als auch die indirekten Kosten, die durch ADHS entstehen, angeschaut. Demnach beliefen sich 2019 die geschätzten finanziellen Gesamtkosten des Gesundheitssystems auf 321,1 Millionen US-Dollar, zum Beispiel für Krankenhausaufenthalte, außerklinische Versorgung oder Arzneimittel. Wesentlich mehr Kosten kamen aber durch die Produktivitätseinbußen zusammen, sprich: auf dem Arbeitsmarkt. Die liegen laut Schätzung der Studie im Jahr

2019 bei sechs Milliarden US-Dollar und kommen beispielsweise durch Fehlzeiten oder Krankheitstage, längerfristige Krankschreibungen, kürzere Arbeitszeiten oder Arbeitslosigkeit zustande. Dazu kommen noch enorme Bildungskosten (schätzungsweise 74,1 Millionen US-Dollar), 215 Millionen US-Dollar Kosten für das Justizsystem zum Beispiel aufgrund von Straftaten und Delikten. Aber auch Unfälle können dafür sorgen, dass Kosten entstehen: ein ausgeschlagener Zahn, ein versehentlich zerstörtes Fenster der Nachbarn, ein schwerer Verkehrsunfall mit kaputten Fahrzeugen und mehreren Verletzten. Außerdem 790,9 Millionen US-Dollar durch reduzierte Steuereinnahmen. Insgesamt wurden die direkten Kosten aufgrund von ADHS somit auf schwindelerregende 7,45 Milliarden US-Dollar geschätzt. Zusammen mit indirekten (nicht finanziellen) Kosten, die sich auf 5,31 Milliarden US-Dollar beliefen, wie etwa durch familiäre oder partnerschaftliche Probleme, eine verminderte Lebensqualität, eine verkürzte Lebensdauer oder dadurch, dass zum Beispiel Eltern von Kindern mit ADHS weniger arbeiten können, häufiger ausfallen oder ihren Job sogar manchmal ganz aufgeben müssen, belaufen sich die Gesamtkosten auf 12,76 Milliarden US-Dollar. Und das nur für das Jahr 2019. Dabei geht man davon aus, dass von diesen Gesamtkosten 10,9 Milliarden US-Dollar mit ADHS bei Erwachsenen in Verbindung gebracht werden können. Ja, richtig gelesen – 10,9 Milliarden.

Und jetzt müsst ihr euch gut festhalten, denn das, was nun folgt, wird euch wahrscheinlich maximal von den Socken hauen: Die besagte Studie hat sich dabei ausschließlich die sozialen und wirtschaftlichen Kosten von ADHS am Beispiel Australiens angeschaut. BOOM! 12,76 Milliarden US-Dollar Kosten für einen Kontinent in einem einzigen Jahr! Wer jetzt denkt: Was zur Hölle? So viel Kohle in nur einem Jahr, auf nur einem Kontinent und das nur für ADHS, das kann doch niemals stimmen! Dem muss ich leider sagen: doch, tut es.

Wolfgang Wegener, Fachreferent für Teilhabe, Autismus und ADHS, schreibt auf seiner Website zu genau dieser Studie: »Die Ergebnisse der Studie sind auf Deutschland übertragbar, wenn man sie auf die Bevölkerungsgröße umrechnet. Die finanziellen und nicht finanziellen Kosten von ADHS in Australien summieren sich bei 814.400 Betroffenen im Jahr auf 12,75 Mrd. US-Dollar, also 15.655 US-Dollar pro Betroffenem pro Jahr. Für Deutschland errechnen sich daraus bei 2.656.000 Betroffenen 41,58 Mrd. US-Dollar, umgerechnet 35,2 Milliarden Euro, also 13.253 Euro pro Betroffenem pro Jahr.«

Und dass so eine enorme Summe an Kosten für ein Land, einen Kontinent, die gesamte Welt entsteht, hat vor allem zwei Gründe: fehlende oder späte Diagnosen – und sogenannte Komorbiditäten.

Schwerwiegende **Folgen** – Die Komorbiditäten

Ein Wort, unter dem man sich wenig bis gar nichts vorstellen kann: Komorbidität. Klappt man ein medizinisches Fachbuch auf, findet man zum Beispiel diese Definition: Der Begriff **Komorbidität** bezeichnet das Vorhandensein weiterer Diagnosen neben einer Hauptdiagnose. Einfacher lässt es sich mit dem Wort »Begleiterkrankung« oder »Begleitstörung« übersetzen, und die sind bei ADHS mehr als nur häufig. Es wird geschätzt, dass etwa 60 bis 100 Prozent der Kinder mit ADHS auch eine oder mehrere komorbide Erkrankungen/Störungen aufweisen, die bis ins Erwachsenenalter bestehen bleiben können. Man geht davon aus, dass circa 80 Prozent, also die Mehrheit der Erwachsenen mit ADHS, mindestens eine diagnostizierte oder auch undiagnostizierte komorbide psychiatrische Erkrankung/Störung hat. Bei Kindern sind hier vor allem folgende zu nennen: Lernstörungen, wie etwa eine Lese-Rechtschreib-Störung und/oder eine Rechenstörung, sowie ein Tic-Syndrom/Tourette, Zwänge, Schlafstörungen oder eine Störung des Sozialverhaltens oder eine oppositionelle Verhaltensstörung. Letztere zeichnet sich durch ein sich wiederholendes und andauerndes Muster eines negativen, trotzigen oder sogar feindseligen Verhaltens gegenüber Autoritätspersonen aus.

Einfach mal abschalten – mit Risiko: ADHS & Sucht

Bei Erwachsenen werden diese Komorbiditäten häufig von anderen Störungen/Erkrankungen abgelöst oder ergänzt. Die wahrscheinlich häufigste ist die, die Ärzt*innen & Co. *Substanzgebrauchsstörung* nennen. Bei den besagten Substanzen kann es sich laut MSD *Manual*, einem wichtigen Handbuch für medizinisches Wissen, um ganz legal erhältliche Genussmittel handeln, wie zum Beispiel Alkohol und Tabak, um illegale Drogen oder verschreibungspflichtige Medikamente.

Meine Mutter weiß schon Bescheid, deshalb fällt es mir nicht so schwer, das hier auf ewig festzuhalten: Meine erste Zigarette habe ich mit 11 Jahren geraucht, ungefähr da habe ich auch meine erste Berührung mit Alkohol gehabt. Meine Mutter dachte damals, dass ich bei meiner neuen Klassenkamradin Lena vom Gymnasium bin. Sie kam aus einer gut situierten Familie, hatte Architekten-Eltern und ein großes Haus mit Seerosenteich. Statt dort gemeinsam Hausaufgaben zu machen oder mit Puppen zu spielen, hatte Lena den Schminkkoffer ihrer Mutter geplündert, den Schlüssel zur Spirituosenvitrine ihres Vaters gefunden und ihrem großen Bruder ein paar Zigaretten aus seinem eigenen Versteck stibitzt. Und so saßen wir da, oben auf dem Dach ihres imposanten Hauses, mit unserem blauen Lidschatten, komplett einparfümiert mit Jil Sander Sun und pafften halb angeekelt eine Zigarette nach der anderen. Vorher hatte jede von uns einen großen Schluck von Papas Cognac genommen. Wir fühlten uns wie die Königinnen der Welt.

Meine Mutter erinnert sich noch genau: Das war ungefähr zu der Zeit, als ich wohl eines Tages eine große Kiste mit Barbies aus meiner Zimmertür rausgeschoben habe und meinte, die könne jetzt mein Bruder haben. Dann habe ich die Tür zugeknallt und meine Anlage aufgedreht, während im Wechsel Eminem, Linkin Park und die Aggro-Berlin-Sampler unser 250-Seelen-Dorf mit ihren Texten beglückten. Wenn wir über diesen Moment sprechen, sagt meine Mutter immer: »In dem Moment wusste ich: Jetzt geht die Pubertät los.« Und so war es auch. Ich bekam meine erste Periode, war das erste Mal schwer verliebt und hatte auch zum ersten Mal Liebeskummer. Ich wollte nur noch Zeit mit Freund*innen verbringen, unsere Telefonrechnung war immens hoch und mein Handyguthaben immer aufgebraucht. Ich »übernachtete« immer öfter bei meinen Schulfreundinnen, aber nur, um dort im Keller *Electro Ghetto* zu hören und dabei unsere Schülerausweise so zu präparieren, dass wir aufs nächste Dorffest oder ins Schützenzelt kamen. Dort wollten wir mit Typen abhängen, die viel älter waren als wir, und uns von dem Kleingeld, das wir bei unseren Eltern aus dem Portemonnaie geklaut hatten, West Ice und Barcadi Brezer kaufen. Es folgten ein paar intensive Jahre, irgendwann das erste Mal Sex, das erste Mal Cannabis, das erste Mal vor der Polizei weglaufen. Ich hatte in meiner Jugend auch so einige brenzlige Situationen, hatte Menschen um mich, die auch mehr als Joints konsumiert haben, habe Kriminalität, Gewalt und riskantes Verhalten live miterlebt, aber war doch irgendwie in den meisten Fällen immer nur Zuschauerin und habe außer einer toxischen Beziehung und einem einmaligen Diebstahl (inklusive vom Ladendetektiv auf frischer Tat ertappt zu werden und ein Jahr Hausverbot bei H&M verhängt zu bekommen) keine größeren Blessuren davongetragen. Unterm Strich ist verrückterweise alles gut gegangen, unterm Strich ist tatsächlich nichts passiert. Woran das gelegen hat? Ich kann es nicht genau sagen. Außer meiner Ehrenrunde in der 9. Klasse, dank meiner Beton-Fünf in Mathe und einer Trotz-Fünf in Erdkunde (weil der Lehrer mich wirklich einfach nicht leiden konnte), hatte ich auch nie Probleme in der Schule. Ich hatte nie Konflikte mit Autoritäten, habe nie eine Anzeige bekommen und keinen Unfall gebaut. Ich habe bis heute nie mehr als ab und zu mal an einem Joint gezogen, nippe manchmal stundenlang an einer Weißweinschorle (wenn ich dann mal etwas trinke, weil ich Alkohol überhaupt nicht mag) und bin eine absolute Gelegenheitsraucherin, die auf einer Party acht Zigaretten rauchen könnte und dann zwei Jahre am Stück keine einzige. Und das, obwohl gerade Jugendliche und Erwachsene mit ADHS sehr viel häufiger rauchen, eine Nikotinabhängigkeit entwickeln und sehr viel schwerer wieder aufhören können als Gleichaltrige ohne ADHS: In einer bereits 1998 veröffentlichten Studie von Nadine M. Lambert und Carolyn S. Hartsough gaben 46 Prozent der Jugendlichen mit ADHS im Alter von 17 Jahren an, täglich Tabak zu konsumieren, bei ihren Altersgenoss*innen ohne ADHS waren es nur 24 Prozent. Man geht davon aus, dass die stimulierende Wirkung von Nikotin dazu beiträgt, die Aufmerksamkeit und Konzentration bei Menschen mit ADHS zu verbessern. Deshalb nutzen viele von ihnen, auch unwissentlich, das Nervengift Nikotin, um ihre

Symptome zu bewältigen – quasi als eine Art Selbstmedikation. Ähnliches gilt für Cannabis und Alkohol.

Eine groß angelegte Zwillingsstudie mit insgesamt 3.762 Zwillingspaaren kam nach jahrelanger Forschung 2018 zu dem Ergebnis, dass ADHS vorbestimmen kann, wann jemand mit dem Konsum von Alkohol und Cannabis anfängt und wie dieser sich entwickeln kann. Jugendliche mit starken ADHS-Symptomen im Kindesalter konsumierten die beiden genannten Substanzen mit größerer Wahrscheinlichkeit früher als Gleichaltrige ohne ADHS, woraus sich im weiteren Lebensverlauf auch häufiger eine ernsthafte Abhängigkeit entwickelte. Besonders interessant: Frauen, bei denen Hyperaktivität und Impulsivität stärker ausgeprägt waren, entwickelten häufig einen höheren Alkohol- und Cannabiskonsum. Genau wie diese Studie betonen aber auch etliche andere Untersuchungen: Die Ursache dafür, ein Risiko für Substanzprobleme zu entwickeln, ist dabei nicht kausal die ADHS, sondern genetische und umweltbedingte Faktoren, die sich immer auch überschneiden. Sie erhöhen sowohl die Wahrscheinlichkeit von ADHS als auch eine mögliche Substanzabhängigkeit.

Wieso ich keine Nikotinsucht entwickelt habe, obwohl ich schon sehr früh das erste Mal an einer Zigarette gezogen habe und immer wieder mal rauche? Oder irgendeine andere Substanzsucht? Hier sind wir wahrscheinlich auch bei ebendiesen bio-psychosozialen Einflüssen, über die ich in Kapitel 2 gesprochen habe. Vielleicht bin ich genetisch nicht dazu veranlagt, eine solche Sucht zu entwickeln, gepaart mit meiner schnellen Auffassungsgabe, meinen Wünschen für die Zukunft und dem Wissen, dass ich abends wieder in meinem warmen Bett liegen würde, umgeben von Personen, die mich bedingungslos lieben und sich um mich sorgen. Vielleicht hat mich das vor Schlimmerem bewahrt. Aber das sind alles nur Mutmaßungen. Vielleicht hatte ich einfach auch einen unglaublichen Schutzengel. Was ich aber definitiv weiß, ist, dass es auch ganz anders hätte laufen können, wie viele Biografien von Menschen mit ADHS eindrücklich beweisen.

Mehr als nur traurig: ADHS & Depression

Depressionen sind im Allgemeinen eine extrem häufige affektive Störung, von der laut dem Verein *Freunde fürs Leben* weltweit circa 264 Millionen Menschen betroffen sind. Verschiedene Studien zeigen auch, dass etwa 30 bis 44 Prozent der Menschen mit ADHS noch vor dem 30. Lebensjahr eine depressive Episode oder eine andere affektive Störung entwickeln. Es wird geschätzt, dass Depressionen bei Erwachsenen mit ADHS 2,7-mal häufiger vorkommen als bei der allgemeinen erwachsenen Bevölkerung. Umgekehrt erfüllt eine beträchtliche Anzahl von Erwachsenen mit depressiven Störungen auch die Kriterien für ADHS. Interessant ist auch zu wissen, dass Depressionen und ADHS auf zwei verschiedene Arten in einem Zusammenhang stehen können: Eine Depression kann einerseits parallel zu einer ADHS entstehen oder andererseits eine direkte Folgeerkrankung von ADHS sein.

Häufig wird eine Depression lange vor der ADHS erkannt, oder Menschen bekommen fälschlicherweise eine ADHS-Diagnose, obwohl ausschließlich Depressionen vorliegen. Das kann zum Beispiel daran liegen, dass Symptome wie Motivationslosigkeit, Erschöpfung und Schlafprobleme, Reizbarkeit, Konzentrationsprobleme und eine niedrige Frustrationstoleranz sowohl bei ADHS als auch bei Depressionen auftreten können.

Besonders vor meiner Diagnose hatte ich immer wieder mit leichten depressiven Episoden zu tun. Die meiste Zeit war mein Leben so: Es gab Phasen, da ging es mir sehr gut, und es gab Phasen, in denen es mir auch mal weniger gut ging. Mal war der Alltag stressiger und dann auch wieder weniger stressig, wie bei jedem Menschen. Und dann gab es Phasen, die waren so richtig, richtig scheiße. Da hatte ich das Gefühl, alles bricht über mir zusammen. Dann drehte sich das Gedankenkarussell plötzlich schneller und schneller und schneller, während alles um mich herum immer langsamer wurde.

Ich bin eigentlich ein sehr zuversichtlicher Mensch, der es schafft, immer und immer wieder in sich selbst und in anderen Hoffnung zu säen. Ich sehe immer das halb volle Glas und kann noch in den ausweglosesten Situationen einen Weg hinaus erkennen oder eine alternative Lösung entwickeln. Aber in diesen Momenten, in denen alles schleichend grauer und grauer wird, fühlt es sich tatsächlich so an, also würde die Farbe immer mehr schwinden und sich ein Schatten über alles legen. All meine Ideen und Pläne, meine Wünsche und positiven Gedanken sind dann plötzlich ganz klein und bedeutungslos. Und dann ist da diese Stimme, die dir sagt: »Angelina, was tust du da? Wieso versuchst du's überhaupt? Du wirst eh scheitern. So wie immer. Du kannst noch so oft sagen, alles wird besser oder dies und das wird dir helfen, aber wir wissen beide: Du wirst es nicht tun. Du wirst es nicht geregelt kriegen, und deine fantastischen Ideen bleiben im Endeffekt nur Ideen, die du niemals umsetzen wirst. Und dann wirst du wieder alle nur enttäuschen, und sie werden genervt sein und sich früher oder später von dir abwenden. Also kannst du es gleich lassen. Dein Körper ist eh schwach; du bist undiszipliniert, faul, eine Träumerin und Spinnerin, und dein ganzes Leben hat keinen Sinn. Denn ich werde dich nicht in Ruhe lassen. Ich werde immer und immer wieder vorbeikommen und dir die Wahrheit zeigen, dir zeigen, dass du eigentlich ganz alleine bist und niemand dich versteht.«

Wenn man diese Stimme zum ersten Mal hört, schafft man es noch, sie zu verdrängen. Aber in den Momenten, in denen man überfordert ist, vielleicht einen Konflikt mit jemandem hat, wieder nicht umsetzen konnte, was man sich so fest vorgenommen hat, und einfach nur enttäuscht von sich ist – dann sitzt man abends auf der Couch oder liegt morgens im Bett, und die Stimme lässt sich nicht mehr so leicht abstellen.

Seit ich meine Diagnose habe und mich mit dem Thema ADHS intensiver auseinandersetze, auch mithilfe von Psychotherapie und einer medikamentösen Behandlung, ist diese Stimme in den Hintergrund gerückt. In ganz seltenen Momenten, wenn ich sehr überlastet bin, höre ich sie noch ganz leise flüstern. Aber durch meine Diagnose und die Art, wie ich mittlerweile mit mir umgehe, ist sie zum Glück nicht viel mehr als ein vergangenes Echo, das manchmal durch meine Gedankengänge huscht.

Die unsichtbare Gefahr: ADHS & Angststörungen

Auch Angststörungen zählen zu den häufigsten Begleitern von Menschen mit ADHS. Eine Angststörung ist tatsächlich viel mehr, als nur ab und zu Angst zu haben. Angst ist per se erst mal nichts Schlechtes, genauso wie Stress. Sie ist eine wichtige Reaktion unseres Körpers auf Situationen, die uns bedrohlich erscheinen. Hätten wir keine Angst, würden wir wahrscheinlich über Bahngleise spazieren, mit 300 km/h über die Autobahn rasen oder mit Alligatoren kuscheln, ohne darüber nachzudenken, dass das vielleicht keine so gute Idee ist. Angst hilft uns, keine roten Linien zu übertreten, oder, wenn nötig, wegzulaufen. Eine Funktion, die uns das Überleben sichert.

Bei einer Angststörung ist das anders. Die *Stiftung Gesundheitswissen* definiert sie so: »Eine Angststörung besteht, wenn Angstreaktionen in eigentlich ungefährlichen Situationen auftreten. Die Angst steht in keinem angemessenen Verhältnis zur tatsächlichen Bedrohung. Betroffene erleben die Angst dennoch psychisch und körperlich sehr intensiv.« Hinzu kommt, dass sich die Angst nicht wirklich kontrollieren lässt und immer wieder auftritt, entweder durch einen konkreten Auslöser oder aber unabhängig davon. Deshalb ist eine Angststörung auch eine ernsthafte psychische Erkrankung, die sich auf alle Arten von Beziehungen, zum Beispiel auf die Arbeit, den Alltag und das soziale Leben, auswirkt und somit auch die Lebensqualität von Betroffenen beeinträchtigen kann.

Es gibt unterschiedliche Formen von Angststörungen: die Agoraphobie, also die Angst vor großen Menschenmengen oder öffentlichen Plätzen, die soziale Phobie, bei der Menschen soziale Situationen vermeiden, weil sie Angst haben, negativ bewertet zu werden, oder die spezifische Phobie, bei der man beispielsweise Angst vor bestimmten Tieren hat, vor Blut oder Erbrechen, vor Höhe, dem Fliegen oder dem Aufzugfahren. Dann gibt es auch die generalisierte Angststörung, die sich mehr durch eine diffuse Angst ausdrückt, in der Betroffene befürchten, dass sich ganz alltägliche Ereignisse und Probleme besorgniserregend entwickeln könnten. Und auch Panikstörungen zählen dazu. Das sind plötzlich auftretende Angstattacken, die innerhalb von wenigen Minuten ihren Höhepunkt erreichen und mindestens einige Minuten andauern können.

Gerade die generalisierte Angststörung (GAS) zählt zu einer sehr häufigen Komorbidität bei Erwachsenen mit ADHS.

Schätzungsweise jede vierte Person mit ADHS ist davon im Laufe des Lebens betroffen. Eine kanadische Studie unter der Leitung von Esme Fuller-Thompson, die als Professorin an der University of Toronto tätig ist, konnte diese Annahme zuletzt bestätigen. Die Studie mit fast 7.000 Proband*innen zwischen 20 und 39 Jahren wurde im Jahr 2021 im *Journal of Affective Disorders* veröffentlicht und untersuchte unter anderem den Zusammenhang zwischen generalisierter Angststörung und ADHS bei Erwachsenen. Demnach hatten 25 Prozent der 270 Proband*innen mit diagnostizierter ADHS auch eine GAS. Zu den Gemeinsamkeiten der Betroffenen zählte, dass sie mit größerer Wahrscheinlichkeit mindestens ein unerwünschtes Ereignis in der Kindheit vorweisen konnten, eine depressive und/oder drogenmissbräuchliche Vorgeschichte hatten, eher weiblich und weiß waren und über ein geringeres Bildungsniveau, Einkommen und wenig enge Beziehungen verfügten. Besonders den Fakt, dass laut der Studie Frauen mit ADHS eine fast fünffach höhere Wahrscheinlichkeit haben, eine generalisierte Angststörung zu entwickeln, möchte ich an dieser Stelle unbedingt noch mal hervorheben.

Und auch wenn nicht jeder Mensch mit ADHS eine Angststörung diagnostiziert bekommen würde, begleiten Angstzustände fast jeden von uns. Denn wenn es sich ein Leben lang so anfühlt, als würde man ein wackeliges Kartenhaus mit aller Kraft aufrechterhalten, und man nicht weiß, was als Nächstes passiert, das dieses Konstrukt zum Einsturz bringen könnte und uns darunter begräbt, dann kann das Angst und Panik in einem auslösen.

Ich habe beispielsweise Ängste, die in keinem klassischen Zusammenhang mit ADHS stehen oder deren Zusammenhang zumindest noch nicht erforscht wurde. Sie wurden aber bei Umfragen auf meinem Instagram-Kanal sehr häufig auch von anderen Menschen mit ADHS genannt und können unseren Alltag zusätzlich ziemlich einschränken. Neben meiner latenten Höhenangst ist eine meiner größten Ängste zum Beispiel eine unfassbar ausgeprägte Spinnenphobie sowie große Panik vor anderen, meistens fliegenden Insekten (ja, auch vor Schmetterlingen!). Wenn mich jemand fragen würde, wie ich meine Arachnophobie (was ist das bitte schon für ein abartiges Wort?) auf einer Skala von 1 bis 10 so einschätzen würde, dann entscheide ich mich für 20. Sie ist so stark ausgeprägt, dass ich mich gerade ernsthaft überwinden muss, nur darüber zu schreiben, denn alleine das Wort »Spinne« löst schon etwas in mir aus.

Den größten Teil meiner Kindheit und Jugend bin ich in einer Erdgeschosswohnung auf dem Dorf aufgewachsen, direkt an einem Feld. Ihr könnt euch sicher vorstellen, was da los war. Und ich meine jetzt nicht diese ekligen Spinnen mit den dünnen Beinen, die in der Ecke sitzen und bei denen mir auch schon der Angstschauder über den Rücken läuft. Nein, ich rede von diesen fetten schwarzen Viechern, über die mein Freund immer scherzhaft sagt, sie sähen aus wie kleine, massive Roboter. Die, deren korrekten Namen ich nicht mal für dieses Buch googeln kann, weil ich wahrscheinlich sofort auf meinen Laptop kotzen würde, wenn Google mich fragt: »Meinst du vielleicht DIESE hier?«

Viele Menschen in meinem Leben haben meine Phobie nicht ernst genommen. Sie haben dann so was gesagt wie: »Stell dich nicht so an. Die hat doch mehr Angst vor dir als du vor ihr!« (NEIN!!!) oder so was wie »Denkst du, ich finde die toll? Ich find die auch eklig!«. Ich spreche aber nicht von einfachem »Ekligfinden«. Ich spreche von einem Gefühl, das mich in absolute Panik versetzt, eine irrationale Angst, bei der ich schreiend, weinend und hyperventilierend wegrenne, wenn ich nicht vor Schock erstarre. Ich scanne jeden Raum, den ich betrete, und ist dort eine Spinne, betrete ich ihn erst wieder, wenn ich mir zu 100 Prozent sicher bin, dass jemand sie weit weg ausgesetzt hat (oder jemand sie getötet hat #sorrynotsorry). Leider bin ich auch nicht dazu imstande, sie selbst zu entfernen. In der Wohnung, in der ich aufgewachsen bin, konnte ich jeden einzelnen Fleck benennen, an dem ich schon mal eine Spinne sitzen sah, und meine arme Mama musste schon mitten in der Nacht, mit Staubsauger bewaffnet, zu mir eilen, während ich in Schockstarre auf dem Küchentisch hockte und völlig paralysiert und tränenüberströmt stotterte: »Mama, sie ist so groß, ich konnte hören, wie sie über den Steinboden gekrabbelt ist!« Die arme Frau hat mir erst Jahre später gesagt, dass sie selbst panische Angst vor diesen fetten Dingern hat. Aber um drei Uhr Morgens als alleinerziehende Mama hatte sie nun mal keine andere Wahl, wenn sie verhindern wollte, dass ihre Tochter mit ihrem Geschrei das ganze Haus aufweckt.

Ich habe schon so einige Nächte kein Auge zugemacht, wegen dieser achtbeinigen Gesellen. Ich erinnere mich auch noch an eine intensive Erfahrung bei meinem ersten Besuch in Panama, wo meine Tante viele Jahre gelebt hat. Da bin ich eines Nachts sogar aufgewacht, weil ich merkte, dass ich nicht mehr alleine in meinem Zimmer war. Zugegeben, wir befanden uns da in einem Naturhotel, und die Fenster in meinem Zimmer waren einfach offene Löcher ohne jeglichen Schutz, aber ich hatte versucht auszublenden, wo ich mich befinde. Aber tatsächlich saß da keine zwei Meter von mir entfernt etwas an der Wand, reiswaffelgroß, pechschwarz und genauso regungslos wie ich. Long story short – ich habe circa drei Stunden handlungsunfähig in meinem Zimmer gesessen, bewaffnet mit einer Badelatsche und einer Flasche Insektengift, und habe mich nicht getraut, auch nur irgendwas zu unternehmen, außer diese widerliche Spinne mit meinem Blick zu fixieren. Alles aus Angst, sie könnte auch nur ein Bein heben, wenn ich mich bewege. Genau so saß ich so lange, bis meine Tante mich dann im Morgengrauen endlich »rettete«.

Ob ihr es glaubt oder nicht, ich war danach sogar noch mal in Panama, sogar wieder in diesem Hotel. Eine weitere Spinne ist mir auf diese Distanz nicht mehr begegnet. Und auch wenn ich Geschichten gehört habe von meiner Cousine, die in Nicaragua eine Tarantel im Bett hatte, von meinem Cousin, der in Thailand keine geeignete Schüssel zum Einfangen finden konnte, weil die Spinne, die ihm dort begegnet ist, einfach zu groß war, und von meinem Bruder, der in Australien während der Fahrt plötzlich eine auch nicht gerade kleine (und vor allem giftige!) Spinne im Auto sitzen hatte, habe ich weiter Fernreisen gemacht und es auch weiterhin vor. Die Reiselust überwiegt dann einfach, obwohl meine Angst so groß ist und ich mich auch jedes Mal wieder verfluche, in ein Flugzeug gestiegen zu sein, dass so viele Kilometer über dem Erdboden rumdüst, als wäre es das Normalste der Welt. Der Grund ist simpel: Ich möchte mein Privileg nutzen, etwas von diesem wunderbaren Planeten zu sehen. Ich versuche, mich meinen Ängsten einfach sooft es geht und immer wieder, zu stellen, quasi kleine eigene Konfrontationstherapien zu machen, was im Fall meiner Spinnenphobie trotzdem niemals bedeutet, dass ich irgendwann so ein Vieh über meine Hand laufen lassen würde und schreie: »Ich bin geheilt!« Never. Ich kann immer noch nicht einmal in einem Raum pennen, in dem in der letzten Ecke so ein achtbeiniges Ungetüm hockt.

Wobei, einmal hatte ich einen »ganz tollen Einfall«, mich auch dieser Angst mal etwas intensiver zu stellen. Ich habe für *Mädelsabende* mal die Idee gehabt, in eine Klinik für Angststörungen zu fahren und mich quasi nach einer Mini-Einführung einer wirklichen Konfrontationstherapie zu unterziehen, indem ich ein neuartiges Gerät getestet habe, mit dem man neben Höhenangst, Flugangst & Co. auch seine Spinnenangst angehen kann. Dafür bekam ich dann eine VR-Brille angezogen, und die Psychologin wählte Szenario 1 von 16 aus. Ein Szenario, in dem die Spinne in Originalgröße einfach nur regungslos in einem Glaskasten sitzt, der auf einem Tisch steht. Bei Szenario 16 laufen riesige Monsterspinnen durch den Raum, seilen sich auf dich ab und bewegen sich plötzlich und unerwartet auf dich zu. Wenn ihr wissen wollt, wie weit ich gekommen bin, dürfte es bei funk immer noch das dazugehörige Video geben. Dafür müsst ihr bei Google einfach nur die Schlagworte »funk«, »Mädelsabende« und »Arachnophobie« eingeben. Ich hoffe, ihr habt so viel »Spaß« wie ich damit.

Eine weitere spezifische Angst, die viele meiner Follower*innen teilen, ist die Angst vorm Autofahren. Dabei handelt es sich nicht um eine spezifische Angst, die sich diagnostizieren lässt, aber ich habe vor Kurzem begriffen, wie sehr sie mit meiner ADHS zusammenhängt.

Zum Thema Autofahren und ADHS gibt es tatsächlich jede Menge Studien. Denn Konzentrationsprobleme, eine schnelle Ablenkbarkeit, riskantes Verhalten, suboptimale Entscheidungsfindung, verzögerte Reaktionsfähigkeit und alles Weitere, was die exekutiven Funktionen beeinträchtigt, könne für ein erhebliches Risiko im Straßenverkehr sorgen. Eine US-amerikanische Studie hat sich dafür die Daten von 14.936 Menschen mit Fahrerlaubnis und Fahrpraxis angeguckt, die zwischen 1987 und 1997 geboren wurden und von denen 1.769 Menschen eine ADHS-Diagnose hatten.

Das Ergebnis: Teenager*innen mit ADHS sind unmittelbar nach dem Erhalt ihres Führerscheins mit 62 Prozent höherer Wahrscheinlichkeit in einen Autounfall verwickelt als Gleichaltrige ohne ADHS. Die Wahrscheinlichkeit sinkt zwar mit der Zeit, aber in den ersten vier Jahren nur auf 37 Prozent. Und auch die Wahrscheinlichkeit, dass Menschen mit ADHS betrunken Auto fahren oder in einer Drogen- oder Verkehrskontrolle auffallen, ist dreimal so hoch wie bei Nicht-ADHSler*innen. In diesem Zusammenhang auch auffällig: 72 Prozent der untersuchten Gruppe mit ADHS waren männlich. Das deckt sich mit vielen weiteren Annahmen und trifft auch auf mich zu: Riskantes Fahrverhalten tritt eher bei Männern auf, während Frauen eher zu einem vermeidenden Verhalten tendieren.

Meinen Führerschein habe ich damals nur widerwillig gemacht. Ich war kurz vor meinem 18. Geburtstag, und es hat erst mal hundert Jahre gedauert, bis ich mich endlich zusammen mit meiner besten Freundin in einer Fahrschule angemeldet habe. Davor hatte ich es monatelang aufgeschoben, für meine Familie wieder ein »typisches Angelina-Verhalten«. In Wahrheit handelte es sich aber einfach um ein typisches ADHS-Verhalten, weil ich mich einfach noch nicht dazu bereit fühlte. Deshalb setzte mir meine Mutter irgendwann die sprichwörtliche Pistole auf die Brust: Mein Großonkel würde den Führerschein komplett finanzieren. Unter der Voraussetzung, dass ich JETZT damit anfangen und es komplett durchziehen würde – und noch einen Anhängerführerschein machte, denn das bräuchte man seiner Meinung nach immer mal.

Ich ging den Deal ein, allerdings ohne den Anhängerzusatz, und ich sollte meinen Führerschein am Ende sogar tatsächlich bekommen – und trotzdem alle enttäuschen. Meine Mutter hatte den »Fehler« gemacht zu sagen: »Wenn du ihn jetzt machst, hast du ihn ein für alle Mal in der Tasche. Du musst ja nicht fahren, wenn du nicht willst.« Sie hatte darauf spekuliert, dass ich wie 99 Prozent der Jugendlichen durch die Fahrpraxis »Blut lecken« würde. Hinzu kam außerdem, dass man bei uns im Dorf ohne fahrbaren Untersatz komplett aufgeschmissen war. Allerdings hatte sie mit beidem komplett unrecht.

Die theoretische Prüfung meisterte ich locker. Dabei half mir mein fotografisches Gedächtnis. Ganz anders war es aber in der Praxis. Mein kettenrauchender Fahrlehrer, der gerne während der Fahrten einfach einschlief, offenbarte mir am Tag der praktischen Prüfung, dass ich total Glück hätte, weil ich einen ganz netten Prüfer zugeteilt bekommen hatte. Das brachte mir nur leider nichts, denn ich schaffte es nicht mal vom TÜV-Gelände. Ich stieg ein, schnallte mich an, startete den Motor und machte ihn sofort wieder aus. Ich hatte einen totalen Blackout und wollte auf keinen Fall losfahren. Mein Bauchgefühl, dem ich in diesem Moment einfach zu 100 Prozent vertraute, sagte mir: Du bist einfach nicht bereit.

Mein Fahrlehrer und der Prüfer: total irritiert. »Sie wissen schon, dass Sie durchgefallen sind, wenn Sie gar nicht erst losfahren?« – »Jep, ich weiß. Aber ich will nicht.« Meine Familie: not amused.

Also einige Wochen später der nächste Versuch. Diesmal holte mich mein Fahrlehrer mit einer eher trüben Miene ab. »Frau Boerger, das tut mir jetzt richtig leid für Sie, aber Sie haben diesmal den härtesten Hund der Stadt erwischt!«, warnte er mich. Der harte Hund war echt kein Sonnenschein, aber ganz in Ordnung. Wir fuhren, ich schwitzte, ich machte einen kleinen Fehler, fühlte mich unsicher, aber schaffte es lebend zurück auf den Parkplatz vom TÜV. Der Prüfer drehte sich zu mir um und sagte: »Frau Boerger, es ist Ihr Glückstag! Ich drücke heute mal beide Augen zu.«

Es klingt komisch, aber ich habe mir damals fast gewünscht, dass er mich durchfallen lässt, damit ich nach Hause kommen könnte, um zu verkünden, dass ich ein hoffnungsloser Fall sei und für immer Beifahrerin bleiben müsste. Meine Mutter stand schon auf dem TÜV-Gelände und nahm mich freudig in Empfang: »Na, willst DU nach Hause fahren?« Mit einem gequälten Lächeln und einem sarkastischen »Ja, Mama, bitte, bitte unbedingt« setzte ich mich hinters Steuer und fuhr ruckelnd los. Leider war die Schaltung im Auto meiner Mutter irgendwie ganz anders, wir kamen ein paar Kilometer gut voran, dann würgte ich ein paar Mal fast ab und war schon ultra genervt. Wo musste ich noch mal hinschauen? Wer darf hier noch mal zuerst fahren, und wer muss warten? Der Motor stotterte. Meine Mama versuchte, mir vorsichtig ein paar Tipps zu geben. Nach der Hälfte des Weges war es dann aber so weit – die Ampel schaltete auf Grün, alle wollten losfahren, aber ein Auto blockierte die ganze Kreuzung: Das war ich. Mittlerweile total gestresst, würgte ich den Wagen ganze achtmal hintereinander ab, während hinter mir ein Hupkonzert stattfand. Und das wurde mir dann zu viel. Ich schnallte mich ab, öffnete wütend die Autotür, stapfte mitten auf der Kreuzung um das Auto herum, öffnete die Tür auf der Seite meiner Mutter und schrie sie an: »Und genau das ist der Grund, wieso ich keinen scheiß Führerschein machen wollte! Ich kann das einfach nicht!« Sie guckte mich nur verdutzt an. »Steig aus Mama, ich fahr ganz sicher nicht mehr! Nie mehr!« Und genau so war es. Ich habe seit diesem Tag nie wieder hinterm Steuer gesessen und habe lieber stundenlang auf Bahnen gewartet, Busse verpasst und irgendwen gebeten, mich abzuholen.

Wobei, das stimmt nicht ganz. Ich hatte vor zwei Jahren wieder einmal eine »tolle Idee« für *Mädelsabende:* Ich könnte es doch mit dem Autofahren noch mal versuchen, vielleicht mithilfe einer Fahrtrainerin. Die Redaktion war natürlich direkt begeistert. Also buchte ich eine Fahrstunde und begleitete mich dabei selbst mit der Kamera. Und ich muss sagen, es war gar nicht so schlimm. Ein halbes Jahr später habe ich sogar vier weitere Fahrstunden genommen und war ganz zuversichtlich, dass ich bald tatsächlich fahren könnte, aber irgendwie ist das dann auch wieder im Sande verlaufen. Meine aktuelle Begründung, die für mein Umfeld einfach nur eine Ausrede ist: Ich finde inflationsbedingt keinen geeigneten kleinen Automatik-Gebrauchtwagen. Dabei brauche ich so sehr ein Auto. In meiner Zeit in der Großstadt habe ich das nicht so gesehen, aber seitdem wir wieder eher ländlich wohnen, ist ein Auto tatsächlich irgendwie ein Muss. Ich kann niemanden eigenständig besuchen. Ich muss immer die gleiche Gassigehrunde machen (ihr könnt euch nicht vorstellen, wie sehr das mein ADHS-Hirn langweilt), weil ich meinen Hund nicht einfach in den Kofferraum packen kann. Ich bin auf meinen Freund angewiesen, wenn ich im Supermarkt einkaufen will. Ich muss immer abgeholt werden. Ich kann nie die Fahrerin sein, wenn andere Alkohol trinken wollen. Ich komme zu spät zu wichtigen Terminen oder sage sie sogar ab oder mache sie erst gar nicht, weil ich nicht weiß, wie ich hinkommen soll. Und so weiter. Jedes Mal, wenn ich ein Ziel bei Google Maps eingebe und aus den 12 Minuten Autofahrt eine Stunde und 19 Minuten mit dem öffentlichen Nahverkehr werden, nur um zum Friseur zu kommen, verfluche ich mich selbst.

Aber Fakt ist: Ich sehe mich irgendwie nicht alleine in einem Auto mit klarem Fokus auf der Straße. Ich bin einfach nicht die, die alles im Blick hat, die sich nicht aus der Ruhe bringen lässt und die Straßenverkehrsordnung im Hinterkopf hat. Nein, ich sehe mich schwitzend, panisch und hektisch mit dem Auto von Ampel zu Ampel springen. Ich sehe mich Diesel in den Benziner tanken, links blinken, wenn ich eigentlich nach rechts will, und ehrlich gesagt sehe ich mich auch oft genug im Straßengraben landen.

All das kommt durch meine Angst. Die Angst, abzuschweifen, alles zu verwechseln, die Kontrolle zu verlieren, mich und andere in Gefahr zu bringen. Dass meine Probleme mit dem Autofahren und die Angst, die daraus entsteht, von meiner ADHS kommen, weiß ich erst seit meiner Diagnose. Aber wenn ich das jemandem erzähle, dann wird mit den Augen gerollt, weil ich jetzt scheinbar »alles auf ADHS schiebe«. Oder die Leute gucken ungläubig und sagen, dass das alles doch nur eine Ausrede sei und man gerne mit mir üben könne.

Nur damit wir uns hier nicht falsch verstehen: Ich bin fest davon überzeugt, dass Üben eine sehr gute Sache ist und definitiv mehr Sicherheit geben kann. Aber die meisten können sich einfach nicht vorstellen, dass mein Gehirn auch bei solchen Dingen anders tickt. Ich habe zum Beispiel drei Jahre lang Hip-Hop getanzt und mich trotzdem vor jedem Auftritt gedrückt, weil ich mir, vor allem in einer »Stresssituation«, keine Abläufe merken kann. Da ist dann einfach Blackout. Wie damals in der Fahrprüfung oder in der Matheklausur.

In den Kommentaren unter meinen Beiträgen zum Thema finden sich ganz viele »Leidensgenoss*innen«. Menschen, die erst nach dem fünften Mal bestanden haben und für die jede Fahrt auch nach Jahren nichts als Stress bedeutet, weil es sie überfordert, auf so viele Sachen gleichzeitig zu achten. Andere wiederum sind seit 35 Jahren nicht mehr gefahren und vergessen genau wie ich manchmal, dass sie überhaupt einen Führerschein besitzen. Manche der Kommentator*innen tendieren auch zum Gegenteil: Sie schreiben, dass ihre Impulsivität und ihre »Sucht nach Stimulation« dafür sorgen, dass sie häufig zu schnell und riskant fahren. Und wieder andere haben riesige

Angst, andere durch ihre Unaufmerksamkeit zu verletzen oder in Gefahr zu bringen, sodass sie sich nicht trauen, sich hinters Steuer zu setzen – obwohl sie so gerne würden.

Die Lerche im Eulenkostüm: ADHS & Schlafstörungen

Während ich diese Zeilen tippe, liege ich normalerweise schon längst im Bett und schlafe. Heute nicht. Ich habe mich die vergangenen zwei Stunden im Bett hin und her gewälzt, diverse Schlafpositionen ausprobiert, Ohrstöpsel und Schlafmaske angezogen und vergeblich versucht, endlich einzuschlafen. Aber der Kopf war mal wieder maximal angeknipst. Es ist ein Gefühl, als wäre man unglaublich müde, aber der Nachbar unter einem schmeißt eine fette Hausparty. Der Bass wummert, man hört die Gesprächsfetzen der ausgelassenen Gäste auf dem Balkon, klirrende Gläser, lautes Lachen und man weiß – diese Nacht mache ich kein Auge zu.

Wie so oft läuft mein Gehirn auf Hochtouren, wenn es eigentlich ruhen soll. Genauso wie es in anderen Situationen im Stand-by-Modus ist, wenn ich seine volle Power eigentlich gebrauchen könnte. Das kann bewirken, dass ich in manchen Nächten gar nicht erst einschlafe oder wie so oft zu unmöglichen Zeiten plötzlich aufwache und nicht mehr einschlafen kann. Das sind dann so Uhrzeiten wie 01:46 Uhr, 03:22 Uhr oder 05:01 Uhr. Ich probiere dann erst mal krampfhaft wieder einzuschlafen, aber das bleibt neun von zehn Mal ohne Erfolg. Als Nächstes teste ich an, ob ich mir vorstellen kann aufzustehen. Dafür darf mein Unterkörper etwas kühle Nachtluft schnuppern, indem ich die Decke zur Hälfte wegklappe und die Beine aus dem Bett hängen lasse. Meistens mache ich das zwei-, dreimal, bis ich mich an den Temperaturunterschied gewöhnt habe.

Dann kommt die Phase, in der ich ein bisschen Gymnastik im Bett mache (natürlich so vorsichtig, dass mein Freund nicht aufwacht). Ich strecke beispielsweise meine Beine aus und lege sie so hoch wie möglich an die Wand, ein bisschen wie eine Kerze, dann setze ich mich umgekehrt auf die Matratze und mache die einzige mir richtig bekannte Yogapose, das Garbhasana oder auch »die Stellung des Kindes« genannt, sowie einen Katzenbuckel mit Gegenbewegung und versuche, mich so zu entspannen. Spätestens dann meldet sich meine Blase. Ich zwinge mich aufzustehen und tapse schlaftrunken ins Bad, um mich zu erleichtern, aber all das hat in Wahrheit nur einen einzigen Grund: Ich weiß, dass dort mein Handy liegt.

Ganz unschuldig steckt es dort mit dem Ladekabel in der Wand und tut so, als würde es schlafen. Aber wahrscheinlich hat das teuflische Ding wieder mal nach mir gerufen und mich so geweckt. Wie so eine Unke im tiefen Brunnenloch. Dabei war ich so stolz auf mich, dass ich vor einigen Wochen der Ansage (ja, so was brauche ich tatsächlich manchmal) meines Freundes nachgekommen bin, dass das Schlafzimmer von nun an handyfreie Zone ist. Das hatte er beschlossen, nachdem ich ihn diverse Male mit meinem Handylicht aus seinem Tiefschlaf geweckt hatte oder versehentlich ein Instagram-Video in voller Lautstärke abgespielt wurde, weil ich vergessen hatte, auf Mute zu stellen, während ich versuchte, mich müde zu scrollen.

Aber tatsächlich ist mein Smartphone nicht das Einzige, was mich aufweckt und wach hält. Bei Menschen mit ADHS ist der Kopf nachts oft an, obwohl die Welt um ihn herum weitestgehend »aus« ist. Gerade dass die vielen Umweltreize, die tagsüber für Ablenkung, Stress und Konzentrationsmangel sorgen, mit Anbruch der Nacht langsam ausklingen, führt dazu, dass viele Menschen mit ADHS häufig nachtaktiv sind. Was am Tag nicht geschafft wurde, geht in der Ruhe der Nacht viel leichter und ungestörter von der Hand. Leider neigt man dadurch häufig dazu, später ins Bett zu gehen, was die Dauer des Schlafes verkürzt und die Schlafqualität mindert. Beides kann dazu führen, dass man tagsüber müder ist.

Wenn ein solches Schlafverhalten seit mindestens einem Monat und mindestens drei Nächte oder mehr in der Woche auftritt, sprechen Fachleute von einer (subjektiv empfundenen) Schlafstörung. Darunter leiden, egal ob Probleme beim Ein- oder Durchschlafen, schätzungsweise 73 bis 78 Prozent der Menschen mit ADHS, sowohl im Kindes- als auch im Erwachsenenalter. Die promovierte Psychologin Sandra Kooji, leitende Wissenschaftlerin im Bereich der ADHS bei Erwachsenen in den Niederlanden, beschäftigt sich schon seit einigen Jahren mit dem Thema Schlaf und ADHS. Sie vertritt die Annahme, dass es einen signifikanten Zusammenhang zwischen ADHS und unserer »inneren Uhr« gibt.

Welchen bedeutenden Einfluss diese Uhr auf unseren Körper hat, untersucht seit den 50er-Jahren des vergangenen Jahrhunderts die sogenannte Chronobiologie, deren Schöpfer der Wissenschaftler Franz Halberg ist. Halberg prägte mit seiner Forschung den Begriff des »circadianen Rhythmus« (circa = ungefähr; dies = Tag). Dieser beschreibt unseren biologischen Tag-Nacht-Rhythmus, der ungefähr einen Tag, also 24 Stunden, lang ist. Da dieser Rhythmus nicht nur kontrolliert, wann wir wach sind und wann wir schlafen, sondern auch auf viele andere Prozesse und Funktionen in unserem Körper Einfluss nimmt, ist es enorm wichtig, dass er synchron funktioniert, damit wir dauerhaft gesund bleiben.

In ihren Studien fand die ADHS-Expertin Kooji unter anderem heraus, dass die physiologische Schlafphase – also der Zeitraum, in dem sich der Spiegel des Schlafhormons Melatonin, die Körpertemperatur oder die schlafbezogenen Bewegungen verändern – bei 75 Prozent ihrer Proband*innen mit ADHS um 1,5 Stunden verzögert abläuft. Durch die Störung des Tag-Nacht-Rhythmus werden Stresshormone ausgeschüttet, und der Körper ist in ständiger Alarmbereitschaft.

Die kurzfristige Folge: Wir sind unruhig, nervös und einfach hundemüde und reagieren gereizt, unkonzentriert und verzögert. Aber nicht nur das – langfristige Schlaflosigkeit kann sogar richtig krank machen. Etliche Studien der vergangenen Jahre haben bereits gezeigt: Schlafmangel kann gravierende psychische und physische Folgen haben. So gibt es laut *Ärzteblatt* Zusammenhänge zwischen Schlafstörungen und Übergewicht, Diabetes, Bluthochdruck, Herzerkrankungen, Schlaganfall, Depressionen, Angststörungen, geschwächter Immunabwehr sowie erhöhter Sterblichkeit. Deshalb empfiehlt Kooji Betroffenen vor allem zwei Methoden, die sich in ihrer Forschung bewährt haben: Eine helle Lichtquelle am Morgen oder die Einnahme von Melatonin am Abend konnte vor allem Menschen mit einem gestörten Schlaf-wach-Rhythmus helfen, diesen wieder zurückzusetzen.

Als weiteren Zusammenhang führt Kooji in ihren Studien an, dass viele Menschen mit ADHS auch unter spezifischen schlafbezogenen Störungen leiden, zum Beispiel unter dem Restless-Legs-Syndrom (RLS; Erkrankung des Nervensystems, bei der es zu Bewegungsunruhe und Missempfindungen in den Beinen kommt, die überwiegend am Abend und in der Nacht auftreten und die sich bei Bewegung bessern) oder Schlafapnoe (Atempausen während des Schlafes, die zu starker Müdigkeit am Tag und Konzentrationsstörungen führen können). Besonders Ersteres tritt verstärkt bei Menschen mit ADHS auf.

Einige Untersuchungen deuten darauf hin, dass Menschen mit ADHS eine etwa 14,5-mal höhere Wahrscheinlichkeit haben, an RLS zu erkranken. Besonders spannend: Frauen, vor allem über 30, sind viel häufiger betroffen als Männer. Eine Studie aus dem Jahr 2020, die im *International Journal of Environmental Research and Public Health* veröffentlicht wurde, vermutet, dass die Ursache dafür im sich durch den weiblichen Zyklus ständig verändernden Hormonspiegel liegen könnte. Sowohl Eisen (bei Frauen niedrig, häufig sogar Mangel) als auch Östrogen (bei Frauen hoch, aber schwankend) beeinflussen die Übertragung der Neurotransmitter Dopamin und Glutamat, was zur besonderen Anfälligkeit von Frauen für diese Erkrankung und die damit verbundenen Komorbiditäten wie Migräne, Depression und Angstzustände führen könnte.

Überdauernde Muster: ADHS & andere Störungen

Eine weitere Komorbidität von ADHS sind Persönlichkeitsstörungen, darunter die emotional instabile Persönlichkeitsstörung vom Borderline-Typ und die sogenannte narzisstische Störung. Gerade die im Allgemeinen als »Borderline« bezeichnete Störung hat sehr viele Überschneidungen mit ADHS. Ich habe aber auch einige Menschen kennengelernt, die fälschlicherweise eine solche Diagnose erhalten und sich dann damit abgefunden haben, obwohl sie immer das Gefühl hatten, dass das nicht so ganz passt. Bei vielen von ihnen stellte sich schlussendlich heraus: Es war eigentlich ADHS. Und zwar ausschließlich.

So war es zum Beispiel bei Lotti (*@allesvonlotti*) aus Berlin. Sie erhielt schon in ihrer Jugend einige Diagnosen (in keiner davon ging es um ADHS) und musste erst jahrelang Therapieverfahren, Klinikaufenthalte und falsche Medikationen durchleben, bis sie als Erwachsene endlich ihre richtige Diagnose in den Händen hielt. Sie war zwar ziemlich erleichtert, aber auch etwas geschockt. Seit sie 14 war, hatte sie sich mit der Borderline-Persönlichkeitsstörung identifiziert, eigene Strategien entwickelt und irgendwie versucht, damit zu leben, und dann hieß es plötzlich: irgendwie doch nicht mehr so passend – und alles fing wieder von vorne an.

Eine weitere Komorbidität aus dem Spektrum der psychischen Erkrankungen ist die bipolare Störung, die sich durch manische und depressive Stimmungsschwankungen auszeichnet, und auch Schizophrenie und posttraumatische Belastungsstörung können als ADHS-Komorbidität auftreten.

Viele Menschen mit ADHS werden außerdem im Laufe ihres Lebens von Zwangsstörungen begleitet, haben häufig psychosomatische Probleme, entwickeln Verhaltenssüchte wie eine Kaufsucht, Glücksspielsucht, exzessive Mediennutzung oder eine Essstörung. Es gibt etliche Studien, die eine Verbindung zwischen ADHS und Essstörungen nachweisen, besonders den Zusammenhang mit einer Bulimia nervosa und mit einer Binge-Eating-Störung (BES), die schätzungsweise bei 30 Prozent der Menschen mit ADHS auftritt. Eine 2007 an der Harvard Medical School durchgeführte Studie ergab, dass Mädchen mit ADHS fast viermal häufiger an einer Essstörung leiden als Mädchen ohne ADHS. Während man noch bis vor Kurzem davon ausging, dass der Grund für den Zusammenhang das impulsive Verhalten sein könnte, das sowohl typisch für ADHS, aber auch für die unkontrollierten wiederkehrenden Essanfälle einer BES ist, geht eine neuere Studie aus dem Jahr 2020 erstmals davon aus, dass es mit einer stärkeren Reaktion im Belohnungssystem des Gehirns zusammenhängen könnte. Den Teilnehmer*innen der Studie (sowohl mit hohen und niedrigen ADHS-Symptomen als auch einer (ehemaligen) Binge-Eating-Störung) zeigte man Fotos mit Lebensmitteln und ohne. Diejenigen mit starken ADHS-Symptomen hatten signifikant höhere Gehirnaktivitäten bei den Fotos von Nahrungsmitteln. Wohingegen Untersuchungen der Impulskontrollreaktionen der Teilnehmenden keine Unterschiede in den Ergebnissen aufwiesen.

Wenn sich die Krisen zuspitzen: Wieso Menschen mit ADHS eine geringere Lebenserwartung haben

Der Leidensdruck kann also bei einem Menschen mit ADHS ziemlich ausgeprägt sein, vor allem wenn eine oder mehrere dieser Komorbiditäten eine Rolle spielen. Und die Folgen dieser Folgen können mitunter noch drastischer sein. Eine große dänische Langzeitstudie mit 32.000 Proband*innen mit ADHS und einer Million Menschen ohne ADHS wurde 2015 im *The Lancet* veröffentlicht, eine der ältesten und renommiertesten medizinischen Fachzeitschriften der Welt. Die Forscher*innen haben dabei herausfinden können, dass innerhalb von 32 Jahren 107 Menschen ihrer Untersuchungsgruppe mit ADHS frühzeitig verstorben sind. Liest man das, denkt man vielleicht: Okay, krass, aber die Zahl ist nicht sonderlich hoch. Doch die Zahl, die hier so klein erscheint, ist mehr als doppelt so hoch wie die der Kontrollgruppe ohne ADHS. Menschen mit ADHS haben der Studie nach ein 1,5- bis 8-mal höheres Risiko, früher zu sterben, als Menschen ohne ADHS. Die Studie fand außerdem heraus, dass das Risiko, vorzeitig zu sterben, 4,6 Prozent höher ist, wenn eine ADHS-Diagnose erst nach dem 18. Lebensjahr stattfindet, wobei Jungen ein fast doppelt so hohes und Mädchen ein dreimal so hohes Risiko haben im Vergleich zur Kontrollgruppe. Die häufigste Todesursache sind Unfälle, die sich aufgrund einer riskanten oder unaufmerksamen Fahrweise ereignen.

Das belegt auch eine Langzeitstudie des ADHS-Experten Russell A. Barkley und seines Teams aus dem Jahr 2016. Sie schätzen, dass Personen, bei denen in der Kindheit vor allem ADHS mit vorwiegend hyperaktiv-impulsivem Erscheinungsbild diagnostiziert wurde, eine um 8,4 Jahre kürzere Gesamtlebenserwartung haben. Bei Personen, die ihre gesamte Kindheit und Jugend undiagnostiziert und unbehandelt leben und erst im Erwachsenenalter eine Diagnose erhalten, liegen die Schätzungen sogar bei 11,1 Jahren.

Eine weitere schockierende, aber spätestens ab diesem Punkt nicht unerwartete Zahl liefert eine repräsentative Studie aus Kanada von 2021, die herausgefunden hat, dass die Suizidversuche bei Menschen mit ADHS weitaus höher sind als bei Menschen ohne ADHS. Demnach liegt die Wahrscheinlichkeit eines Suizidversuchs bei Männern mit ADHS bei 9 Prozent, die von Männern ohne ADHS bei nur 2 Prozent. Was mich aber noch viel mehr entsetzt hat, sind die Zahlen, die die Studie für Frauen offenlegt. Hier liegt die Lebenszeitprävalenz von Suizidversuchen von Frauen mit ADHS bei schockierenden 24 Prozent, bei Frauen ohne ADHS sind es 3 Prozent. Somit liegt die Wahrscheinlichkeit bei Männern mit ADHS 4,5-mal höher, bei Frauen 8-mal höher. Spielte elterliche Gewalt oder eine Drogenabhängigkeit noch eine Rolle im Leben der Befragten, erhöhte sich diese Prozentzahl sogar noch einmal um das

Dreifache. Die Hauptautorin der Studie, auch hier Esme Fuller-Thomson, sagt dazu: »Selbst wenn wir die Vorgeschichte psychischer Erkrankungen und das höhere Maß an Armut und frühen Widrigkeiten berücksichtigen, die Erwachsene mit ADHS oft erleben, hatten sie immer noch eine um 56 Prozent höhere Wahrscheinlichkeit, einen Suizidversuch unternommen zu haben, als ihre Altersgenossen ohne ADHS.« Außerdem zeigt die Studie auf, dass gewalttätige Konflikte mit den Eltern extremen Stress für Kinder mit ADHS verursachen und die Anfälligkeit für psychische Erkrankungen und Suizidgedanken begünstigen. Umgekehrt können extreme Herausforderungen in der Erziehung eines Kindes mit ADHS dazu führen, dass Konflikte in häuslicher Gewalt münden. Ein absoluter Teufelskreis also.

8 Alles hängt mit allem zusammen – Wie ADHS unsere Beziehungen beeinflusst

Man muss kein Fachmensch sein, um einschätzen zu können, was diese teils schweren Erkrankungen und Störungen so mit sich bringen können.

Das Spannende: Ganz am Anfang dieser langen Kette aus Alltagsproblemen und Komorbiditäten stehen meist die magischen vier Buchstaben: A-D-H-S. Aber häufig eben unentdeckt, undiagnostiziert, fehldiagnostiziert oder unbehandelt. Dazu ist der Zustand dieser Kette oft undefinierbar verwirrt.

Wer schon mal mehrere Schmuckketten oder Kabel in ein Behältnis gepackt hat und nach einiger Zeit wieder rausholt, staunt oft nicht schlecht, was da für ein Wirrwarr herauskommt. Man sieht häufig keinen Anfang und kein Ende, und es ist ein unglaublicher Aufwand, dieses Knäuel aufzulösen. Das Fingerspitzengefühl, das man zum Lösen eines solchen Knotens braucht, ist aus unterschiedlichen Gründen im Kontext einer Diagnostik nicht immer gegeben. Man könnte daraus jetzt fast ebenso viele Szenarien kreieren, wie es Menschen gibt: die Person, die zwar als Kind diagnostiziert wird, aber nicht ausreichend Behandlung erhält und nie erfahren hat, dass es ADHS im Erwachsenenalter gibt. Ein Kind, das dringend eine Diagnose bräuchte, aber die Eltern lehnen die Diagnose oder die Behandlung ab. Die Person, die im Erwachsenenalter diagnostiziert wird, aber keine Behandlung möchte oder ihr aus gesundheitlichen Gründen nicht nachgehen kann. Die Person, die eine Diagnose und eine Behandlung gebraucht hätte, sich aber aufgrund schwerer Depressionen oder Mobbingerfahrungen als Jugendliche*r das Leben genommen hat. Die Person, die sich mit einem Burn-out (als Folge einer undiagnostizierten ADHS) zum Hausarzt schleppt und dort nicht ernst genommen wird. Die Person, die als junge Erwachsene fälschlicherweise die Diagnose Borderline-Persönlichkeitsstörung bekommen hat und krampfhaft versucht, sich damit zu identifizieren. Die Person, die vielleicht wirklich eine Borderline-Persönlichkeitsstörung hat, aber nur als Folge einer fehldiagnostizierten ADHS. Der Alkoholkranke, der an Leberversagen stirbt, und die introvertierte Sozialphobikerin, die sich seit Jahren nicht mehr aus dem Haus getraut hat. Der »schwierige Jugendliche«, der durch Pflegefamilien gereicht wurde, die Schule abgebrochen hat und die nächsten acht Jahre hinter Gittern sitzt, weil ihn seine kriminellen Aktivitäten dorthin gebracht haben. Die überforderte Mutter, das misshandelte Kind, der toxische Partner, die überangepasste Businessfrau …

Deshalb kann ich es auch nur wieder und wieder betonen, bis es sich in alle Köpfe eingebrannt hat: Je früher ADHS entdeckt wird und Komorbiditäten als Komorbiditäten erkannt werden, desto eher kann etwas getan werden. Und es kann und muss etwas getan werden. Zum Beispiel eben durch gesicherte und einheitlichere Diagnosen, Therapieformen wie Psychotherapie, Medikamente, Ergotherapie, Arzneimittel oder auch alternative Methoden. Aber auch durch mehr Forschung, mehr allgemeines Wissen über ADHS, mehr Akzeptanz in der Gesellschaft, mehr Aufklärung in Familien oder Partnerschaften und durch die Entstigmatisierung in den Medien, der Schule und am Arbeitsplatz. Und das ist die Aufgabe von uns ALLEN.

Wieso ich **Angst** habe, dass mein Freund mich bald verlässt: ADHS & **Partnerschaft**

Wenn ich gefragt werden würde, was mich an meiner ADHS am meisten nervt, dann würde ich wahrscheinlich an einem Tag die eine Sache sagen und an einem anderen Tag etwas anderes. Wahrscheinlich würde ich aber auch sagen, dass mich die ADHS selbst eigentlich gar nicht so sehr belastet. Denn ich komme ja irgendwie klar mit mir und der Art, wie ich denke, handle und fühle. Was für mich allerdings mit am belastendsten ist, ist zu wissen, dass meine ADHS andere belastet.

Wenn ich machen könnte, was ich will, würde ich wahrscheinlich an einem Tag bis 7 Uhr schlafen, am nächsten bis 11 Uhr, ich würde mir Pfannkuchen zum Abendbrot machen und mir jeden Tag eine andere Beschäftigung suchen. Ich würde alle Schubladen offen stehen lassen, die Musik laut aufdrehen und permanent mit mir selbst quatschen. Ich würde stundenlang am Handy hängen, bis mir der Arm wehtut, und meine Pflichten erledigen, wenn mir gerade danach ist.

Natürlich kann ich aber nicht nur das machen, was ich will – zumindest nicht in diesem Ausmaß. Denn ich bin umgeben von anderen Lebewesen mit Bedürfnissen und Erwartungen an mich, und die muss ich irgendwie erfüllen, damit niemand frustriert ist und sich daraus keine weiteren Probleme entwickeln. Ich habe zum Beispiel einen Hund, der regelmäßig gefüttert, ausgeführt, bespielt und gekuschelt werden will. Ich lebe zusammen mit meinem Partner in einer Wohnung und bin genauso für den Müll, die Spülmaschine, die Wäsche und das Abendessen zuständig wie er. Auch er wünscht sich meine Aufmerksamkeit, genauso wie meine Freund*innen und meine Familie. Dann habe ich noch einen Job, zwar als Freiberuflerin, aber sobald ich sage: »Hey, ich bin diesen Monat für X Tage als Social-Media-Autorin am Start, ich halte an Tag X einen Vortrag oder produziere Content für eine Kooperation«, verpflichte ich mich in diesem Moment dazu, mich an die im Voraus getroffenen Vereinbarungen zu halten, gewissenhaft zu arbeiten und Deadlines einzuhalten. Genauso habe ich eine Verpflichtung gegenüber Menschen, Unternehmen oder Dienstleistern, zum Beispiel dass meine Vermieter regelmäßig ihr Geld bekommen, dass ich mit der Wohnung ordentlich umgehe, dass ich meine Streamingdienste pünktlich bezahle, meiner Steuerberaterin Unterlagen zuschicke und, und, und. Wer darüber hinaus noch

Kinder oder zu pflegende Angehörige hat, ein Haus abbezahlt oder ein Unternehmen leitet, trägt sogar einen noch größeren Berg an Verantwortung.

Sensibilisierung ist elementar wichtig, aber dass Menschen endlich besser darüber Bescheid wissen, wie wir ticken, entledigt uns nicht unserer Verantwortungen und Pflichten, die wir anderen Menschen gegenüber haben. Doch wir müssen schauen, dass wir auch gemeinsame Strategien entwickeln, um mit den Dingen, die auch andere betreffen und zu Problemen führen könnten, besser umzugehen. Wenn mein Freund beispielsweise morgens im Regen das Haus verlässt und meinen Spaziergang mit dem Hund übernimmt, damit ich es doch noch schaffe, mich für einen anstehenden Termin fertig zu machen, weil ich mal wieder die Zeit falsch eingeschätzt habe, dann kann das zu Frust führen. Auch wenn wir natürlich versuchen, einander bestmöglich zu unterstützen. Aber wenn so was immer wieder passiert und die andere Person das Gefühl hat, dass nichts wirklich planbar ist, oder das Gefühl bekommt, dass man immer als Notlösung herhalten muss, kann das natürlich frustrieren. Allerdings kann dieser Frust auch noch getoppt werden: zum Beispiel dadurch, dass mein Partner die Gassirunde übernimmt und beim Verlassen des Hauses sagt: »Ist es okay, wenn ich meinen Schlüssel hierlasse? Ich habe keine Hosentaschen. Dann müsstest du mir nur gleich die Tür aufmachen«. Ich antworte ihm: »Ja, klar, kein Problem«, und habe es im selben Augenblick allerdings schon wieder vergessen. Keine fünf Minuten später stehe ich unter der Dusche, das Wasser prasselt laut, die Badezimmerlüftung dröhnt, aus meiner Musikbox tönt der *Euphoria*-Soundtrack, und mein Handy ist wie immer auf lautlos. Darüber, dass ich so niemals hören werde, wenn er klingelt, denke ich keine

Sekunde nach. Zwanzig Minuten später steht mein Partner pitschnass im strömenden Regen vor der Tür, mit dem Finger auf der Klingel und dem Handy am Ohr – und ich öffne einfach nicht.

In solchen Momenten kann man wahrscheinlich alles über ADHS wissen und trotzdem unglaublich angepisst sein. Und das lässt sich sogar noch weiter steigern, selbst wenn der*die Partner*in sich zwar entschuldigt und versucht hat zu erklären, was genau los war, und man nichts weiter tun kann, außer tief durchzuatmen. Zum Beispiel wenn man kurz danach das Haus mit seiner bereits am Vorabend komplett gepackten Tasche verlässt. Inklusive vorgekochtem gesundem Mittagessen, Snacks für zwischendurch, einer voll geladenen Powerbank, falls der Handyakku leer geht, und einer dünneren Jacke, weil laut Wetter-App später doch noch mal die Sonne rauskommen soll. Nur um dann 10 Minuten später einen Anruf zu bekommen, dass die Partnerin, die seit 11 Jahren einen Führerschein besitzt, aber noch nie wirklich gefahren ist, wegen all der Hektik den Bus verpasst hat und jetzt totale Panik hat, dass sie den Zug nicht mehr bekommt. Und dass das wiederum dazu führt, dass sie zu spät zum Termin nach Köln kommt, auf den sie monatelang gewartet hat, und dass dies womöglich sogar ernsthafte Konsequenzen für sie haben könnte. Lässt man sie jetzt hängen und beruft sich darauf, dass man selbst kaum noch Zeit hat, pünktlich zu kommen, schon seit morgens leichte Kopfschmerzen hatte und eigentlich ganz froh war, ohne jegliche Konversation, vor allem nicht mit einer aufgekratzten Person, im Auto zu sitzen und schon mal innerlich die To-Dos für den Tag durchzugehen? Oder muss man mal wieder Lebensretter spielen, obwohl man eigentlich 0,0 Bock darauf hat, sich fast wie ein Vater und nicht wie ein Partner fühlt und man nicht mehr dafür garantieren kann, dass einem, sollte jetzt noch irgendeine Kleinigkeit von ihr dazukommen, nicht doch der Kragen platzt und man sich die ganze Fahrt bis zum Bahnhof streiten wird? Wahlweise in Monologform, weil sie so ein schlechtes Gewissen hat und schweigt, oder man sich wieder tausend Rechtfertigungen anhören muss, wieso es diesmal schon wieder so gelaufen ist, obwohl sie versprochen hatte, dass sie sich einen Wecker stellt, hundertprozentig mit dem Hund gehen wird, die Klingel hört und auf gar keinen Fall den Bus verpasst, weil es so ein verdammt wichtiger Termin ist!

Gerade fragt man sich bestimmt, ob diese Situation genau so schon abgelaufen ist – die Antwort kann man sich sicherlich denken: nicht nur einmal.

Deshalb sage ich es an dieser Stelle, wie es ist: Ohne Menschen, die Verständnis haben, Rücksicht nehmen und mich aktiv unterstützen, wäre ich unglaublich aufgeschmissen. Ganz besonders ohne meinen Partner. Denn was früher meine Mutter geleistet hat, übernimmt er heute in anderer Form. Ohne ihn würde keine meiner vielen Onlineretouren jemals wieder den Weg zurück zum Paketversand finden, und ich würde in Klamotten und Schulden versinken. Ohne ihn wäre mein Kühlschrank wahrscheinlich leer, und ich würde mich von irgendwelchen Lieferdiensten ernähren oder nur noch auswärts essen. Stattdessen geht er einkaufen oder kocht öfters für uns. Ohne ihn würde ich regelmäßig meinen Zug verpassen und meine Jobs gefährden, stattdessen verschiebt er sogar berufliche Termine, damit ich noch pünktlich irgendwo ankomme. Ohne ihn würde ich zum x-ten Mal bei irgendwelchen Ärzt*innen sitzen, weil ich stundenlang in ein und derselben Position sitze oder ohne Pause arbeite und davon Nacken- und Schulterschmerzen habe. Stattdessen aber sorgt er dafür, dass ich wenigstens ein paarmal die Woche ins Fitnessstudio gehe oder eine Runde mit ihm und dem Hund spaziere, aber das kostet uns alle beide jede Menge Energie.

Es fällt mir nicht leicht, diese Zeilen zu schreiben. Denn so viel ich auch selbst geregelt bekomme, so selbstständig ich auch wirke und es vielleicht auch bin, bin ich trotzdem auf seine Unterstützung angewiesen. Und so schön das ist, dass ich weiß, ich kann mich immer auf ihn verlassen, es fühlt sich nicht nur gut an, sondern auch ziemlich bedürftig. Natürlich tue ich auch viel für ihn, für diese Beziehung. Aber meine ADHS ist nicht nur »mein Problem«, sondern immer da, wo sie auf andere trifft, zwangsläufig auch das Problem der anderen. Und man braucht manchmal echt einen langen Atem und viel Geduld. Ganz egal, wie sensibilisiert und aufgeklärt man auch ist.

Nicht nur deshalb ist es fair, wenn man sich darum bemüht, die Hilfe, die man vielleicht benötigt, auf mehreren Schultern zu verteilen. Und dass man gerade dann, wenn man ernsthafte Probleme hat, möglichst auch professionelle Hilfe in Anspruch nimmt. Denn sonst läuft man Gefahr, dass sich Rollen ungesund verschieben und ein*e Partner*in Aufgaben übernimmt, für die er*sie gar keine Verantwortung übernehmen möchte oder für die er gar nicht qualifiziert ist. Denn in vielen Fällen können Terminplaner, Ratgeber, Ergotherapie, Coachings, Medikamente, Psychotherapie oder ein Aufenthalt in einer Klinik diese Aufgaben übernehmen und im besten Fall langfristig für einen besseren Umgang sorgen. Damit am Ende die*der Partner*in auch wirklich Partner*in sein kann – nicht mehr und nicht weniger.

Für Freund*innen gilt natürlich Ähnliches. In der Regel pflegen Menschen ihre Freundschaften in ihrer Freizeit. Wie gut, dass ich bis heute nicht mal klar definieren könnte, wann ich Freizeit habe und wann nicht. Denn dafür müsste ich ja mental auch mal abschalten können, und das fällt mir nicht unbedingt leicht. Ich habe schon erwähnt: Ich war nie unbeliebt und hatte tatsächlich nie das Problem, Menschen kennenzulernen und sie für mich zu begeistern. Ich habe oft unzählige Kontakte und Menschen, die sich »mal auf einen Kaffee« treffen wollen, weil ich immer sehr offen und lebhaft bin. Mein Problem war und ist vielmehr, diese Bekannt- und Freundschaften auch langfristig zu halten und Beziehungen wortwörtlich zu pflegen. Denn in einem Moment bekommt ein Mensch die volle Ladung »Angelina« zu spüren: Ich habe immer viel zu erzählen, liebe es, wenn ich darum gebeten werde, Problemen zu lauschen und Ratschläge zu geben, und bin ganz toll darin, zu netzwerken und anderen weiterzuhelfen. Ich habe tolle spontane Ideen, bin gefühlsmäßig für alles zu begeistern und sage für jede Verabredung und jede Veranstaltung erst mal zu. Aber im nächsten Moment bin ich plötzlich wie von der Bildfläche verschwunden. Ich komme zu spät zum vereinbarten Treffen, sage am Tag der Geburtstagsfeier ab oder antworte einfach nicht mehr auf die Frage, ob Montag 16 Uhr denn jetzt passt.

Das mache ich natürlich nicht, weil ich ein schlechter Mensch bin oder die Person mir egal ist, sondern weil ich es vergesse, mir falsch eingetragen habe, es mit drei anderen Terminen kollidiert oder ich einfach maximal gestresst bin und meine Energie aufgebraucht ist. Früher habe ich versucht, alles unter einen Hut zu bekommen, oder ich habe einfach darauf gesetzt, dass wir in einer Zeit leben, in der alles immer unverbindlicher wird. Heute, ganz besonders seit der Diagnose, versuche ich wirklich offener zu kommunizieren, wie viele Kapazitäten ich habe.

Anfangs habe ich dafür oft Social Media genutzt. Meine Freund*innen und auch alle anderen Menschen konnten quasi live mitverfolgen, dass ich von Termin zu Termin hetze, gefühlt 24/7 arbeite oder dass sich eine Erkältung anbahnt. Das führte natürlich unweigerlich dazu, dass Menschen mehr Rücksicht nahmen. Viele Nachrichten fingen dann mit den Worten an: »Hey, ich hoffe, deine Woche war nicht allzu stressig …« oder »Nur wenn es gerade passt …«. Aber es führte auch dazu, dass Menschen begannen, sich immer weniger zu melden, weil sie mich nicht stören wollen oder weil sie keine Lust hatten, dass ich wieder absage oder nur erzähle, wie viel ich um die Ohren habe.

Das Gefühl, eine schlechte Freundin zu sein, begleitet mich seit meiner Jugend und ist auch heute noch da. Denn das, was sich die meisten Menschen unter Freundschaft vorstellen, werde ich wahrscheinlich niemals leisten können. Ich habe mich jahrelang dafür fertiggemacht, weil ich das Gefühl hatte, Freundschaft bedeutet, dass man sich so ähnlich wie möglich ist. Dass es erstrebenswert ist, beinahe dieselbe Person zu sein, mit ähnlichem Stil und identischen Interessen, und dass von mir erwartet wird, dass ich quasi permanent weiß, was bei den anderen los ist. Während ich unterschwellig gemerkt habe, dass ich da einfach nicht mithalten kann, weil ich irgendwie anders bin. Das hat dazu geführt, dass ich mich teilweise sogar lieber mit neuen Menschen getroffen habe, denn da war sozusagen noch keine verbrannte Erde. Stattdessen glitzert und glänzt bei den ersten Treffen alles noch, man kann wieder neu punkten und weiß: Die Enttäuschung kommt erst später. Damit sendet man nur leider auch falsche Signale an die, die sich fragen, warum man es seit Monaten nicht hinbekommt, sich zu treffen, aber trotzdem gefühlt jede Woche jemand Neues in der Instagram-Story auftaucht.

Mittlerweile versuche ich, nicht mehr pausenlos Menschen in mein Leben zu lassen, zumindest nicht auf freundschaftlicher Ebene. Natürlich gehe ich auch gerne mal mit jemandem, den ich neu kennenlerne, einen Kaffee trinken. Aber zu meinen engsten Freund*innen zähle ich heute vor allem die Menschen, die mich größtenteils seit sehr vielen Jahren kennen – und zwar genau so, wie ich bin. Und die mich (laut ihrer Aussagen) auch genau so lieben, wie ich bin. Weil ich irgendwann begriffen habe, dass für mich wahre Freundschaft auch in den Unterschieden liegt. Dass man für sich sagt: Ich bin zwar ganz anders als die Person, aber genau das macht unsere Freundschaft aus. Sie ergänzt sich und ist etwas ganz Einzigartiges, was ich mit keiner zweiten Person habe.

Meine Oma hat immer gesagt, kein Mensch kann alles für einen anderen sein. Und ich denke, sie hat recht. Vielleicht sieht man die eine Person ganz regelmäßig, die andere nur ein paarmal im Jahr. Von der einen Freundin hört man jeden Tag etwas, die andere schickt regelmäßig zehnminütige Zusammenfassungen via WhatsApp. Der eine Freund kennt mich schon seit dem Kindergarten, den anderen habe ich vielleicht noch nie live gesehen. Die Party-Freundin, die Lieblingskollegin, der Kumpel für die ernsten Themen und so weiter. Mit diesem Gedanken versuche ich mich gerade anzufreunden. Das klappt schon ganz gut.

Wieso ich mich häufig selbst **nicht leiden** kann: ADHS & **Selbstliebe**

Das *Onlinelexikon für Psychologie und Pädagogik* weist auf eine wichtige Entwicklung hinsichtlich unseres Selbstwertgefühls hin. Sie zeigt, wie viel Einfluss der Selbstwert heutzutage auf unser Verhalten und unsere Stimmung haben kann und wie anders das in früheren Gesellschaften war. Je weiter man zeitlich zurückgeht, desto weniger musste ein einzelner Mensch darüber nachdenken, was sein Wert ist. Der war nämlich häufig bereits schon vor der Geburt festgelegt, zum Beispiel durch übergeordnete Autoritäten oder »unveränderliche Naturprinzipien«, die in Wahrheit auch nur sozial konstruiert waren und sich im Laufe eines Lebens selten großartig verändern oder beeinflussen ließen.

Doch in der heutigen Welt sind wir uns unserer Selbst viel bewusster, haben mehr Gestaltungsmöglichkeiten und werden besonders in westlichen Gesellschaften von zunehmend unterschiedlichen Wertvorstellungen geprägt, die sich im Laufe der Zeit entwickelt haben und uns permanent beeinflussen. Dadurch »ist das Individuum mit einer schwankenden Bewertung durch sich selbst und andere konfrontiert, sodass es das Gefühl hat, sich ständig damit abgleichen zu müssen«. Fühlen wir uns einer Aufgabe gewachsen, erlangen oder besitzen bereits die Fähigkeiten dazu, sie zu erfüllen, und bekommen wir dann noch positives Feedback, steigert das unser Selbstwertgefühl und damit auch den Wert, den wir uns selbst geben. Dieses Erfolgsgefühl sorgt dafür, dass wir zuversichtlich sind, auch die nächste Aufgabe zu meistern, und steigert so auch unser Selbstvertrauen.

Passen wir allerdings nicht so ganz ins Raster der vorherrschenden Wertvorstellungen unserer Umwelt und erfüllen nicht ausreichend das, was von uns zum Beispiel hinsichtlich Ordnung, Struktur, Sozialverhalten, Zuverlässigkeit, Verantwortung, Fleiß oder Arbeitsmoral verlangt wird, erhalten wir negatives Feedback. Entstehen dadurch Konflikte oder andere negative Konsequenzen, wird unser Selbstwertgefühl kleiner. Wir trauen uns weniger und entwickeln Hemmungen, haben Angst vor Zurückweisung oder entwickeln Minderwertigkeitskomplexe und starke Selbstzweifel. Oder aber das Gegenteil: Anstatt uns immer kleiner zu machen, verhalten wir uns sogar bewusst negativ, wie es ja »eh alle von uns erwarten«. Dieses Phänomen nennt man in der Soziologie übrigens eine »selbsterfüllende Prophezeiung«.

Menschen mit ADHS haben ein hohes Risiko, von anderen negativ bewertet zu werden. Es gibt Untersuchungen, die belegen, dass Kinder mit ADHS aufgrund ihrer Symptome und der damit verbundenen Verhaltensweisen als unbeliebter gelten und während ihrer Schulzeit häufiger gemobbt werden. Experimentelle Studien mit Student*innen haben ergeben, dass ADHS-typisches Verhalten sehr stark abgelehnt wird und Interaktionen mit den betroffenen Personen bewusst vermieden werden. Aber wie ist das bei Erwachsenen?

Im Rahmen einer 2022 veröffentlichten qualitativen Studie zu Kritikerfahrungen von Erwachsenen mit ADHS beantworteten 162 Teilnehmer*innen (109 Frauen, 52 Männer und eine non-binäre Person) mit starker ADHS-Ausprägung und ohne gleichzeitig auftretende andere Störung offene Fragen zu ihren persönlichen Erfahrungen mit Kritik durch andere Menschen aus ihrem direkten Umfeld. Viele Teilnehmende fühlten sich demnach in allem kritisiert, was sie taten und wie sie sich verhielten: »Ich scheine nie dazu fähig zu sein, irgendjemanden zufriedenzustellen.« Auch sich nicht gut organisieren oder Zeit nicht richtig einteilen zu können wurde häufig genannt: »Meine Mutter wird oft unverhältnismäßig wütend auf mich, weil ich etwas nicht rechtzeitig erledige, was normalerweise impliziert, dass es eine leichte Aufgabe ist, und wenn es mir wirklich wichtig wäre, es zu erledigen, würde ich es tun.«

Außerdem berichteten viele der Teilnehmer*innen, dass sie wegen mangelnder Selbstbeherrschung und impulsivem Verhalten von ihrem Umfeld kritisiert werden: »Bei der Arbeit kritisieren mich Leute oft dafür, wie viel ich rede, und sagen mir, ich solle eine Verschnaufpause einlegen« und »Die Menschen in meinem Umfeld würden sagen, ich werde schnell wütend«. Am häufigsten wurde aber Kritik im Zusammenhang mit Konzentration oder Unaufmerksamkeit genannt.

Die Teilnehmenden der Studie erfuhren jedoch nicht nur direkte Kritik des Umfeldes, sondern auch auf indirekte Weise, zum Beispiel indem sie mit anderen Menschen ohne ADHS verglichen wurden, Witze auf ihre Kosten gemacht wurden oder indem sie Frust, Ärger oder Wut von anderen Personen abbekamen. Auch häufig erwähnt: Die Personen, die wegen ihrer ADHS negative Reaktionen bekamen, wurden generell sensibler für Kritik und wittern sie selbst da, wo sie sie nicht eindeutig belegen können: »Wenn ich es logisch betrachte, weiß ich, dass meine Familie und Freunde mir gegenüber nicht sehr kritisch sind, aber ich mache mir große Sorgen, dass die Leute mich hinter meinem Rücken kritisieren, und [...] ich bin überzeugt davon, dass sie es auch tun.«

All diese Erfahrungen mit Kritik durch Familienmitglieder, Partner*innen, Freund*innen oder Arbeitskolleg*innen hatten negative Folgen für das Selbstwertgefühl der Proband*innen und ihr Wohlbefinden: »Jede [...] Kritik oder

Ähnliches von irgendwem schneidet wie ein Messer und lässt mich tagelang am Boden zerstört zurück«, beschreibt eine Teilnehmende. Um irgendwie damit fertigzuwerden, vermieden einige Teilnehmende Kritik, indem sie ihre Symptome unterdrückten, anderen nichts von ihrer Diagnose erzählten oder sich bewusst Jobs suchten, die sie unterforderten, um bloß keine Fehler zu machen oder aufzufallen. Einige vermieden sogar so oft wie möglich den Kontakt zu anderen Menschen oder versuchten, ihr Verhalten krampfhaft an das von anderen anzupassen. Die Antworten der Teilnehmer*innen zeigen außerdem, welche entscheidende Rolle das fehlende Verständnis von anderen spielt: »Obwohl ich sehr offen mit meinem Zustand umgehe, habe ich die Erfahrung gemacht, dass selbst mir nahestehende Menschen ihn nicht berücksichtigen.«

Dass das Selbstwertgefühl bei Menschen mit ADHS eine große Rolle spielt, ergab auch eine Literaturrecherche von 2013, die 127 Studien zwischen 1980 und 2011 angeschaut hat, die das Selbstwertgefühl und die damit verbundenen sozialen Fähigkeiten untersucht haben. Insbesondere ging es dabei um den Versuch der Betroffenen, den Erwartungen gerecht zu werden, die sie an sich selbst stellten oder die von der unmittelbaren sozialen Umgebung und der Gesellschaft an sie gestellt wurden. Die Untersuchung unterschied zwischen Personen mit unbehandelter und behandelter ADHS und zwischen Menschen im Kindes-, Jugend- und Erwachsenenalter und kam zu folgendem Ergebnis: Besonders Menschen mit unbehandelter ADHS hatten langfristig mit einem niedrigeren Selbstwertgefühl und schlechteren sozialen Funktionen zu kämpfen. Menschen, die mit ihrer ADHS in Behandlung waren, hatten eine deutliche Verbesserung erfahren.

Natürlich kann man jetzt sagen: Wer mag es schon, abgelehnt oder kritisiert zu werden? Das ist doch für niemanden schön! Und das stimmt natürlich. Aber wie das ADHS-Hirn nun mal so tickt, hat es auch damit einen anderen Umgang. Meine häufigste Reaktion auf Konflikte, an denen ich zumindest eine »Mitschuld« trage, ist normalerweise erst mal: weglaufen, Kopf in den Sand stecken, aushalten und hoffen, dass das Gewitter vorüberzieht. Das mag auch manchmal hilfreich sein, aber nicht immer. Laut meiner Therapeutin bin ich nämlich die »Konfliktvermeiderin vor dem Herrn«, ein Thema, das auch immer wieder große Teile meiner Therapiestunden füllt. Ich kann quasi jede Woche von einer neuen Situation erzählen, die ich versuche auszusitzen oder abzuschwächen, nur um keine schlechten Gefühle in mir oder anderen auszulösen. Durch die Therapie habe ich aber damit angefangen, mich Konflikten und der damit verbundenen Scham immer öfter zu stellen. Dafür habe ich erst mal geschaut, was ich in so einem Moment fühle:

1 Ich ertrage es nicht, dass jemand anders enttäuscht von mir ist.
2 Ich hasse es, von mir selbst enttäuscht zu sein.
3 Ich habe Angst davor, dass auch Dritte enttäuscht von mir sein könnten.

Klar habe ich für jeden Konflikt eine Begründung, die meistens in direkter ADHS-Verbindung steht. Das interessiert aber die wenigsten, denn für sie wirkt das oft nur wie eine Ausrede oder Rücksichtslosigkeit. Dabei ist das Letzte, was ich will, dass jemand denkt, ich habe etwas extra gemacht oder dass mich die Gefühle anderer nicht interessieren. Das Gegenteil ist sogar der Fall: Weil ich mich teilweise so sehr hineinsteigere, was jemand denken oder was eine mögliche Reaktion sein könnte, bekomme ich Magenschmerzen. Und es löst dann ein Gefühl aus, mit dem ich nicht umgehen kann und das ich deshalb vermeide: Enttäuschung zu spüren. Alleine der Gedanke, ich könnte jemanden möglicherweise verärgern oder traurig machen, ist schon schlimm – dann auch wirklich Kritik oder Zurückweisung zu erfahren ist für mich kaum zu ertragen.

Dafür gibt es sogar einen Begriff: **Rejection Sensitive Dysphoria**, zu Deutsch: »ablehnungsempfindliche Dysphorie« oder »Zurückweisungsempfindlichkeit«, und die spielt bei den meisten Menschen mit ADHS eine große Rolle. Das Wort »Dysphorie« kommt aus dem Griechischen und lässt sich mit »schwer zu ertragen« übersetzen. Rejection Sensitive Dysphoria (kurz: RSD) wurde 2005 durch den US-amerikanischen Psychiater William Dodson geprägt und basiert allerdings momentan noch nicht auf einem wissenschaftstheoretisch fundierten Konzept, ist dementsprechend weder ein offiziell anerkanntes ADHS-Kriterium noch eine eigenständige Diagnose.

RSD sorgt dafür, dass Menschen mit ADHS als Reaktion auf tatsächliche, aber auch auf wahrgenommene Ablehnung oder Kritik emotional überwältigt sind. Sie ist gekennzeichnet durch intensiven, aber kurzlebigen emotionalen Schmerz, der sogar körperlich werden kann. Menschen entwickeln zum Beispiel Magenschmerzen, Herzrasen, Kopfschmerzen, Schwitzen oder ein Stechen in der Brust. RSD wird laut Dodson besonders von Erwachsenen als der am stärksten beeinträchtigende Aspekt ihrer persönlichen Erfahrung mit ADHS beschrieben, weil sie häufig keinen Weg gefunden haben, damit umzugehen oder die RSD zu bewältigen. Das kann dann dazu führen, dass man solche Situationen versucht, so gut es geht, zu vermeiden, sich zurückzieht oder sogar wütend und impulsiv reagiert. Es kann auch dazu führen, dass Menschen mit RSD, zumindest bis zu einem gewissen Grad, zu sogenannten *People Pleasern* werden. Jede Person, auf die man trifft, wird blitzschnell auf das gescannt, was diese Person bewundern oder loben würde, und dann heißt es: Kamera läuft und Action! People Pleaser versuchen fast krampfhaft, sich so zu verhalten, wie man hofft, dass es der oder die andere möchte, um bloß jede Kritik oder negative Stimmung zu vermeiden. Verhält man sich so, vergisst man leider sehr schnell sich selbst, inklusive aller eigenen Gefühle, Träume und Ziele.

Es wird vermutet, dass es sich bei RSD um eine Komponente der **emotionalen Dysregulation** handelt. Menschen, die an emotionaler Dysregulation leiden, haben oft Probleme mit dem Umgang mit Emotionen und Stimmungen. Ein ADHS-Gehirn kann seine emotionalen Reaktionen auf Reize nicht ausreichend steuern, um sie so innerhalb des Reaktionsbereichs zu halten, den andere erwarten. Tatsächlich wurde dieser stimmungsregulierenden Komponente von ADHS lange wenig Beachtung geschenkt, doch seit einigen Jahren rückt sie immer mehr in den Fokus und Symptome wie emotionale Impulsivität (EI) und mangelhafte emotionale Selbstregulation (DESR) beschäftigen nun immer mehr Forschende. Etliche Forscher*innen, besonders aus den USA und Europa, schätzen, dass dieses viel zu lang unterschätzte Symptom in den nächsten Jahren zu einem *der* bestimmenden Merkmale von ADHS werden könnte.

Der US-amerikanische Hochschulprofessor für Psychiatrie, Russell A. Barkley, der als einer der führenden ADHS-Experten gilt, schrieb im Jahr 2022 einen Artikel für das ADHS-Magazin *ADDitude*. Darin nannte er mangelhafte emotionale Selbstregulation eine »Kernfacette von ADHS mit herausragender Rolle, die sich anhand neuester Forschungsergebnisse bestätigen lässt und die erhebliche Konsequenzen mit sich bringt«. Schon in einem 2015 veröffentlichten Handbuch für die Diagnose und Behandlung von ADHS fordert er die ausdrückliche Anerkennung der emotionalen Dysregulation als zentrales Merkmal von ADHS in den klinischen Diagnosekriterien. Laut ihm könnte die Anerkennung dieses Aspekts dazu führen, dass sich Diagnose- und Behandlungspraktiken zukünftig erheblich verbessern könnten.

Dr. Sarah Karalunas, die seit Jahren dazu forscht, wie man die Diagnose und Behandlung bei Kindern mit ADHS verbessern kann, entwickelte mithilfe eines Algorithmus bereits 2014 drei neue Subtypen von ADHS, die sich alle an sogenannten Temperamentsmerkmalen orientieren. Die Abstufungen der Temperamentsmerkmale wurden als »mild« (normative Emotionsregulation), »aufsteigend« (extreme Ebenen positiver Annäherungsmotivation) und »reizbar« (extreme Ebenen negativer Emotionalität und Wut sowie schlechte Beruhigung) bezeichnet. Eine solche Kategorisierung könnte für zwei neue, übergeordnete Typen sorgen, die sich auf die Unterscheidung zwischen ADHS mit und ohne emotionale Dysregulation konzentrieren.

Auch Dr. Fred Reimherr, einer der »Gründerväter« von ADHS, der vor mehr als fünfzig Jahren zusammen mit Dr. Paul Wender die aktuellen Kindheitskriterien für ADHS festgelegt hat, die bis heute Bestand haben und immer noch die Basis für die Diagnose im Erwachsenenalter bilden, hat diesen neueren Ansatz bis zu seinem Tod verfolgt. Doch trotz aller wissenschaftlichen Erkenntnisse und Forderungen haben emotionale Symptome wie emotionale Impulsivität und mangelhafte emotionale Selbstregulation keinen Einzug als Kernsymptome in Klassifikationssysteme wie das DSM oder die ICD gehalten. Denn es gibt ein Problem: Diese Symptome lassen sich trotz solider theoretischer Begründungen noch nicht ausreichend messen und somit nicht von anderen emotionalen Symptomen und Stimmungsstörungen abgrenzen. Expert*innen sind sich aber sicher: Sobald das benötigte Messinstrument vorhanden ist, steht einem Umdenken auf klinischer Ebene nichts mehr im Wege.

Wieso ich manchmal denke, dass ich eigentlich gar nichts kann: ADHS & Beruf

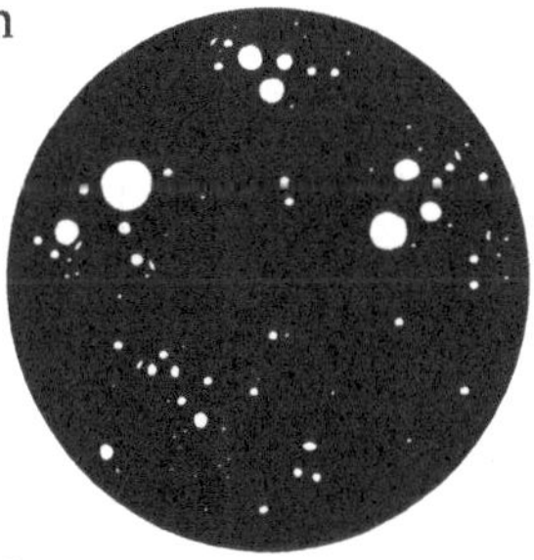

Der niedrige Selbstwert, der bei Menschen mit ADHS entstehen kann, kann sich natürlich auch im beruflichen Kontext manifestieren. Davon sind besonders weiblich sozialisierte Menschen betroffen: bloß keine Fehler machen, bloß nirgendwo anecken. Also keine Redebeiträge im Meeting, auch wenn man eine tolle Idee hat, keine Bewerbung auf den Traumjob, weil man nicht zu 100 Prozent die Voraussetzungen erfüllt, und ist man dann doch mal in einer Situation, in der es Lob hagelt oder man eine Beförderung angeboten bekommt, ist das alles nur Zufall oder Glück gewesen. Sowieso werden alle um einen herum noch früh genug merken, dass man eigentlich gar nichts draufhat.

Auch dieses Phänomen hat einen Namen: **Impostor- oder Hochstaplersyndrom.** Der Begriff geht auf die beiden Psychologinnen Pauline Clance und Suzanne Imes zurück. Sie suchten 1978 nach einem Wort, das Menschen beschreibt, die zwar Leistung erbringen, oft sogar mehr und härter arbeiten als alle anderen, aber trotzdem nicht anerkennen können, dass sie den damit verbundenen Erfolg verdient haben. Sie kamen auf die Idee: Diese Menschen fühlen sich wie Hochstapler*innen oder Betrüger*innen.

Wieso dieses Phänomen oft bei Menschen mit ADHS vorkommt, ist eigentlich ganz klar zu erkennen: Der Aufwand, der betrieben wurde, die Opfer, die erbracht wurden, um ans Ziel zu kommen, werden versteckt und nicht offen kommuniziert, denn sie sind oft deutlich höher als bei Menschen ohne ADHS. Und so entwickelt sich die Sorge oder sogar die Angst, man könnte »enttarnt« werden. Vielleicht hat man Extraschichten geschoben, um das gleiche Ergebnis wie andere zu erzielen, oder vielleicht hat man sich auch Unterstützung gesucht. Oder der eigene Perfektionismus hat dazu geführt, dass man mit einem Bein schon im Burn-out steht, es sich aber so anfühlt, als wäre es immer noch nicht gut genug. Statt also Erfolge zu feiern, lieber noch härter an sich arbeiten und alles vorwärts und rückwärts rekapitulieren, damit man beim nächsten Mal noch schneller ist, noch weniger Fehler macht, noch besser performt als die anderen.

Als ich damals in der Diagnostik saß, hatte ich genauso einen Moment. Ich sprach über meinen beruflichen Werdegang und meinen derzeitigen Job und wertete mich unbewusst immer wieder ab. Ich wäre ja unnötig sitzen geblieben, hätte mein Abi schlechter abgeschlossen als nötig, hätte in der Uni nur die minimale Leistung erbracht und meine Bachelorarbeit verkackt, weil ich mich nicht richtig organisiert hätte. Außerdem hätte ich nach einem unbezahlten Praktikum in New York meinen Masterstudiengang an den Nagel gehängt, bei der Arbeit würde ich mich ständig mit den anderen vergleichen, und ich hätte durchgängig das Gefühl, ich wäre nicht professionell genug für den Job ...

Irgendwann unterbrach mich die Spezialistin plötzlich und sagte: »Frau Boerger – hören Sie sich selbst gerade zu? Sie zählen mir hier Dinge auf, die für sie offenbar absolut selbstverständlich sind, und beziehen sich dabei nur auf das, was noch besser hätte laufen können. Dabei haben Sie in Ihrem Leben schon so vieles erreicht, und das trotz und auch wegen ihrer ADHS! Haben Sie das schon mal aus dieser Perspektive betrachtet? Was Sie Ihr ganzes Leben aufgewendet haben, um permanent mit allen mithalten zu können, und das sogar erfolgreich geschafft zu haben, auch wenn es Sie jetzt so langsam einholt? Ich finde, Sie können verdammt stolz auf sich sein!« In diesem Moment legte sich wirklich ein Schalter in meinem Kopf um (inklusive vieler Tränen).

Natürlich erwische ich mich immer wieder dabei, dass meine innere Kritikerin laut wird und meine Erfolge und Bemühungen relativieren möchte, aber dieser Moment hat sich tief in mein Gedächtnis eingebrannt, und ich rufe ihn mir immer wieder hervor, wenn ich mal wieder dabei bin, mich mit anderen zu vergleichen, oder meine Erfolge dem Zufall oder Glück zuschreiben will: Ich habe das geschafft, obwohl meine ADHS es mir manchmal nicht leicht macht. Und ich habe es geschafft, weil mir meine ADHS unweigerlich manchmal Superkräfte verleiht.

Wieso ich manchmal **Superkräfte** habe: Nenn mich Superwoman

Ich kann dieses Kapitel nicht abschließen, ohne auf einen weiteren Aspekt einzugehen, der ADHS für mich so facettenreich macht und auf den ich mich auch beziehe, wenn ich sage: ADHS kommt selten allein. Denn neben den Schattenseiten gibt es auch eine Seite, die der Grund ist, warum ich, genau wie einige andere

Menschen, meine ADHS nicht einfach hergeben würde. Selbst dann nicht, wenn jemand sagen würde: »Ich zaubere es dir jetzt sofort weg!« Ich spreche dabei von den positiven Aspekten, die ein anders tickendes Gehirn so mit sich bringen kann.

Bis zu meiner Diagnose habe ich auch bei Dingen, die zu meinen Stärken zählen, gedacht: So ticken doch viele, so denkt und handelt doch jede*r! Ist aber nicht so. Auch hierbei gilt natürlich, dass sich auch Menschen ohne ADHS sicher in dem einen oder anderen Beispiel wiedererkennen. Aber wenn ich auf mein bis jetzt gelebtes Leben zurückblicke, habe ich beinahe täglich diese Momente, in denen ich mich auffälliger verhalte als andere und mit meiner Art aus der Reihe tanze, auch im positiven Sinne.

Ich habe es hier und da in ein paar Anekdoten schon angedeutet: Besonders Fähigkeiten wie Empathie oder ein Sinn für Gerechtigkeit sind bei vielen Menschen mit ADHS enorm stark ausgeprägt. Müsste ich es auf einer Skala für mich selbst festlegen, wäre es bei beidem eine 10 von 10. Diese Fähigkeiten sorgen dafür, dass ich eigentlich ziemlich selten in ernsthafte Konflikte gerate, vor allem nicht mit fremden Personen. Ich schaffe es häufig, sehr gewaltfrei zu kommunizieren und Menschen aus der Fassung zu bringen – im guten Sinn. Denn ich begegne ihnen stets auf Augenhöhe und entwaffne sehr gerne mit meiner Freundlichkeit, ganz nach dem Motto: »Kill 'em with kindness.« Außerdem versetze ich mich sehr schnell in die Lage anderer, kann dadurch quasi einen Katalog mit möglichen Gründen für ein spezifisches Verhalten durchgehen und analysiere jede Situation. Ich versuche, sie psychologisch einzuordnen und im Nachhinein auch zu reflektieren. Dazu bin ich meistens noch sehr offen. Mir fällt es nicht schwer, Dinge auszusprechen, die anderen Menschen eher schwerfallen, ich kann Situationen schnell überblicken und bin sehr gut darin, zu mediieren, also in einem Streit zu schlichten oder zwischen zwei Menschen zu vermitteln. Außerdem bin ich hilfsbereit, vor allem in Situationen, die akut sind und plötzlich entstehen. Meine Aufmerksamkeit schaltet oft blitzschnell, ich sehe Probleme, noch bevor andere sie wahrnehmen, und kann so manchmal Schlimmeres verhindern oder zumindest abmildern.

Mir fällt es dann auch total leicht, zu organisieren und zu delegieren – weil ich einfach sehe, was eine spezifische Situation für Lösungen braucht oder zumindest, wer sie lösen könnte. Dadurch befinde ich mich aber auch immer wieder in spontanen Situationen, in denen man mich nach drei Stunden endlich erreicht und ich nur entgegne: »Du glaubst nicht, was eben passiert ist ...«

Ich denke auch nicht groß darüber nach, wenn ich in einem kleinen Café an der Berliner Spree sitze und kurzerhand anfange, die ganzen Tassen, Teller und Gläser zusammenzuräumen und in das Café hineinzubringen, nachdem mir aufgefallen ist, dass sie sich mehr und mehr stapeln, aber niemand kommt, um sie wegzuräumen. Mein Gehirn denkt dann nur kurz: Okay, da ist jetzt schon fast doppelt so viel Geschirr wie vor einer halben Stunde, und außer dem älteren Herrn hinterm Tresen, der ziemlich gestresst aussieht, habe ich keine andere Servicekraft gesehen. Schlussfolgerung: Wahrscheinlich sind sie im Café unterbesetzt, weil jemand krank geworden ist. Fazit: Er braucht Hilfe.

Und genau so war es auch. Der Mann staunte natürlich erst mal nicht schlecht, als ich mit einem Berg an Geschirr in seinen Laden kam und, anstatt mich zu beschweren, dass alles rumstehe oder lange dauere (wie es wohl vorher jemand getan hatte), freundlich sagte: »Ich hoffe, es ist okay, wenn ich draußen mal ein bisschen was zusammengesammelt habe. Wenn du willst, kann ich dir ein bisschen helfen und alles in die Spülmaschine einräumen.« Ergebnis: Mann glücklich, Kund*innen glücklich, ich glücklich und dazu noch andere angesteckt, auch ein bisschen Geschirr mit abzuräumen. Und auch wenn ich danach noch einen Kaffee aufs Haus bekam, war das nicht der Grund, wieso ich es gemacht habe. Es war einfach für mich eine logische Handlung in einer »Ausnahmesituation«.

Und ich kenne vor allem einen Menschen, der ganz genau so ist, wie all das, was ich hier beschrieben habe: meinen Vater. Es würde mich nicht wundern, wenn er mir eines Tages am Telefon erklären würde, dass er gerade wie Forrest Gump auf einem Shrimpkutter aushilft. Vielleicht, weil er im Urlaub zufällig am Hafen einen alten Fischer kennengelernt hat, der ein Loch im Boot hatte, und er ihm dabei geholfen hat, dieses auszubessern. Und zum Dank darf er jetzt mit auf hohe See und alle Shrimps, die er fängt, behalten.

Auch wenn dieses Szenario natürlich nur meiner Fantasie entsprungen ist, hat mich dieses Verhalten schon immer umgeben: Mein Vater ist der Mann, den Obdachlose mit Namen grüßen, weil er sich schon mal zu ihnen setzt und ihren Lebensgeschichten lauscht, der auf dem Flohmarkt alles für die Hälfte bekommt, weil er so charmant ist, der, ohne groß nachzudenken, im Urlaub ins Meer springt, um jemanden vorm Ertrinken zu retten, oder der spontan Fremden beim Streichen hilft und total vergisst, dass meine Mutter hochschwanger zu Hause sitzt und seit drei Wochen darauf wartet, dass endlich jemand wie versprochen das Kinderzimmer streicht. Für mich ist es also total natürlich, mich auch so zu verhalten, auch wenn es nicht jede*n ausnahmslos begeistert.

Ich habe immer schon Dinge infrage gestellt, die für mich nicht logisch waren, habe mich für andere eingesetzt oder bin mutig vorangeschritten, ohne genau zu wissen, was mich erwartet. Dieses Out-of-the-Box-Denken kann ziemlich anstrengend für andere sein, weil es den Status quo immer wieder infrage stellt, aber seien wir mal ehrlich: Braucht die Welt nicht auch solche Köpfe? Dieses Denken, gepaart mit meiner sehr ausgeprägten Kreativität, fühlt sich manchmal so an, als wäre ich unaufhaltbar.

Da ploppen die Ideen im Kopf nur so auf, und man kann sie kaum alle einfangen. Ich denke dabei immer an eine Plexiglasröhre, in der man steht und in der Papierscheine um einen herumwirbeln, die man einfangen muss. Meine Freundin Karina, die ich auch über die Community kennengelernt habe, sagt dazu immer »Popcorngedanken«, und das ist ein perfektes Bild. Wie Maiskörner in der Pfanne – erst mal passiert nichts, und dann geht's ab. Es überkommt einen einfach, und plötzlich ist der Raum ganz bunt und voller Ideen. Popp, popp, popp.

Ein Redakteur bei meinem ehemaligen Arbeitgeber 1LIVE hat damals immer gesagt: »Denk ruhig groß, klein wird's von alleine« – und das ist für mich ein richtiges Motto geworden. Ich bin die, die große Bilder malt und fantasievoll denkt, aber es braucht halt auch jemanden, der*die dann schaut, wie realistisch das alles ist: »Geile Idee, aber lass sie uns halbieren, denn mehr ist in zwei Wochen nicht machbar.« Und dieser jemand hat am besten noch einen Kescher mit dabei, sammelt all die Ideen ein und hält sie zum Beispiel auf Papier fest. Ansonsten kann es ganz schnell passieren, dass alles wieder weg ist. Denn Menschen mit ADHS denken oft: »Hey, das merk ich mir, easy«, weil sie in dem Moment so gefesselt und begeistert sind von ihren Ideen. Aber meine Erfahrung sagt mir: Nein, man merkt es sich nicht. Mit großer Sicherheit vergisst man es wieder oder wird eventuell sogar nie wieder daran denken. Also: Besser, man notiert es sich! Denn ich will nicht wissen, wie viele grandiose ADHS-Ideen wegen dieser Vergesslichkeit schon im Nirgendwo versickert sind.

Eine wirklich witzige Kombination sind in diesem Zusammenhang übrigens zwei Menschen mit ADHS, die ungefähr den gleichen Vibe haben – das ist ein Gedankenpingpong, da kommt niemand mehr mit. Das ist wirklich Tischtennis als olympische Disziplin. Dieses Springen von Thema zu Thema, dieses ultraschnelle, instinktive Switchen, diese fast schon nonverbal stattfindende Flexibilität, Pläne über den Haufen zu werfen und sekundenschnelle Entscheidungen zu treffen: »Oder sollen wir doch das mexikanische Restaurant am anderen Ende der Stadt ausprobieren und dann spontan zu einer Party von einem Arbeitskollegen, statt Sushi bei mir zu Hause und dann ins Kino?« – »Klar, wieso nicht?«

Wenn du nach einer Diagnose begreifst, dass das alles nicht zufällig passiert, sondern ein Teil von dir ist und du es, richtig eingesetzt, zu etwas machen kannst, was dich voranbringt und von anderen unterscheidet, ist das wirklich so etwas wie eine Superkraft. Und ich bin fest davon überzeugt, dass sich Facetten dieser Kraft bei allen Menschen mit ADHS erkennen, herausarbeiten und nutzen lassen – auch wenn sie bei jeder*jedem natürlich unterschiedlich sind. Manchmal stelle ich mir deshalb so etwas wie »Xaviers Institut für begabte Jugendliche« vor, nur für Menschen mit ADHS. Das ist eine Schule im *Marvel*-Universum, konkreter: aus der X-*Men*-Reihe. In dieser Schule lernen sogenannte Mutant*innen, die von der Gesellschaft eigentlich verachtet werden, alles über sich und ihre Kräfte. Darunter zum Beispiel, sie zu kontrollieren und sie auch sinnvoll einzusetzen.

Das mit dem Kontrollieren ist aber tatsächlich so eine Sache. Es gibt eine Eigenschaft, die vielen Menschen mit ADHS ein Begriff ist, auch wenn sie vielleicht nicht unbedingt den Namen dafür kennen: der sogenannte **Hyperfokus**.

Es wird ja fälschlicherweise oft behauptet, Menschen mit ADHS könnten sich wenig oder gar nicht konzentrieren. Das ist natürlich Quatsch. Sie können sich sehr wohl konzentrieren, manchmal sogar viel intensiver als jede*r andere. Nur worauf und wie lange sie sich konzentrieren, das können sie nicht immer steuern. Hyperfokus beschreibt das Phänomen, so sehr in etwas vertieft zu sein, dass man alles andere um sich herum ignoriert und quasi »ausschaltet«. Ein Beispiel: Meine Mutter steht in meinem Zimmer und brüllt mich fast schon an, dass das Essen fertig ist, aber ich laufe weiter vergnügt durch die Gänge von Hogwarts und merke nicht mal, dass jemand neben mir steht, geschweige denn mit mir spricht, weil ich so sehr an mein Harry-Potter-Buch gefesselt bin.

Brandon K. Ashinoff, Doktor der Psychologie, und Ahmad Abu-Akel, Professor der kognitiven und sozialen Neurowissenschaften, haben 2021 für das Fachjournal *Psychological Research* einen Artikel darüber verfasst. Sie haben sich unter anderem angeschaut, welche wissenschaftlichen Erkenntnisse es bisher zum Thema Hyperfokus gibt, der neben ADHS auch bei Menschen mit Autismus und Schizophrenie häufig vorkommt. Ihnen ist sofort aufgefallen: In der Literatur existiert keine klare, allgemeine Definition des Hyperfokus, stattdessen geht die Wissenschaft davon aus, dass die*der Lesende bereits weiß, worum es sich dabei handelt. Sie führen in ihrem Artikel aber einige Beschreibungen dieses Zustandes auf, und eine davon hat mir besonders gut gefallen: »Während die geschätzten 8 Millionen Erwachsenen in den USA, die von einer Aufmerksamkeitsdefizit-/Hyperaktivitätsstörung

(ADHS) betroffen sind, es fast unmöglich finden, in einem Hörsaal still zu sitzen, oder es unerträglich schwierig finden, sich auf das Schreiben einer Hausarbeit zu konzentrieren, könnten dieselben Personen Stunden am Stück damit verbringen, einen neuen Song zu komponieren, an ihrem Auto herumzubasteln, einen Computercode zu schreiben oder fernzusehen.«

Es geht beim Hyperfokus also vor allem um Dinge, für die man sich begeistern kann und die Spannung, Spaß und eine ordentliche Portion Dopamin versprechen. Das kann dann dazu führen, dass die Neuronen echt wie *The Flash* durchs Gehirn flitzen und es auf Hochtouren arbeitet. Plötzlich lassen sich Mammutaufgaben in wenigen Stunden abarbeiten, Lösungen für vorher unlösbare Probleme finden, und Informationen werden aufgesaugt, als wäre man das neuste Dyson-Gerät. Das hat mir übrigens auch damals geholfen, als sich der erste Verdacht bei mir auftat: Das Internet war nicht mehr sicher vor meiner ADHS-Recherche. Ich habe in einer Nacht gefühlt einmal ganz Google »durchgespielt«.

Wenn ich an meinen Hyperfokus denke, dann muss ich immer auch an Hulk denken. Nein, ich werde weder grün noch muskulös oder wütend – aber der Fokus kommt genauso unkontrolliert. Und auch wenn er hin und wieder zu meiner Superkraft werden kann, bin ich danach immer ziemlich erschöpft. Denn so cool es ist, sich auf etwas hyperfokussieren zu können, es ist eben nicht nur toll. Ich blende dann wirklich alles um mich herum aus und bin kaum ansprechbar. Ich vergesse zu essen, zu trinken und habe nur noch meine Aufgabe im Blick: Konzentration bei 150 Prozent und Arbeiten in Blitzgeschwindigkeit. Aber es lässt sich leider nicht steuern. Man ist wie in einem Tunnel, und es geht nur mit 250 km/h geradeaus.

Besonders häufig kommt mein Hyperfokus bei der Arbeit zum Einsatz. Aber er bringt auch solche Situationen mit sich: Vor einiger Zeit war ich noch mal ausnahmsweise im WDR-Büro, um dort etwas auszuarbeiten. Ich war dort ganz alleine, es gab also keine Störfaktoren um mich herum, und ich konnte mich voll und ganz meiner Aufgabe widmen. Ich saß also da, war völlig in meiner Arbeit versunken, und wirklich alles um mich herum war vergessen. Bis ich nach circa vier Stunden plötzlich einen kleinen Schock bekam, als mich die Reinigungskraft ungewollt aus meiner Trance weckte.

Ich hatte total vergessen, dass ich nicht zu Hause in meinem Zimmer, sondern in Köln im Büro saß. Ich wusste weder, wie viel Uhr es ist, noch, wann ich mich wie wohin gesetzt hatte oder was ich eigentlich sonst heute noch vorhatte. Quasi ein kleiner Blackout am Nachmittag. Das Problem: Nach einer solchen Phase, die auch manchmal fünf, sechs, sieben Stunden andauern kann, fühle ich mich immer wie gerädert.

Ich sitze oft stundenlang in ein und derselben Position, kann meinen Nacken nicht mehr bewegen, mir ist schwindelig vor Hunger und Durst, und mein Kopf tut höllisch weh. Etwa so, als hätte ich das letzte bisschen Hirnkapazität aufgebraucht und müsste sofort in eine Art Stand-by-Modus fallen. Die Phase, in der man normalerweise Warnzeichen oder zumindest Hinweise seines Körpers und Geistes bekommt, doch mal eine Pause zu machen, etwas zu essen, zu trinken oder wenigstens zur Toilette zu gehen, wird einfach übersprungen. Stattdessen befindet man sich direkt im »Battery low«-Modus, nur quasi ohne Vorwarnung. Superkraft ist also relativ.

Gerade bei Menschen, bei denen der Leidensdruck eher gering ausfällt, führen diese Eigenschaften, die ich hier als »Superkräfte« bezeichne, manchmal dazu, dass sie von ADHS als einer »Gabe« sprechen. Sie sagen dann häufig, dass vielen einfach nur das »richtige Mindset« fehlt, um zu erkennen, dass es ein »Geschenk« ist, ADHS zu haben. Ein Geschenk, das man »einfach nur annehmen muss«.

Ich freue mich natürlich, wenn Menschen das so für sich sehen können, bin aber auch fest davon überzeugt, dass sie nicht andere dazu auffordern können, das ebenfalls zu tun. Auch ich empfinde meine ADHS nicht als »Gabe«, denn ich zahle für diese »Superkräfte« einen mindestens genauso hohen Preis.

Es ist tatsächlich genau wie bei all den Superheld*innen in Comics, Serien & Co.: Sie haben zwar bestimmte Skills und sind in manchen Sachen besonders »stark«, aber eben auch maximal erschöpft, nachdem sie ihre Kräfte benutzt haben, und verfügen alle über mindestens eine Schwachstelle. Egal ob Superman, Hulk, Elfi von *Stranger Things* oder sonst wer. Denn sich zu verausgaben, zu überschätzen oder danach in ein tiefes Loch zu fallen gehört eben auch zur Wahrheit.

Und so cool es ist, ein paar besondere Skills zu haben, nicht jede*r hat die Energie und das Wissen, sie zu erkennen und einzusetzen. Für manche können sie auch nicht das Leid aufwiegen, das sie durch ihre ADHS im Alltag empfinden, weil die damit verbundenen Beeinträchtigungen sie mitunter an einer gleichberechtigten Teilhabe an der Gesellschaft hindern.

9 Bin ich das Problem oder sind es die anderen? Zeit für einen Perspektivwechsel

Ist ADHS das »neue Normal«?

Wenn ich über die positiven Seiten von ADHS spreche, spüre ich manchmal unterschwellig etwas Ablehnung bei fremden Menschen ohne ADHS. Oft in einer Form, die vielen Menschen außerhalb der sogenannten Norm zuteilwird. Sie sagen dann gerne so was wie: »Plötzlich braucht jeder irgendwas Besonderes, am besten noch mit Diagnose. Ich bin dies, ich bin das, Hauptsache nicht normal.« Das Lustige an solchen Aussagen: Es kehrt sich etwas um.

Das Gefühl der Selbstermächtigung wirkt manchmal so, als zersplittere unsere Gesellschaft in immer mehr kleine Teile, weil sich plötzlich jede*r ihrer*seiner Individualität bewusst wird. Und so unübersichtlich das auch auf den ersten Blick erscheinen mag, eigentlich hat sich nichts, aber auch gar nichts verändert. Denn bei genauerer Betrachtung ergibt sich immer noch genau das gleiche Gesamtbild wie vorher, wir bekommen nur mehr Facetten zu sehen. Es wurde quasi nur das Objektiv am Mikroskop ausgetauscht und statt einer 3-fachen Vergrößerung schauen wir jetzt mit einer 10-fachen Vergrößerung auf die Gesellschaft. Und siehe da: Plötzlich erkennt man viel mehr Details, die vorher im Verborgenen lagen, aber immer schon da waren. Denn die Menschen, die wir so betrachten, sind immer noch die gleichen wie zuvor. Sie werden nur sichtbarer, und einige von ihnen ermutigen mit ihrer neuen »Auffälligkeit« andere dazu, auch aus dem Schatten hervorzutreten. Und alles, was so bedrohlich aussah, lässt sich plötzlich ganz klar als völlig harmlos erkennen.

Für alle, die sagen: »Die dreifache Vergrößerung hat's doch vorher auch getan«, ist das natürlich eine größere Umstellung. Und wer sich dagegen wehrt und auf seinem alten Objektiv beharrt, der fühlt sich natürlich irgendwann abgehängt. Plötzlich hat sich das, was vorher als »unwichtig« oder »abnormal« abgetan wurde, verselbstständigt und hat seine vermeintliche Schwäche in Sichtbarkeit umgewandelt. Und der harte Kampf bis zu diesem Punkt hat dafür gesorgt, dass sich diese Sichtbarkeit nun besonders stark fühlt und besonders hell strahlt. Das kann schon mal einschüchtern und macht all dem, was vorher fast konkurrenzlos dominiert hat, ein bisschen den Rang streitig.

Ist ADHS jetzt also das »neue Normal«? Ich sag mal so: Wäre die Welt ausschließlich von einer Spezies allein besiedelt, würde es diesen Planeten wahrscheinlich nicht mehr allzu lange geben. Ein Raum, in dem nur Menschen mit ADHS sitzen, kann nur so vor Kreativität sprudeln und trotzdem ergebnislos sein. Genauso wie ein Raum ohne einen einzigen Menschen mit ADHS ziemlich farblos sein kann. Die Mischung macht's. Es braucht die Freigeister und die Realisten, die Flexiblen und die mit dem Plan, die Waghalsigen und die Erfahrenen, damit daraus am Ende ein Schuh werden kann – oder was auch immer.

Den Menschen, die sagen: »Plötzlich braucht jeder etwas Besonderes«, möchte ich entgegenhalten: Normal zu sein (was auch immer das heißen mag) ist nichts Schlechtes. Es geht auch nicht darum, die Welt weiterhin in »normal« und »nicht normal« einzuteilen, um dann hinzuzufügen: Ab heute bedeutet »nicht normal sein« endlich etwas Gutes.

Es geht vielmehr darum zu betonen: »Normal ist *mehr* als das, was wir bisher darunter verstanden haben!« Es soll nicht ein Begriff den anderen ablösen, sondern der alte Begriff sollte einfach endlich mehr umfassen.

Ist ADHS eine **Krankheit?**

Stigmatisierungen können dazu führen, dass die psychische Gesundheit eines Menschen negativ beeinflusst wird. Aber nicht nur das: Stigmatisierung ist auch ein großes Hindernis für die Behandlung von psychischen Störungen und Erkrankungen sowie für die Verringerung des Leidensdrucks. Mittlerweile gibt es etliche Ergebnisse aus repräsentativen Datensätzen, experimentellen Untersuchungen, Umfragen und qualitativen Studien, die darauf hinweisen, dass Menschen mit ADHS, ganz unabhängig von ihrem Alter, im großen Ausmaß davon betroffen sind, stigmatisiert zu werden. Trotzdem steht auch die Stigmaforschung zu spezifischen psychischen Störungen noch ganz am Anfang.

Eine Studie aus dem Jahr 2019 hat untersucht, welche Rolle internalisiertes, also verinnerlichtes Stigma, antizipierte (also ewartete) Diskriminierung und wahrgenommenes öffentliches Stigma bei Erwachsenen mit ADHS einnehmen. Auch wenn die Stichprobe mit 104 Teilnehmer*innen relativ klein ist, sind die Ergebnisse eindeutig: 69,3 Prozent der Befragten rechneten mit Diskriminierung im täglichen Leben und ganze 88,5 Prozent nahmen ein öffentliches Stigma wahr. Bei 23,3 Prozent von ihnen war dieses Stigma sogar schon relativ tief verinnerlicht.

Man muss kein*e Wissenschaftler*in sein, um daraus ableiten zu können, dass diverse ADHS-Symptome, wie psychischer Stress, ein vermindertes Selbstwertgefühl, funktionelle Beeinträchtigung und geringere Lebensqualität, mit Stigmatisierung durch die Gesellschaft in Verbindung gebracht werden können.

Das Wort »Stigma« kommt übrigens ursprünglich aus dem Griechischen und bedeutet so viel wie »Wundmal« oder »Stich« – und nichts anderes ist es in meinen Augen. Jedes Vorurteil, jede abwertende Äußerung, jeder blöde Witz versetzt denen, die es treffen soll, einen Stich. Und wer wird schon gerne gestochen, verletzt oder verwundet? Niemand. Deswegen reagieren wir auf Stigmatisierung auch mit ganz urtypischen Verhaltensweisen: Flight, Freeze or Fight. Das bedeutet: Entweder wir ziehen uns zurück und versuchen, uns zu verstecken (»Flight-Verhalten«), was uns von außen betrachtet vielleicht etwas sonderbar wirken lässt und dafür sorgt, dass manche Dinge unentdeckt bleiben. Oder wir sind regungslos und erdulden den Schmerz (»Freeze«), in der Hoffnung, dass er schnell vorübergeht. Oder wir greifen an (»Fight«), weil wir die Stiche einfach nicht mehr ertragen können, und werden dann als »schwierig« oder »kompliziert« bezeichnet.

Wer dieses Buch aufmerksam gelesen hat, dem ist vielleicht aufgefallen, dass ich ein Wort, das sehr häufig im Zusammenhang mit ADHS genannt wird, bis jetzt, so gut es geht, vermieden habe: »Betroffene«. Das hat einen ganz einfachen Grund: Ich sehe mich selbst nicht als Betroffene, denn ich bin nicht von ADHS »betroffen«. Ich versuche mal zu erklären, was ich meine:

Wenn man im Internet nach der Bedeutung des Adjektivs »betroffen« sucht, findet man zwei Definitionen:

[1] unangenehm überrascht, (emotional) leidtragend, bestürzt
[2] beteiligt, jemanden betreffend, sich auf jemanden beziehend

Wegen der ersten Wortbedeutung hat »Betroffene« für mich im Zusammenhang mit ADHS eine eher negative Konnotation. Wenn zum Beispiel ein Terroranschlag stattgefunden hat oder jemand plötzlich verstirbt, dann sind die Menschen »betroffen«. Daraus leiten sich oft Emotionen wie Fassungslosigkeit, Mitleid oder auch Mitgefühl ab. Ich persönlich brauche aber kein Mitleid oder Mitgefühl dafür, dass ich ADHS habe. Denn ich leide nicht darunter, dass mein Gehirn anders funktioniert als das anderer Menschen. Damit komme ich klar.

Worunter ich aber sehr wohl leide, sind die Folgen und Schattenseiten, die eine ADHS mit sich bringen kann. Sie resultieren aber zu einem überwiegenden Teil daraus, dass ich mein Leben lang durch die Gesellschaft vermittelt bekommen habe, dass ich nicht so wirklich in dieses System passe. Auch dann nicht, wenn ich mich noch so verbiege und anstrenge. Ich leide darunter, wie man mit mir umgegangen ist und teilweise immer noch umgeht: als Kind, als Schülerin, als Partnerin, als Freundin, als Berufstätige, als Frau. Und ich leide darunter, dass ich erst so spät diagnostiziert wurde. Ich leide darunter, dass ich so einige kleine und große Folgen entwickelt habe, die mir durch mehr Aufklärung oder eine frühere Diagnose vielleicht erspart geblieben oder zumindest sanfter ausgefallen wären.

Aber da gibt es ja auch noch diese zweite Definition des Wortes »betroffen«: Sie ist neutraler und rein deskriptiv, beschreibt also einfach einen Fakt oder einen Zustand. Diese Definition passt natürlich viel besser, weil wir mit dieser Bedeutung das Wort »Betroffene« beim Sprechen über ADHS dafür verwenden können, eine bestimmte Personengruppe zu definieren und über sie zu sprechen. Auch wenn man beim Sprechen über sie nie vergessen darf, dass diese Gruppe sehr heterogen ist.

Aber an diesem Punkt des neutralen Darübersprechens sind wir gesellschaftlich meiner Meinung nach noch nicht angekommen. Denn das Bild, das wir von ADHS haben, ist immer noch sehr negativ. Das ist auch der Grund, warum ich mich unglaublich schwer damit tue, von »Betroffenen« zu sprechen oder ADHS pauschal als eine »Krankheit«, »Störung« oder ein »Syndrom« zu benennen.

Der deutsche Bundesgerichtshof hat 1958 »Krankheit« wie folgt definiert: »Krankheit ist jede Störung der normalen Beschaffenheit oder der normalen Tätigkeit des Körpers, die geheilt, d. h. beseitigt oder gelindert werden kann.« Ähnlich sah es 1972 das Bundessozialgericht: Krankheit ist »ein regelwidriger Körper- oder Geisteszustand, der ärztlicher Behandlung bedarf oder – zugleich oder ausschließlich – Arbeitsunfähigkeit zur Folge hat«.

Meiner Ansicht nach treffen diese Definitionen auf ADHS einfach nicht zu. Klar kann man Therapien machen, Medikamente nehmen oder Strategien erlernen und so den Leidensdruck lindern, aber das ändert nicht nachhaltig etwas daran, dass das ADHS-Gehirn einfach anders funktioniert und das auch immer so bleiben wird. Denn ADHS kann weder geheilt noch beseitigt werden. Und ein regelwidriger Zustand, den man schnell beseitigen sollte, damit man »hopp, hopp« wieder arbeitstüchtig ist, ist eine ADHS sicherlich auch nicht.

Diese Definitionen sind mittlerweile zum Glück veraltet und waren für das deutsche Sozialversicherungswesen wichtiger als für die Medizin. Aber die Sichtweise, die dahintersteckt, scheint noch immer in vielen Köpfen vorzuherrschen. Denn für viele Menschen ist Gesundheit immer noch unweigerlich mit der Leistungsfähigkeit eines Menschen verknüpft.

Die BZgA, die *Bundeszentrale für gesundheitliche Aufklärung*, hat einen super interessanten Beitrag auf ihrer Website, in dem Medizinhistoriker und -ethiker Heiner Fangerau und Gesundheitswissenschaftler Peter Franzkowiak verschiedene Modelle von Krankheit betrachten und deren Hintergründe erklären. Die beiden Autoren führen aus, wieso sowohl »Krankheit« als auch »Gesundheit« Phänomene sind, die sich grundsätzlich nur schwer definieren lassen und viele verschiedene Dimensionen haben.

Beide Phänomene sind natürlich davon abhängig, wie ein Sachverhalt auf wissenschaftlich-medizinischer Ebene bewertet wird. Aber auch die *individuelle* Bewertung und die Vorstellung einer Gesellschaft von dem, was »normal« ist, und dem, was davon abweicht, spielen eine wichtige Rolle. Außerdem bedingen sich all diese Bewertungen wechselseitig – und sind gleichzeitig kaum voneinander zu trennen. Dazu kommt, dass Fangerau auch noch von einer vierten Dimension spricht: Krankheit im »kulturhistorischen Kontext«. Damit meint er, dass wir heute zum Beispiel neue technische Verfahren nutzen, die früher nicht möglich waren, unsere Bildungs- und Erziehungsmodelle sich verändern, genauso wie Konzepte rund um Gender oder Alter stetig im Wandel sind.

All diese Faktoren kann man nicht unabhängig voneinander betrachten. Denn wenn ein Arzt oder eine Ärztin sagt: »Ab diesem Wert ist der Druck in Ihren Gefäßen nicht mehr ›normal‹, Sie brauchen jetzt Medikamente«, ein Mensch sich psychisch oder körperlich nicht mehr wohlfühlt, obwohl laut medizinischer Definition keine Krankheit vorliegt, oder auf gesellschaftlicher Ebene eine negative Bewertung stattfindet (»Die ist doch nicht mehr normal!« oder »Der sollte mal zum Arzt!«), kann es dazu führen, dass wir selbst und andere etwas als Krankheit wahrnehmen.

Wie wir Dinge bewerten, fängt schon bei unserer Sprache an, denn Sprache schafft Wirklichkeit. In unserem alltäglichen Sprachgebrauch neigen wir dazu, Worte zu verwenden, die Menschen, die nicht einer körperlichen oder geistigen »Norm« entsprechen, abwerten. Eine solche Abwertung durch Sprache ist eine Form der Diskriminierung, die man **Ableismus** nennt. Wenn man von Ableismus spricht, bezieht man sich darauf, dass Menschen aufgrund ihrer körperlichen und/oder geistigen Fähigkeiten beurteilt und vor allem ver-urteilt werden. Ableismus führt häufig dazu, dass nicht nur gesellschaftlich ein negativ konnotiertes Bild von gewissen Menschen vorherrscht, sondern dass auch das Selbstbild von Menschen negativ beeinflusst wird.

Dies lässt sich besonders gut am Beispiel von Autismus verdeutlichen. Sowohl im Alltag als auch in wissenschaftlichen Kontexten, zum Beispiel in der Autismusforschung, wird häufig noch immer eine abwertende Sprache verwendet, die Autismus als etwas Negatives darstellt. Deshalb setzen sich Menschen wie Dr. Kristen Bottema-Beutel, die am Boston College zum Thema Autismus forscht, dafür ein, dass sich die Kommunikation über Autismus verändert. Sie fordert, dass man anstatt von »autistischen Symptomen« lieber von spezifischen autistischen »Merkmalen« oder »Zügen« sprechen sollte. Außerdem würde sie die Formulierung, eine Person »leide« an Autismus, ebenfalls lieber vermeiden und stattdessen von den »Auswirkungen« eines Lebens mit Autismus sprechen. Und zu diesen Auswirkungen zählen eben auch die positiven Aspekte.

Wieso sollte man also hauptsächlich eine Sprache nutzen, die vor allem Defizite betont, wenn man auch spezifische Bedürfnisse und sogar Stärken hervorheben kann? Ähnliches beschrieb schon der Autismus-Aktivist Jim Sinclair im Jahr 1993. In seinem Essay »Don't mourn for us« schreibt er: »Autismus ist nicht etwas, das eine Person hat, oder eine ›Hülle‹, in der eine Person gefangen ist. Hinter dem Autismus versteckt sich kein normales Kind. Autismus ist eine Art zu sein. Es ist allgegenwärtig; es färbt jede Erfahrung, jede Empfindung, Wahrnehmung, Denken, Emotion und Begegnung, jeden Aspekt der Existenz. Es ist nicht möglich, Autismus von der Person zu trennen – und wenn es möglich wäre, wäre die Person, die übrig bleibt, nicht dieselbe Person wie davor.«

Viele autistische Menschen lehnen deshalb die sogenannte *person-first-language* ab. Gemeint ist damit, dass nicht von einem »Menschen mit Autismus« gesprochen werden soll. Das klingt nämlich in etwa so, als würde man von einem »Menschen mit Homosexualität« reden. In diesem Fall geht es, genau wie bei Autismus, um Attribute, die sich nicht von der Persönlichkeit des Menschen trennen lassen oder etwa »repariert« werden müssen. Sie gehören schlicht und einfach zu ihm.

Deshalb bevorzugen viele Autist*innen die *identity-first-language*, sprich den Ausdruck: »autistische Person« oder »Autist*in«.

Leider lässt sich das sprachlich bei ADHS nicht so schön lösen, weshalb ich trotzdem die Bezeichnung »Mensch mit ADHS« für dieses Buch genutzt habe. Ich spreche natürlich auch öfter von ADHSler*innen, aber vielleicht ist es auch einfach an der Zeit, ein paar neue Wortschöpfungen zu erfinden. Oder noch einfacher: am besten einfach den Menschen vor sich direkt zu fragen, auf welche Weise er*sie über sich selbst und seine beziehungsweise ihre ADHS spricht. Damit macht man garantiert nichts falsch.

Ist ADHS eine **Behinderung?**

In Australien ging im Herbst 2022 ein Raunen durchs Land, das die Debatte um die Frage »Ist ADHS eine Behinderung?« erneut entfachte. Neue Daten hatten ergeben, dass sich die Anzahl der Verschreibungen von ADHS-Medikamenten in den letzten zehn Jahren dort mehr als verdoppelt hat. Darunter immer mehr

Erwachsene (insbesondere Frauen), die sogar mittlerweile mehr Rezepte ausgestellt bekommen als Kinder. Das Gesundheitsministerium spricht von einem Anstieg von 500.000 auf weit über 1.000.000 im letzten Jahrzehnt. Alleine 2021 verdreifachte sich die Ritalin-Verschreibung für erwachsene Australier*innen mit einer klinischen Diagnose. Als Gründe für den Anstieg der Diagnosen und der damit verbundenen medikamentösen Therapie werden vor allem die seit 2021 vermehrten »Outings« auf Instagram und TikTok, gepaart mit der bereits seit einigen Jahren aufkeimenden Destigmatisierung psychischer Erkrankungen und der Aufklärung über mentale Gesundheit, genannt.

ADHS ist tatsächlich seit 1992 in Australien als Behinderung anerkannt. Bis heute hatten aber nur einige wenige Australier*innen mit ADHS Zugang zu finanzieller Unterstützung im Rahmen des National Disability Insurance Scheme (NDIS), ein System der australischen Regierung, das die mit einer Behinderung verbundenen Kosten finanziert. Und zwar nur dann, wenn zusätzlich noch eine andere, sogenannte primäre Behinderung vorliegt, weil ADHS noch nicht auf der Liste der vom NDIS unterstützten Behinderungen steht, obwohl dies schon lange gefordert wird. Minister Bill Shorten, Hauptverantwortlicher für das Berufsunfähigkeitsversicherungssystem Australiens, beriet sich im September 2022 mit der zuständigen Behörde, ob ADHS nun grundsätzlich in die Liste der Unterstützungsberechtigten aufgenommen werden sollte und somit quasi offiziell als primäre Behinderung gelten könnte.

Doch die Verhandlungen dauerten nur kurz: Bereits einen Tag nach den Gesprächen ließ Shorten über seinen Sprecher verkünden, dass es vorerst keine Pläne gäbe, Änderungen an der begrenzten Liste vorzunehmen: »Menschen mit ADHS können NDIS-Teilnehmer*innen werden, wenn sie die Kriterien der dauerhaften und deutlichen Behinderung erfüllen und Beweise dafür vorlegen, dass sie die Anforderungen erfüllen.«

Natürlich ist so eine grundlegende Entscheidung mit einem enormen Kostenaufwand verbunden, wenn plötzlich jede*r diagnostizierte Australier*in potenziell Anrecht auf finanzielle Unterstützung durch das NDIS hätte. Aber die Zahlen lassen sich nun mal nicht leugnen: wir sind nun mal viele. Was ich aber in dem Zusammenhang als besonders problematisch empfinde, ist, wenn wir anfangen, so etwas wie Behinderung messen zu wollen. Und ja, ich verstehe, dass man Regeln und Systeme schaffen muss, um zu entscheiden, ob jemand für etwas berechtigt ist oder nicht, aber die Entscheidung, ob jemand sich eben als »krank«, »behindert« oder sonst wie definiert, liegt in erster Linie bei der Person selbst. Und ich kann mir nicht vorstellen, dass die Zahl der Menschen so gigantisch groß ist, die ihre gesamte Kraft dafür aufwenden, nach Hilfe zu suchen und sie in Anspruch zu nehmen, wenn ihnen eigentlich gar nichts fehlt. Der Australier und ADHSler Jonathan Brown schreibt auf seinem Twitter-Account @JB_AU dazu: »Die Unterstützung und Behandlung von Behinderungen sollte niemals eine Einheitslösung sein. Denn der Mensch ist kein Einheitsbrei. Wenn deine Behinderung deine Fähigkeit beeinträchtigt, ein glückliches und gesundes Leben zu führen, solltest es dir möglich sein, Hilfe und Unterstützung zu erhalten.«

Doch es gibt ein weiteres Problem in diesem Zusammenhang: Nicht nur offizielle Stellen und Außenstehende erkennen ADHS nicht als eine Behinderung an, auch vielen ADHS*lerinnen fällt es schwer, sich als behindert zu sehen, obwohl sie in einer Welt leben, die sie permanent be-hindert. Und das liegt auch an der Begrifflichkeit selbst. Die Aktivistin

Luisa L'Audace, die sich auf ihrem Instagram-Account @*luisa laudace* für Themen rund um Inklusion und Antidiskriminierung einsetzt und dazu berät, beschreibt es in einem ihrer Posts so: »Viele Menschen neigen dazu, den Begriff ›behindert‹ zu umgehen, weil er auch als Schimpfwort missbraucht wird. Sie nutzen lieber sogenannte Euphemismen wie ›Handicap‹ oder ›besondere Bedürfnisse‹, um den aus ihrer Sicht unangenehmen Begriff zu umgehen. Die Folge: Der Begriff, der eigentlich eine neutrale Selbstbezeichnung ist, wird weiterhin tabuisiert und macht es behinderten Menschen schwerer, sich damit zu identifizieren.«

Aber was ist ADHS denn nun? Der Ansatz der **Neurodiversität**

Bei unserem Instagram-Format @*maedelsabende* haben wir oft zelebriert, dass alle Körper schön sind. Ganz egal, ob groß, ob klein, dick oder dünn, Schwarz oder *weiß*, ob Sommersprossen, Zahnlücke, Sixpack oder Prothese, ob große Vulvalippen, kleiner Penis, Dehnungsstreifen oder Narbe, ob amputierte Brust oder Brustimplantat: Wir sind, wie wir sind, wir sind, wer wir sind – und das ist okay so!

Genau diesen Anspruch hat das Konzept der **Neurodiversität** auch. Es geht darum anzuerkennen, dass nicht nur unsere Augenfarben, unsere Haut, unsere Körperformen oder unsere Sexualitäten vielfältig sind, sondern auch unsere neurologischen Gegebenheiten, sprich: unsere Gehirne. Es geht darum, dass wir genauso akzeptieren, dass ein Mensch, ob nun von Geburt an oder durch negative und positive Erfahrungen mit seiner Umwelt, so ist, wie er*sie ist: schüchtern, lustig, fürsorglich, hitzköpfig, laut, einfühlsam, selbstbewusst, mutig. Oder eben: unkonzentriert, impulsiv, verträumt. Wieso müssen wir das kategorisieren, vergleichen und bewerten? Wieso entsteht nicht nur das Gefühl, sondern wieso ist es unsere »objektive« wissenschaftliche Auffassung, dass es eine Norm gibt und alles andere davon abweicht und somit »nicht normal« ist?

Genau damit beschäftigt sich auch die Neurodiversitätsbewegung seit den 1990er-Jahren, die damals erstmals von Autist*innen ins Leben gerufen wurde. Besonders den Namen Judy Singer sollte man sich in diesem Zusammenhang merken. Ihr Ziel: Autismus zu entstigmatisieren und für mehr Akzeptanz in der Bevölkerung zu sorgen. Dies sollte vor allem durch ein progressives Konzept passieren, das Autismus völlig neu bewertet: Statt einer defizitären Sichtweise, die Autismus als Erkrankung oder Störung definiert, sollte ein Perspektivwechsel stattfinden, der Autismus als eine natürliche Form menschlicher Vielfalt anerkennt.

Thomas Armstrong, der unter anderem das Buch *The Power of Neurodiversity* geschrieben hat, beschreibt Neurodiversität ungefähr so: Man stelle sich vor, alle Menschen wären Blumen. Und als Norm gilt eine bestimmte Blumensorte: die Rose. Kommt jetzt eine wilde Sonnenblume, eine Lilie oder ein Buchsbaum in eine Arztpraxis (in der nur »normale« Rosen arbeiten), schaut man natürlich nur nach all dem, was bei ihnen anders ist, und versucht, sie auch danach zu (be)handeln. Denn eine Rose zu sein ist ja das, was alle anstreben, oder?

Dabei haben alle gerade erwähnten Beispielblumen eines gemeinsam: Sie alle gehören zur Gattung der Pflanzen. Sie alle betreiben Fotosynthese, brauchen das Sonnenlicht sowie Wasser und Zuwendung. Aber jede von ihnen in einem unterschiedlichen Ausmaß. Wie fatal wäre es, wenn wir sie alle wie eine Rose behandeln würden, obwohl sie das nicht sind? Eine Seerose kann zum Beispiel nicht genug Wasser bekommen, ein Gummibaum fängt bei Staunässe irgendwann an zu faulen, und Sukkulenten können mehrere Wochen ohne Wasser aushalten. Während sich eine Zimmerpflanze oft schon mit einem kleinen Topf zufriedengibt und einfach umzutopfen ist, lässt sich eine wilde Hagebutte kaum bändigen. Und trotzdem bestehen sie alle aus den gleichen vier Teilen: Wurzeln, Stängel, Blätter und Blüte – doch wie groß, klein, dick, dünn oder farbenfroh diese Teile ausfallen, ist absolut unterschiedlich. Natürlich ist ein Strauß rote Rosen aus dem Supermarkt schön anzusehen, aber wer nur einmal einen Blumenladen von innen gesehen hat, weiß, dass es nichts Schöneres gibt als einen großen, farbenprächtigen Strauß mit gemischten Blumen. Wie trist wäre es, wenn es nur noch rote Rosen geben würde?

Armstrong möchte mit dieser Metapher anprangern, was in unserer Gesellschaft tagtäglich passiert: Anstatt Unterschiede zu feiern und uns daran zu erfreuen, wie bunt und vielfältig alleine unsere menschlichen Gehirne sind, neigen wir dazu, diese Unterschiede zu pathologisieren und häufig auch heilen zu wollen. So wird aus einer natürlichen Gegebenheit schnell eine Erkrankung, eine Störung oder ein Syndrom. Wer anders ist, wird abgewertet.

Wir sind immer noch dabei zu begreifen, was Biodiversität, also biologische Vielfalt, bedeutet. Es ist zum Beispiel erst einen Wimpernschlag her, dass wir damit begonnen haben, zutiefst rassistische Ideologien aus unserem wissenschaftlichen Konsens und unseren Köpfen zu streichen und Menschen nicht mehr in »wertvolle« und »weniger wertvolle« Kategorien einzuteilen. Dass wir Frau und Mann als gleichberechtigt ansehen, dass wir verstanden haben, dass es unterschiedliche Sexualitäten und mehr als zwei Geschlechter gibt, und dass wir vermeintlichen Körperidealen den Kampf angesagt haben. Es wird also Zeit, dass wir auch die Vielfältigkeit unserer Hirne erforschen, begreifen und akzeptieren.

Menschen, deren Gehirne sich von denen der »roten Rosen« unterscheiden, bezeichnet ein Großteil der Neurodiversitätsbewegung als **neurodivergent**. Das ist ein Begriff, der durch die autistische Aktivistin Kassiane Asasumasu geprägt wurde. Eine bis heute positive Selbstbezeichnung, deren Definition immer wieder verändert und angepasst wurde; auch wenn das nicht immer im Sinne der Wortschöpferin war. In einem Twitter-Post auf ihrem Account @UVG*Kassi* schrieb sie einmal: »Ich glaube nicht, dass irgendjemandes Art zu sein von Natur aus pathologisch ist.«

Asasumasu setzt sich seit vielen Jahren vehement für eine Welt ein, in der Neurodivergenz endlich mehr Raum bekommt, und bezieht sich damit auf mehr als nur Autismus oder ADHS. Für sie zählen dazu auch Menschen mit Lernschwierigkeiten, Menschen mit psychischen Erkrankungen oder Störungen, aber auch Menschen mit Multipler Sklerose, Parkinson oder Epilepsie, genauso wie Menschen, die sich als hochsensibel beschreiben würden. Was Asasumasu besonders nervt, ist, dass es neurodivergente Menschen, ja sogar ganze Gruppen gibt, die versuchen, sich mit diesem Begriff abzugrenzen, und es zu einem exklusiven Club machen wollen. In einem Artikel, der 2021 in *Psychology Today* erschienen ist, zitiert sie der Autor Dr. Robert Chapman wie folgt: »[Der Begriff Neurodivergenz] ist kein weiteres verdammtes Instrument der Ausgrenzung. Es ist insbesondere ein Instrument der Inklusion.«

Leider werden die beiden Begriffe Neurodiversität und Neurodivergenz sehr gerne mal durcheinandergebracht. Das passiert nicht nur Menschen, die diese Begriffe als Fremdbezeichnung nutzen, sondern auch denjenigen, die sich selbst damit beschreiben. Und sosehr diese augenscheinliche Kleinkariertheit auch anstrengen mag, ist sie dennoch wichtig. Wenn sich zum Beispiel ein Mensch als »neurodivers« bezeichnet oder ein Unternehmen fragt: »Was können wir für unsere neurodiversen Mitarbeitenden tun?«, ist das an sich ein guter Gedanke, aber schlichtweg nicht richtig. Viele denken, Diversität beziehe sich immer auf »die anderen«. Vielfalt ist aber eine Eigenschaft von Gruppen.

Die Universität von Edinburgh gibt in ihrem Blog zur Entwicklung von Autismus-Forschungstechnologie ein simples Beispiel anhand von Kräutern. Die Autorin Sue Fletcher-Watson schreibt: »Liebstöckel ist nicht divers, während Petersilie typisch ist. Divers ist kein Synonym für ›selten‹.« Vielmehr bilden Liebstöckel, Basilikum, Thymian und Petersilie eine *diverse* Kräutergruppe. Das bedeutet: Erst wenn wir Dinge als etwas Ganzes und mit all ihren Facetten betrachten, wird Diversität überhaupt sichtbar. Deshalb kann auch kein Mensch alleine »divers« sein. Diversität bedeutet darüber hinaus auch nicht, dass es keine Unterschiede mehr gibt oder dass die Unterschiede einfach verschwinden. Denn nur, wenn wir über Unterschiede sprechen, schaffen wir auch Sichtbarkeit für Problematiken – und Chancen. Es geht nur um die Art, wie wir darüber sprechen und ob wir *miteinander* oder *übereinander* sprechen.

Wenn wir Unterschiede als etwas Abnormales, Andersartiges, Defizitäres und Negatives definieren, führt das dazu, dass Diskriminierung, Vorurteile und unangebrachtes Mitleid immer weiter existieren werden. Und auch ein »Wir sind doch alle gleich« oder ein »Ich sehe keine Unterschiede« verändert nicht den Alltag von Menschen, baut keine Hürden ab und schafft keine Inklusion. Selbst dann nicht, wenn es gut gemeint ist. Es führt sogar eher dazu, dass Menschen das Gefühl bekommen, dass man ihnen ihre Erfahrungen abspricht und ihre Belange nicht ernst nimmt. Deshalb bedeutet Diversität: Unterschiede sind da, aber sie werden gesehen, akzeptiert und können auch zelebriert werden. Dabei muss auch klar werden, dass Diversität niemals reine Symbolik sein darf, indem zum Beispiel einfach nur ein Mitglied einer Minderheit in eine Mehrheit aufgenommen wird, um so eine vermeintliche Sichtbarkeit zu schaffen oder eine »Quote« zu erfüllen. Das hat sogar einen Namen und nennt sich *Tokenismus*: hilft der Vielfalt nicht und schadet der Inklusion.

Außerdem ist Diversität auch nicht das Gleiche wie Inklusion. Es sind unterschiedliche Konzepte, die nicht austauschbar sind. Es ist beispielsweise möglich, dass etwas vielfältig, aber nicht inklusiv ist, und es kann auch etwas inklusiv sein, aber nicht vielfältig. Denn Diversität alleine schafft noch keine Inklusion. Die Inklusionsaktivistin Vernā Myers hat dazu den schönen Satz geprägt: »Diversity is being invited to the party. Inclusion is being asked to dance«, was übersetzt so viel heißt wie: Diversität heißt, man lädt jemanden zur Party ein. Inklusion bedeutet, man fordert sie*ihn zum Tanzen auf. Myers möchte damit ausdrücken: Es ist wichtig, dass man nicht nur anwesend ist, sondern auch aktiv mitwirken kann und genug Raum hat, um die eigenen Bedürfnisse einzubringen. Dieser Gedanke beinhaltet auch den oft genutzten Begriff der »Teilhabe«.

Es ist eine gesamtgesellschaftliche Aufgabe, dass alle Menschen sich repräsentiert fühlen und dass Menschen ihr Leben nicht an vorhandene Strukturen anpassen müssen, um überhaupt ein wertgeschätzter Teil unserer Gesellschaft sein zu können.

Während der Begriff neurodivergent dazu dient, dass eine neurologische Minderheit endlich die Möglichkeit hat, sich selbst besser beschreiben zu können, wird im Gegensatz dazu die Mehrheit der Menschen als »neurotypisch« definiert. Dieser Begriff leitet sich aus der Tatsache ab, dass ihr neurologischer Status als Norm angesehen wird.

Um im medizinischen Kontext zu definieren, was »normal« ist, unterscheidet man zwischen Idealnorm, statistischer Norm, sozialer Norm, subjektiver Norm und funktionaler Norm. Die meisten Diagnosen für psychische Störungen beziehen sich vor allem auf den funktionalen Normbegriff. Das Lehrbuch *Klinische Psychologie und Psychotherapie* von Matthias Berking und Winfried Rief beschreibt diesen so: Für den funktionalen Normbegriff »spielt es eine Rolle, ob jemand die ihm zugetragenen Funktionen erfüllen kann. Jemand wird demnach als krank definiert, wenn er z. B. nicht mehr arbeiten, soziale Beziehungen eingehen oder genießen kann. Die gängigen Klassifikationssysteme ICD-10 und DSM-IV orientieren sich in weiten Bereichen an diesem Konzept der funktionalen Norm zur Definition, was gesund und was krank ist.« Deshalb gilt bisher: Alles, was nicht normkonform ist, kann im Umkehrschluss als »nicht normal« bezeichnet und sogar diagnostiziert werden. Und genau so funktionieren die aktuellen Gesundheitssysteme fast überall auf der Welt.

Aber es gibt auch Gegenentwürfe: Führende Persönlichkeiten der Behindertenrechtsbewegung, allen voran Alison Kafer, haben zwei unterschiedliche Modelle entwickelt, wie die Gesellschaft Behinderungen betrachtet, die sich auch auf neurodivergente Menschen übertragen lässt: das *medizinische*

Modell und das *soziale Modell*. Im medizinischen Modell geht es darum, dass ein Mensch aufgrund dessen, was sein Körper und/oder sein Gehirn nicht können, von der Norm abweicht und somit aufgrund seiner vermeintlichen Defizite be-hindert ist. Demnach braucht er Hilfe, zum Beispiel in Form einer medikamentösen Behandlung oder einer Therapie, um wenigstens in die Nähe von »normal« zu kommen. Es entsteht das Bild eines bedauernswerten Zustands, den es so gut wie möglich zu »reparieren« gilt. Der Gegenentwurf ist das soziale Modell, in dem das Ganze anders betrachtet wird. Hier ist nicht der Mensch eingeschränkt, sondern seine Umwelt be-hindert ihn durch ihre physischen, einstellungsbedingten, kommunikativen und sozialen Barrieren. Demnach müssen nicht die Menschen mit Beeinträchtigungen an die Gesellschaft angepasst werden, sondern umgekehrt. Um ein Miteinander zu gewährleisten, in dem Menschen nicht einfach nur bedürftige Objekte sind, sondern als autonome Individuen anerkannt werden, die für sich selbst sprechen und einstehen können. Dabei sollte nicht außer Acht gelassen werden, dass auch neurodivergente Menschen in gewissen Bereichen beeinträchtigt sein können, aber es geht darum, dies zu akzeptieren und ein System zu schaffen, das Neurodivergenz berücksichtigt und stetig daran interessiert ist, Barrieren weiter abzubauen. Eben eine Realität, die alles miteinander vereint und den Stempel »neurodivers« wirklich verdient.

»Du bist einfach viel **zu** sensibel!« – Was ADHS und **Hochsensibilität** gemeinsam haben

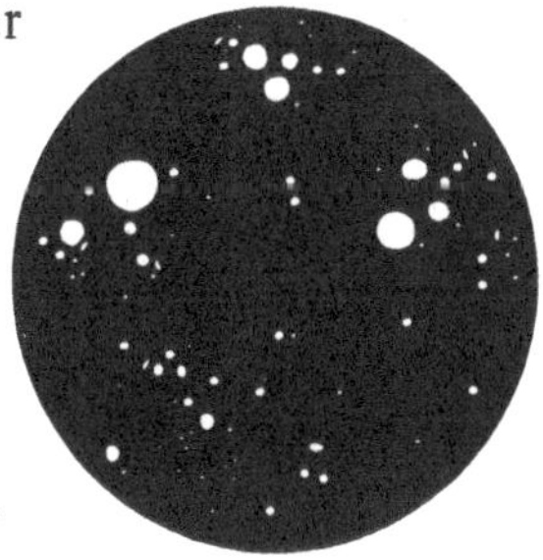

Eine starke Ausprägung im Bereich der Wahrnehmung würde beispielsweise Menschen beschreiben, die sich selbst als hochsensibel oder hypersensibel bezeichnen. Dabei ist »Hochsensibilität« keine eigenständige Diagnose und lässt sich eher als sehr ausgeprägtes Persönlichkeitsmerkmal definieren, das sich laut aktuellem Forschungsstand auch auf einem Spektrum verorten lässt: Demnach gibt es Menschen, deren Sensibilität sehr stark ausgeprägt ist, während es am »anderen Ende des Spektrums« Menschen gibt, die weniger sensibel sind. Das Spannende: Hochsensible Menschen haben einige Gemeinsamkeiten mit Menschen mit ADHS oder Autist*innen, zum Beispiel die häufig sehr intensive Wahrnehmung und Verarbeitung von Reizen.

Unsere menschlichen Sinne sind dafür da, vor allem Reize aus der Umwelt aufzunehmen und zu verarbeiten. Auch viele Menschen mit ADHS (und auch andere neurodivergente Menschen) haben eine gestörte sensorische Verarbeitung, die für ein intensives Empfinden sorgen kann. Das heißt, ihr Körper reagiert (über-)empfindlich auf alle möglichen Reize – positiv wie negativ. Eine gestörte sensorische Verarbeitung kann dazu führen, dass sie sensorisch über- oder unteraktiv sind. Das kann den Alltag sehr beeinflussen – egal ob im Büro, am Familienesstisch, auf einer Party oder beim Sex. Gerade bei Letzterem kann es dazu führen, dass sie eine gesteigerte Lust empfinden oder das Gegenteil der Fall ist: Sie haben quasi nie »Bock«. Eine solche Lustlosigkeit kann in Kombination mit

ADHS zusätzlich auf Langeweile oder Konzentrationsprobleme zurückzuführen sein, denn auch Sex unterscheidet sich nicht von anderen Aktivitäten, die für jemanden mit ADHS eine Herausforderung darstellen können.

Und ADHS und Hochsensibilität haben außerdem auch gemeinsam, dass mit ihnen häufig Komorbiditäten einhergehen. Für einen unmittelbaren Zusammenhang zwischen ADHS und Hochsensibilität gibt es bislang noch nicht ausreichende wissenschaftliche Belege, aber wahrscheinlich würden sich viele neurodivergenten Menschen auch als hochsensibel beschreiben. Man könnte demnach die These aufstellen, dass beispielsweise die meisten Autist*innen und ADHSler*innen hochsensibel sind, aber nicht jeder hochsensible Mensch im Umkehrschluss auch autistisch ist oder ADHS hat.

Es gibt sogar noch weitere Berührungspunkte, die nicht von der Hand zu weisen sind. Ich möchte euch das mal an einem anderen Beispiel erklären, auf das mich die Autorin Eszter Jakab aufmerksam gemacht hat, die auf ihrem Instagram-Account *@polyeszterbindung* regelmäßig über das Familienleben mit Autismus und ADHS spricht. Während ich für *Mädelsabende* eine Themenwoche zu »Hochsensibilität« vorbereitete, hatte ich mich mit ihr ausgetauscht. Unter anderem kamen wir auf die Relevanz von psychosozialen Einflüssen zu sprechen, die auch bei ADHS eine große Rolle spielen.

Sensibel zu sein, da sind wir uns hoffentlich alle einig, ist keine Schwäche – und trotzdem werden in der gesellschaftlichen Wahrnehmung Unterschiede gemacht. Denn was als »sensibel« definiert wird, ist auch immer gesellschaftlich geprägt. Stellen wir uns zwei Kinder vor. Beide werden mit demselben Merkmal geboren: Sie können ihre Umwelt nicht gut filtern und nehmen alle Reize sehr stark wahr. Das eine Kind ist ein

Mädchen aus einem gut situierten Elternhaus. Es lebt in einer großen Wohnung und wird von seinem Umfeld ausreichend gefördert und in seiner Entwicklung positiv begleitet. Das andere Kind ist ein Mädchen aus eher prekären Verhältnissen. Es lebt auf engem Raum mit mehreren Personen. Der Vater ist selten zu Hause, weil er sehr viel arbeitet, was immer wieder zu Spannungen zwischen den Eltern führt. Die Mutter, psychisch erkrankt, ist zu Hause und kümmert sich um die vier Kinder.

Wenn das privilegiertere Mädchen das Bedürfnis hat, sich zurückzuziehen, hat es immer die Möglichkeit dazu. Es muss nie um Ruhe und einen Rückzugsort kämpfen. Es hat sein eigenes Zimmer, mit einer Tür, die es zumachen kann, jede Menge Bücher und Noise-Cancelling-Kopfhörer. Weil es keine Lust auf den Schulbus hat, fährt sein Vater es zur Schule, und beim Elternsprechtag sorgen seine Eltern dafür, dass auch im Unterricht auf seine Bedürfnisse Rücksicht genommen wird. Seine Sensibilität hat Raum und wird von anderen geachtet.

Das weniger privilegierte Mädchen fährt mit der Straßenbahn zur Schule und zurück und wird öfters damit beauftragt, nach Schulschluss noch für die Familie im Supermarkt einzukaufen. Zu Hause hat es wenig Ruhe, weder für sich noch für seine Hausaufgaben. Es teilt sich ein Zimmer mit seinen Schwestern und im Wohnzimmer läuft ständig der Fernseher. Es ist umgeben von Lärm und Stress und hat mehr Pflichten, viel weniger Zugang zu Ressourcen und nicht ausreichend viele Rückzugsmöglichkeiten.

Während das eine Mädchen, sobald es sich überreizt fühlt, immer die Möglichkeit hat, neue Energie zu tanken, hat das andere Mädchen diese Möglichkeit nicht und muss andere Strategien entwickeln, um irgendwie damit umzugehen. So könnte es sich möglicherweise besonders starke Reize suchen, um andere Reize auszublenden, zum Beispiel Onlinespiele,

Substanzmittel oder fragwürdige Freundschaften. Vielleicht reagiert es auch viel häufiger gereizt oder wütend auf sein Umfeld, hat Schlafprobleme und kommt in der Schule nicht mehr mit, weil es sich nicht ausreichend regenerieren kann.

Wir haben zwei Menschen, geboren mit demselben Merkmal. Während das eine Mädchen als sensibel und feinfühlig wahrgenommen wird, gilt das andere vielleicht als aggressiv, laut und »schwierig«. Wie sich Merkmale zeigen und im Laufe des Lebens entwickeln, ist also immer auch davon abhängig, welche Ressourcen einem Menschen zur Verfügung stehen und in welchen Verhältnissen dieser aufwächst – und das hat auch immer etwas mit Privilegien zu tun.

Ein anderes gutes Beispiel dafür, wie unterschiedlich Sensibilität wahrgenommen wird, ist der Unterschied, der zwischen weiblich sozialisierten Menschen und männlich sozialisierten Menschen gemacht wird. Ich würde behaupten, dass Sensibilität eine Eigenschaft ist, die man eher weiblich gelesenen Menschen zuschreibt. Denn Empfindsamkeit ist leider immer noch kein Teil eines männlichen Ideals. Wie oft hat man schon Sätze gehört wie: »Männer weinen nicht!«, »Ich bin doch keine Memme!«, »Reiß dich zusammen, du bist doch schon ein großer Junge!« und so weiter. Sensibilität kollidiert einfach mit dem dominierenden Männerbild unserer Gesellschaft. Denn ein Mann soll »stark«, »hart«, »erfolgreich« und »durchsetzungsfähig« sein, und das vermitteln wir schon unseren Kleinsten.

Stattdessen sollten wir uns endlich viel bewusster machen, dass eben nicht alle Menschen gleich funktionieren, und damit aufhören, sie in Stereotype zu pressen. Manche nehmen ihre Umwelt eben anders wahr, haben einen anderen inneren Rhythmus, empfinden, denken und handeln dadurch anders. Das ist nicht falsch, aber entspricht vielleicht nicht immer dem, was als »Norm« angesehen wird. Gerade in unserer leistungsorientierten Welt kann das ganz schön irritierend und frustrierend sein. Und es ist für alle, die ein bisschen anders ticken, ziemlich anstrengend und kann sich langfristig auch auf die Gesundheit auswirken.

Dabei heißt sensibel zu sein, bedeutet nicht automatisch, schwach, verletzlich oder weniger belastbar zu sein. Es heißt, ein Stück weit anders zu empfinden und deshalb andere Grenzen zu haben. Das kann Nachteile haben wie Reizempfindlichkeit und schnelles Erschöpftsein. Es gibt aber auch Vorteile wie besondere Einfühlsamkeit und ausgeprägte Kreativität. Es sollte weder ein Tabu sein noch ein exklusiver Club, sondern einfach etwas, das wir akzeptieren und respektieren und von dem wir als Gesellschaft auch profitieren können.

Nieder mit den Kategorien!

Jeder Mensch ist facettenreich, egal ob mit oder ohne ADHS. Und wir alle sind nicht einfach zu 100 Prozent das eine oder zu 100 Prozent das andere. Wir alle haben Dinge erlebt, die uns prägen, Sachen vererbt bekommen, die wir uns nicht ausgesucht haben, und entwickeln uns ständig weiter. Das ist auch der Grund, wieso viele Menschen das Gefühl haben: »Hmm, irgendwie finde ich mich zum Beispiel in dem ein oder anderen Symptom wieder.« Oder auch: »Dieses oder jenes Konzept passt anteilig auch zu mir.« Doch trotz dieses Wiederfindens würden sich viele Menschen eventuell sehr schwer damit tun, sich selbst ein bestimmtes Label zu geben. Oder ihre Symptome reichen nicht aus, um eine Diagnose im klassischen Sinne zu erhalten. Hier kommt meine These, die all das erklären würde: Auch die Kategorien *neurotypisch* und *neurodivergent* befinden sich auf einem menschlichen Spektrum. Menschen sind komplex, die Systeme, in denen sie leben, sind komplex, und auch Diagnosen sind komplexer, als sie manchmal erscheinen. Denn kein Mensch lässt sich in all seinen Facetten ganz klar in eine einzige Schublade stecken oder ist eben entweder nur »normal« oder nur »nicht normal«. Leider ist eine solche klare Einteilung (auch die in »krank« oder »gesund«) aber gang und gäbe, vor allem in den Bereichen,in denen es eben um Diagnosen geht.

Dazu muss man Folgendes wissen: Diagnosen werden in der Regel so vergeben, als gäbe es klare Kategorien. Dadurch entsteht die Wahrnehmung, dass es nur zwei klar voneinander trennbare Zustände gibt: Entweder jemand ist gesund oder jemand ist krank. Das nennt man »kategoriale Diagnostik«. Verkürzt gesagt wird also ein Lehr- oder Handbuch aufgeschlagen und gesagt: »Um eine XYZ-Persönlichkeitsstörung zu haben, müssen folgende Merkmale/Symptome so und so lange vorliegen.« Erst dann lässt sich von einem »Syndrom«, also einem durch das gemeinsame Auftreten bestimmter charakteristischer Symptome gekennzeichneten Krankheitsbild, sprechen. Und erst dann kann eine Diagnostik erfolgen. Erfüllt die Person aber nur ein Merkmal zu wenig, fällt sie womöglich schon raus und bekommt keine oder eben eine ganz andere Diagnose.

Ganz so trennscharf ist es in der Praxis natürlich nicht. Eine Diagnose zu stellen ist definitiv umfangreicher, als ich es hier darstellen kann, aber diese Formen der Diagnostik sind eben relativ unflexibel. Erfülle ich als Mensch nicht oder nicht mehr alle Kriterien, weil ich zum Beispiel im Laufe meines Lebens Strategien erlernt habe, bestimmte Dinge zu bewältigen, habe ich womöglich keinen Anspruch mehr auf therapeutische Hilfe, obwohl ich weiterhin erhebliche soziale und berufliche Beeinträchtigungen habe. Das ist natürlich fatal. Genauso, wenn ich gar nicht genau in eine klar definierte Schublade passe, sondern sich alles nicht so richtig voneinander trennen lässt. Anstatt Menschen dann drei einzelne Diagnosen zu geben, wäre es wahrscheinlich sinnvoller, auch die Zusammenhänge und zum Teil fließenden Übergänge zu betrachten.

Einen ersten Versuch wagt die neue ICD-11, die anstelle der kategorialen Einteilung eine sogenannte *dimensionale Diagnostik* vorsieht, zumindest bei fast allen Persönlichkeitsstörungen. Damit fliegen die bisherigen spezifischen Persönlichkeitsstörungen wie etwa »Narzissmus« oder die »dissoziale Persönlichkeitsstörung« aus dem Katalog, und man spricht zunächst allgemeiner von der Diagnose »Persönlichkeitsstörung«, weil sich viele Diagnosen eben überlappen und nicht klar voneinander zu trennen sind. Außerdem legt die ICD-11 zukünftig einen stärkeren Fokus auf Kriterien, die einordnen sollen, wie viel Hilfe jemand benötigt. So werden Diagnosen endlich mehr an den individuellen Leidensdruck einer Person gekoppelt.

Martin Hubert vom *Deutschlandfunk* spricht deshalb von einer »Revolution«: »Eine radikale Abkehr vom bisherigen Weg der Schulpsychiatrie. Denn die hatte die Kategorien einst eingeführt, um unterschiedliche Auffassungen und Theorien unter einen Hut zu bringen.« Hubert hat für seinen Anfang 2022 erschienenen Beitrag auch mit Andreas Heinz, dem Berliner Psychiater und Direktor der Klinik für Psychiatrie und Psychotherapie am Campus Charité Mitte in Berlin, gesprochen, der ebenfalls starke Kritik an der bis heute genutzten kategorialen Diagnostik übt: »Wer nimmt sich das Recht zu sagen, das ist eine gewünschte, übliche, von mir aus sogar statistisch durchschnittliche Persönlichkeit, und was bringt uns das?« Dadurch entstünden spezifische Etiketten, die Persönlichkeiten klar voneinander abgrenzen und in »normal« und »unnormal« einteilen, und genau diese Einteilung fördere unerwünschte Stigmata. Laut Hubert werde so »suggeriert, dass ein Mensch anders ist und so bleiben wird. Aber das stimmt nicht. Persönlichkeitsstörungen müssen keineswegs von Kindheit an bestehen und lebenslang stabil bleiben. Das belegen Langzeitstudien inzwischen ganz klar. Damit ist auch das Kernkriterium hinfällig geworden, mit dem die Persönlichkeitsstörungen traditionell von anderen Störungen abgegrenzt wurden«.

Allerdings wird der Entwurf der ICD-11 auch kritisiert: Einige Expert*innen befürchten, dass das Aufheben von klaren Kategorien zu einer gewissen Beliebigkeit führen könnte. Denn wie soll man sich so darüber verständigen, was auf welche Weise behandelt werden sollte?

Es könnte also zukünftig darauf hinauslaufen, dass nicht nur Persönlichkeitsstörungen, sondern auch andere Bereiche, die bestimmten Kategorien unterliegen, sich diesem dimensionalen Ansatz der ICD-11 immer weiter annähern. Natürlich ist ADHS keine Persönlichkeitsstörung, wird aber auch in den gängigen Diagnosehandbüchern für Krankheiten und verwandte Gesundheitsprobleme aufgeführt und würde meiner Meinung nach stark davon profitieren, dimensionaler betrachtet zu werden. Gerade den Begriff des »Spektrums«, der sich mittlerweile vor allem in Bezug auf Autismus etabliert hat, empfinde ich auch bei ADHS als sehr passend. Er gibt uns eine Möglichkeit, eine Handvoll Merkmale zu kategorisieren und eine Diagnose zu erstellen, aber auch darüber hinaus sichtbarer zu werden, Verbündete zu finden und sich je nach individuellem Leidensdruck in Behandlung zu begeben oder eben nicht.

Noch besser wäre es, auch im klinischen Kontext vielleicht von einem »neurodivergenten Spektrum« zu sprechen, in dem sich dann alle bisher genannten Bereiche befinden können. Es macht neue Möglichkeiten auf, um nicht mehr sagen zu müssen: »Wenn ein Mensch ADHS hat, ist er ›unnormal‹ oder ›krank‹.« Entscheidend wäre dann vielmehr, ob ein Mensch selbst seine ADHS als etwas, das ihn belastet, als neurologische Vielfältigkeit oder, ja, vielleicht sogar als Gabe empfindet. Und von dieser Wahrnehmung wäre dann abhängig, wie hoch der persönliche Leidensdruck eingeschätzt würde und welche medizinische Versorgung für diesen Menschen infrage käme.

Natürlich darf es im Zuge einer solchen Neusortierung nicht passieren, dass wir den individuellen Leidensdruck, der mit einem neurodivergenten Gehirn in einer neurotypischen Welt einhergehen kann, auf diese Weise ausklammern. Menschen müssen immer einen Zugang zu Hilfssystemen haben, und es darf nicht so laufen, dass man demnächst sagt: »Wie, ihr braucht Unterstützung? Wir dachten, ADHS ist doch ›nur eine Facette menschlichen Seins …?‹«. Aber der Stellenwert, den die persönliche Einschätzung durch die betroffene Person selbst bekommen würde, wäre durch eine dimensionale Diagnostik viel höher.

Das betont auch Hubert in seinem Beitrag, nachdem er mit Dr. Babette Renneberg, Professorin für Klinische Psychologie und Psychotherapie an der FU Berlin, darüber gesprochen hat: »Die Sicht der Betroffenen auf ihre Probleme sollte Richtschnur sein. Welche Verhaltensweisen hat ein Patient entwickelt? Woran scheitert eine Patientin im Alltag, wie stark leidet sie?«

Ein erstes Umdenken findet also gerade schon statt. Bis dieses dimensionale Denken im klinischen Alltag von Psycholog*innen, Ärzt*innen und Co. aber flächendeckend angewendet wird und auch auf uns als Gesellschaft übergeht, wird es laut Expert*innen aber sicher noch einige Jahre dauern.

Es lebe die **Kategorie!**

Jetzt habe ich gerade so schön erklärt, wieso es sich lohnt, Schubladen auszubauen, gleichzeitig spreche ich trotzdem von Kategorien wie *neurodivergent* oder definiere mich selbst als Person mit ADHS. Ein häufiger Kritikpunkt, der sich nicht nur auf Menschen mit ADHS oder Autismus bezieht, ist das »Labeling«, auf Deutsch: das »Etikettieren«. Gemeint ist damit, dass Menschen »dem Kind einen Namen geben« und sich durch bestimmte Begriffe etwas zuschreiben, wie eben »neurodivergent« oder »hochsensibel« zu sein. Am Labeling wird oft kritisiert, dass Menschen sich dadurch selbst in »Schubladen« stecken, Wörter für sich beanspruchen und so wieder ein »Wir-vs.-die-Gefühl« entsteht. Damit geht auch die Frage einher, wieso es überhaupt eine Begrifflichkeit für diese anders funktionierenden Hirne und ihre Menschen geben muss, wenn doch die ganze Zeit von Vielfalt die Rede ist: Können wir nicht einfach friedlich koexistieren und alle Etiketten und Bezeichnungen abschaffen? So schön diese Vorstellung von einer bunten Welt ist, in der man gleichzeitig »keine Farben« sieht – der Status quo sieht einfach anders aus.

Leider leben wir immer noch in einer Zeit, in der Vielfältigkeit nicht von jedem Menschen als natürlich oder normal angesehen und akzeptiert wird. Stattdessen werden die Unterschiede genutzt, um sich voneinander abzugrenzen und eine

Begründung zu haben, wieso der eine mehr Rechte und mehr Wert hat als der andere. Ein Begriff wie *neurodivergent* entsteht erst dadurch, dass beispielsweise Menschen mit Autismus oder ADHS immer wieder gesagt bekommen: »You can't sit with us« – du gehörst nicht zu uns. Und was passiert, wenn man sich nirgendwo zugehörig fühlt und an vielen Stellen abgewiesen wird? Man gründet zwangsläufig irgendwann seinen eigenen Club.

Das lässt sich übrigens auf viele andere marginalisierte Gruppen übertragen. Wie oft hört man Menschen sagen: »Wieso müssen wir denn jetzt die Welt in ›Schwarz‹ und ›*weiß*‹ einteilen?«, »Wieso hängen überall Regenbogenflaggen?«, »Wieso muss mein Kind bei der ›Sendung mit der Maus‹ etwas über trans*Menschen erfahren?« oder »Wieso moderiert hier eine Person mit Kopftuch?«.

Weil das nun mal die Realität ist und weil es nötig ist!, möchte ich diesen Leuten entgegenschreien. Diese Gruppen (die sich trotz ähnlicher Erfahrungen natürlich nicht als eine homogene Masse definieren lassen) sind Teil unserer Gesellschaft und erleben seit jeher Ausgrenzung, Anfeindungen und Schlimmeres. Deshalb sehe ich solche Labels sogar als zwingend notwendig an, da es sich um eine positive Selbstbezeichnung handelt. Es hat einfach niemand das Recht, von außen zu bestimmen, ob ein »Club« oder ein Safe Space, der durch Diskriminierungserfahrungen oder Ähnliches entstanden ist, existieren darf, welchen Regeln er folgt, wie er heißt oder wer dazugehören darf.

Diese Labels dienen außerdem dazu, dass bestimmte Menschen und der gesellschaftliche Umgang mit ihnen sichtbarer werden. Dass sie eine Stimme haben und diese einsetzen, um auch ein Stück vom Kuchen abzubekommen, das ihnen genauso wie allen anderen zusteht. Unterm Strich geht es nur darum, gerecht zu teilen: Und wenn vorher eine Gruppe alles hatte, fühlt sich Teilen halt manchmal so an, als würde man etwas verlieren. Aber nur, weil es vorher eben nicht gerecht verteilt war und sich etwas womöglich sogar durch gewaltsame Unterdrückung und systematische Stigmatisierung angeeignet wurde.

Ja, diese Umverteilung ist ein ziemlich zäher und nervenaufreibender Prozess – für uns alle. Aber man darf nicht vergessen, dass man so ja auch etwas dazugewinnt. Nämlich Gerechtigkeit und sichtbare Vielfalt. Und dass diese existiert und eingefordert werden darf, lässt sich nicht leugnen, egal, wie sehr man die Augen und Ohren davor verschließen mag.

Manchmal wird die Kritik an Labels subtiler und unbewusster geäußert: Ich selbst habe erlebt, dass ich jemandem von meiner ADHS erzählt habe (da war meine Diagnose noch ganz frisch) und die Person meinte dann zu mir: »Das ändert für mich nichts, du bist immer noch die Gleiche.« Was total bestärkend gemeint war, kam bei mir damals trotzdem nicht so an. Denn mir war es in dem Moment sehr wichtig, dieses Label zu nutzen und mich damit zu identifizieren. Und je mehr ich das tat, desto mehr Widerstand schien ich zu spüren. Einige Menschen hatten das Gefühl, dass ich mich plötzlich nur noch über meine ADHS definierte, in fast allem eine Verbindung dazu sah und dass ich das Ganze auf einmal viel stärker erlebte und auslebte.

Tatsächlich ist es gar nicht ungewöhnlich, dass neurodivergente Menschen nach ihrer Diagnose plötzlich »stärker sichtbare« ADHS-Symptome aufweisen oder »autistischer« erscheinen. Das führt manchmal dazu, dass ihnen vorgeworfen wird, dass sie ihre Symptome vortäuschen oder bewusst übertreiben. Natürlich gibt es Menschen, die Symptome, Schmerzen, ja sogar ganze Krankheiten erfinden, aber das kommt doch eher selten vor. Es gibt ganz logische Gründe, wieso gewisse Eigenschaften und Symptomatiken nach einer Diagnose stärker auftreten: Zum einen bekommen diagnostizierte Menschen ein viel besseres Verständnis für die eigenen Bedürfnisse und lernen, wie sie sich von nun an am besten selbst unterstützen können. Zusätzlich erlangen sie durch die Diagnose mehr Selbstsicherheit im Einsatz für sich selbst und für die Akzeptanz der ADHS. Außerdem können ein gesteigertes Verständnis im eigenen Umfeld und ein Zugang zu einer Community, in der es Menschen gibt, denen es ähnlich geht, dabei helfen, endlich die »Maske« fallen zu lassen. Eine negative Bewertung des neuen Verhaltens durch andere ist in diesem Prozess natürlich weder angebracht noch produktiv oder unterstützend. Meistens haben das vorherige Leben und Maskieren enorm viel Kraft gekostet, und das neue, befreiende Gefühl, endlich »man selbst zu sein«, sollte nicht durch ungefragte und übergriffige Äußerungen von Außenstehenden getrübt werden.

Die Autorin Ellen Jones, die sich selbst für mehr Awareness bezüglich Autismus und Neurodiversität einsetzt, sagt deshalb ganz klar: »You know nothing about them, so be quiet!« – auf Deutsch: Wer keine Ahnung hat, sollte einfach mal die Klappe halten! Denn nur weil zum Beispiel gewisse Symptome plötzlich stärker wahrgenommen werden, heißt es nicht, dass sie vorher nicht da gewesen sind. Als Außenstehende*r wird man vielleicht gerade Beobachter*in eines Prozesses, in dem Menschen realisieren, dass eben nichts »falsch« mit ihnen ist und dass es eine wissenschaftliche Erklärung für ihr »Anderssein« gibt. Ihnen zu gratulieren, dass sie endlich einen gesunden Weg für sich beschritten haben, um als sie selbst am

Leben teilzunehmen, wäre in meinen Augen die angebrachtere Verhaltensweise.

Die ersten Reaktionen meines Umfeldes waren vor allem darin begründet, dass sie nicht über den Wissensvorsprung verfügten, den ich hatte. Ich wusste einfach mehr über die Komplexität von ADHS als alle, die mich umgaben. Aber spätestens seitdem sie gemerkt haben, dass mich das Thema auch jetzt noch gleich intensiv, wenn nicht sogar noch stärker als je zuvor beschäftigt und ich über all diese Zusammenhänge und Facetten aufkläre, haben wir zum Glück alle mehr und mehr dazugelernt.

Wenn du ein Leben lang gesagt bekommst, dass nur du alleine dafür verantwortlich bist, ob die Dinge gut funktionieren oder nicht, ob du ein Mehrwert für die Gesellschaft bist oder nur ein Ärgernis, manifestiert sich so was in allem, was du denkst, tust und fühlst. Das kann deine ganze Persönlichkeit beeinflussen und sogar nachhaltig verändern. Dass die Ursache darin liegen könnte, dass dein Gehirn einfach anders tickt und dass das logischerweise permanent mit einer Welt kollidiert, die hauptsächlich für Menschen ohne ADHS ausgelegt ist und sich auch nur an deren Bedürfnissen orientiert, sagt einem ja niemand. Und selbst wenn man bereits im Kindes- oder Jugendalter eine Diagnose erhalten hat, bedeutet das weder, dass das Umfeld die Komplexität und Tragweite versteht, noch, dass darauf Rücksicht genommen wird. Für mich spielen bei diesen Missständen Unwissenheit und fehlende Handlungsempfehlungen für Außenstehende eine zentrale Rolle. Denn fehlendes Wissen bringt häufig auch einen Mangel an Empathie mit sich. Besonders, wenn man die Unterschiede nicht mit bloßem Auge erkennen kann.

Das führt dazu, dass auch Menschen mit Diagnose ständig

zu hören bekommen: »Reiß dich zusammen!« oder »Das kann jetzt aber nicht deine Ausrede für alles sein!«. Deshalb brauchen wir nicht nur dringend mehr Aufklärung und Forschung – es müssen sich langfristig auch grundlegende strukturelle Dinge verändern, die letztendlich für eine fairere, diversere und inklusivere Welt sorgen würden. Denn ja, wir ADHS*lerinnen & Co. können uns zwar einlesen, mehr über uns lernen, Therapien machen, Medikamente nehmen, uns coachen lassen und vieles mehr, aber es muss auch auf »der anderen Seite« nachhaltig etwas passieren. Denn zu einem besseren Miteinander gehören immer mindestens zwei. Schließlich sollen diese ganzen Lösungs- und Denkansätze nicht dazu führen, dass wir noch härter an uns arbeiten, um am Ende in eine Welt zu passen, die nicht für uns gemacht ist. Stattdessen wollen wir den Raum bekommen, der uns zusteht, um endlich wir selbst zu sein und diese Welt auch nach unseren Bedürfnissen mitzugestalten.

Diskriminierung in der **Medizin:** Was eine gute **Behandlung** so schwierig macht

Auch wenn wohl jede*r unterschreiben würde, dass jeder Mensch Zugang zu qualitativ hochwertigen Diagnosen und Behandlungen haben sollten, sieht die Realität leider anders aus. Besonders Menschen, die beispielsweise aufgrund ihrer ethnischen und/oder sozialen Herkunft, ihres Geschlechts, ihrer Sexualität oder ihres Körpers durch systemische Ungleichheiten diskriminiert werden, bekommen dies auch im gesundheitlichen Kontext zu spüren.

Ein 2022 erschienener Artikel des NDR beschäftigt sich

mit genau dieser unbewussten und bewussten Diskriminierung in der Medizin am Beispiel von Rassismus. So wird Schwarzen Menschen beispielsweise aufgrund ihrer Hautfarbe zugesprochen, dass sie Schmerzen besser aushalten könnten, und sie bekommen deshalb seltener Medikamente verschrieben. Menschen, die »südländisch« (was auch immer das heißen soll) gelesen werden, werden hingegen eine übertriebene Empfindlichkeit und ein überhöhter Ausdruck von Schmerzen zugeschrieben. Dieses rassistische Vorurteil hat sogar einen eigenen Namen: *Morbus mediterraneus*. Der NDR-Artikel erwähnt auch, dass ein nicht deutsch klingender Name zu vorurteilsbehafteten Rückschlüssen auf die Sprachkompetenz von Patient*innen führt, was dazu führen kann, dass Wartezeiten deutlich länger oder Untersuchungen deutlich kürzer und weniger gründlich ausfallen. Auch Lehrbücher beziehen sich weltweit häufig nur auf weiße Menschen, obwohl die meisten Menschen auf diesem Planeten keine weiße Haut haben. Das kann im schlimmsten Fall dazu führen, dass lebensbedrohliche Erkrankungen nicht oder zu spät erkannt werden. Auch trans*Menschen, behinderte Menschen oder Menschen, deren Körper nicht einer gesellschaftlichen »Norm« entspricht, erleben Benachteiligungen in der Medizin. Zum Beispiel wird dicken Menschen häufig pauschal unterstellt, dass sie immer auch ungesund seien, und jedes physische oder psychische Problem wird automatisch auf ihr Körpergewicht zurückgeführt. Das lässt sich aber so pauschal nicht sagen und ist in vielen Fällen nichts anderes als *Fat-Shaming*.

Solche Vorurteile und Stigmatisierungen, die sie darüber hinaus auch auf anderen Ebenen zu spüren bekommen, führen nicht zuletzt dazu, dass Menschen ein Misstrauen dem Gesundheitssystem gegenüber entwickeln. Ihre (teils traumatischen) Erlebnisse können dann letztendlich dafür sorgen, dass sie seltener medizinische Hilfe in Anspruch nehmen, was durch fehlende soziale und ökonomische Ressourcen noch verstärkt werden kann.

Und auch im Kontext psychischer Gesundheit spielt Marginalisierung eine bedeutende Rolle. Häufig fehlt es auch auf der Seite derer, die Diagnosen und anschließend Behandlungen durchführen, an ausreichender spezifischer Kompetenz. Dies, beispielsweise gepaart mit einer kulturellen oder religiösen Stigmatisierung psychischer Erkrankungen auf der Seite der Betroffenen, kann dafür sorgen, dass Menschen keine Behandlung aufsuchen oder in Anspruch nehmen können.

Es gibt auch einige Untersuchungen, die den Zusammenhang zwischen ethnischer Herkunft und einer fehlenden ADHS-Diagnose belegen. Zwei Studien aus den USA von 2012 beziehungsweise 2016 zeigten beispielsweise auf, dass Kinder aus ethnischen Minderheiten im frühen und mittleren Kindesalter viel seltener eine ADHS-Diagnose erhalten als gleichaltrige weiße Kinder. Aufgrund der fehlenden Diagnose und der mangelnden Behandlung bekamen sie auch viel seltener Medikamente verabreicht.

Zu den oben genannten Gründen für solche Lücken in der medizinischen Versorgung gesellt sich noch ein weiterer dazu: Während es weißen Menschen schon unglaublich schwerfallen kann zu verstehen, dass ihre Probleme nicht selbst verschuldet sind, sondern eine neurologische Ursache haben, kann es beispielsweise BIPoCs (Black, Indigenous, and People of Color) noch einmal deutlich schwerer fallen, diese Ebenen voneinander zu trennen. Denn nicht selten führt die Mehrheitsgesellschaft ihr Verhalten, ihr Handeln und ihre Leistungen (zum Beispiel ob sie einen Job bekommen oder nicht) auf ihre ethnischen Wurzeln zurück. Was, um es noch mal in aller Deutlichkeit zu betonen, absolut rassistisch ist. Oder eben, wenn sie schnell und laut reden, impulsiv handeln, empfindlich auf Kritik reagieren, die Klausur verhauen oder was auch immer, finden andere Menschen (und durch internalisierte Vorurteile vielleicht auch sie selbst) immer eine Begründung in phänotypischen oder kulturellen Ursachen, obwohl dem Verhalten möglicherweise zum Beispiel eigentlich eine ADHS zugrunde liegt. Aber selbst wenn schon ein solcher Verdacht im Raum steht, kann der Umgang damit schwerfallen. Denn das Leben der meisten BIPoCs ist geprägt von unzähligen Diskriminierungserfahrungen in der Schule, in Behörden, im Krankenhaus, bei der Wohnungssuche, auf dem Arbeitsmarkt, im Privatleben – wieso sollte man sich, dem eigenen Kind, der Familie also zusätzlich auch noch ein vermeintliches ADHS-Stigma aufbürden?

Deshalb ist es so unglaublich wichtig, dass wir zukünftig sensiblere und spezifischere Ansätze erarbeiten und diese Faktoren immer mit auf dem Schirm haben, egal ob als Mensch aus dem Gesundheitswesen, als Gesamtgesellschaft oder als Autorin eines Buches.

10 Und jetzt? – Ein Ausblick

Ich möchte dieses letzte Kapitel auch dafür nutzen, um über meine eigenen Privilegien zu sprechen. Mir ist bewusst, dass die Liebe und Anerkennung, die mich stets umgeben haben und die mir allen voran meine Mutter geschenkt hat, dafür gesorgt haben, dass ich mich so entwickeln konnte, wie ich mich entwickelt habe. Dass ich den Zugang zu Bildung und anderen Ressourcen hatte, die es mir leichter gemacht haben, heute da zu stehen, wo ich stehe. Mir ist bewusst, dass ADHS meist durch eine weiße, eurozentristische Brille gesehen wird und ich mir deshalb meinen Platz, gehört zu werden, nicht so sehr erkämpfen musste wie andere. Mir ist bewusst, dass nicht jeder Mensch zu seiner Arbeitsstelle gehen und sagen kann: »Hey, Leute, wisst ihr was? Ich habe ADHS!« – und die Chef*innen und Kolleg*innen einfach cool damit sind. Genauso wie nicht jede*r fragen kann: »Wäre es okay, wenn ich dazu eine ganze Themenwoche mache und es direkt 200.000 Menschen auf einmal erzähle?«

Es gibt Menschen, die sich nicht trauen, auf beruflicher Ebene darüber zu sprechen, wenn es ihnen mental nicht gut geht, weil es keine Strukturen für solche Themen gibt. Es gibt Menschen, die Angst haben, ihren Job zu verlieren oder einen Job gar nicht erst zu bekommen, wenn sie eine Diagnose erhalten. Ich erhalte immer wieder Nachrichten von Follower*innen, die sich nicht diagnostizieren lassen, weil sie zum Beispiel fürchten, dass sie dann nicht mehr als Lehrkraft verbeamtet werden. Die Medikamente, die ihnen helfen würden, nicht nehmen, weil sie die Sorge haben, den Führerschein zu verlieren. Menschen, die familiär oder kulturell bedingt nicht mal ihren engsten Verwandten sagen können, dass sie ein Burnout, Endometriose, eine Schwangerschaftsdepression oder ADHS haben, weil dort allerhöchstens ein Beinbruch oder ein Herzinfarkt als Krankheitsgrund zählt, während mental nicht gesund zu sein mit persönlicher Schwäche gleichgesetzt wird. Menschen, die Traumatisches erlebt haben, denen ein Leben lang schon ihre Gefühle abgesprochen wurden, die nicht die nötigen Ressourcen haben, sich um Unterstützung zu kümmern, weil es ihnen an Geld, Zeit und Kraft fehlt. Weil sie drei Jobs haben, weil sie alleinerziehend sind, weil sie ein Familienmitglied pflegen. Menschen, die regelmäßig Diskriminierung durch unser Gesundheitssystem erfahren, weil sie Persons of Colour sind, weil sie eine Behinderung haben, weil sie nicht gängigen Körperidealen entsprechen, weil sie kulturelle oder religiöse Kopfbedeckungen tragen, weil Deutsch hörbar nicht ihre Muttersprache ist, weil ihre sexuelle Orientierung oder ihre Geschlechtsidentität abseits des Heteronormativen liegt, weil sie noch sehr jung oder schon sehr alt sind ... und so vieles mehr.

All denjenigen muss der Zugang zu echter Hilfe erleichtert werden, und das funktioniert nur, indem wir Hürden abbauen und Diskriminierung aufgrund von Diagnosen, Erkrankungen, Behinderung und Co. nicht mehr dulden und ahnden. Es kann nicht sein, dass Menschen mit sich ringen, ob sie zum Arzt gehen, eine Therapie machen oder einen Behindertengrad beantragen sollen, weil sie Angst haben, dass sie »noch nicht krank oder behindert genug sind« oder »jemandem den Platz wegnehmen«.

Ich möchte dieses letzte Kapitel auch dafür nutzen, besonders den Menschen etwas mitzugeben, die selbst ADHS haben oder es vermuten. Ich habe ja schon ein paarmal betont, dass ADHS eine absolut individuelle Sache ist. Es gibt keine zwei Menschen mit »derselben« ADHS. Und genauso sieht es auch im Umgang damit aus: Was für die eine Person funktioniert, muss noch lange nicht für die andere funktionieren. Es gibt keine Universallösungen. Man muss sich wirklich durchprobieren.

Manche Menschen machen einfach so weiter wie bisher. Andere suchen sich neue Strategien für einzelne Dinge, mit denen sie vielleicht Probleme haben, und wieder andere krempeln einmal ihr komplettes Leben um. Das Zauberwort, und hier wird es noch mal kurz wissenschaftlich, heißt **Neuroplastizität**. Auch wenn bestimmte Dinge festgelegt sind, ist und bleibt unser Gehirn in bestimmten Bereichen stets formbar. Dieser Neuroplastizität verdanken wir unter anderem unsere Fähigkeit zu lernen – und zwar ein Leben lang. Und genauso, wie wir aus negativen Erfahrungen gelernt haben und sich unser Hirn dadurch in seiner Feinstruktur verändert hat, können wir Dinge auch wieder verlernen oder Neues dazulernen.

Ich finde diese Vorstellung wirklich magisch, und sie steckt für mich bis zum Rand voll mit Hoffnung. Denn sie bedeutet, dass nichts in Stein gemeißelt sein muss, auch wenn

Veränderung natürlich mit sehr viel Anstrengung verbunden sein kann. Wenn ihr also das Bedürfnis habt, etwas zu verändern oder neu für euch zu bewerten, damit es euch ganz persönlich besser geht, dann ist das immer möglich. Und ihr solltet dabei nie vergessen: In jedem*jeder von euch steckt ein*e Expert*in. Niemand kennt euch besser als ihr selbst, und kein*e Ärzt*in, kein*e Therapeut*in und kein Coach der Welt könnte euch ohne euer Zutun weiterhelfen.

Und eine weitere Sache steckt für mich voller Hoffnung: Wir können uns als Community auch gegenseitig helfen. Das zeigt mir nicht nur meine tägliche Arbeit auf *@kirmesimkopf*. Deshalb möchte ich auch in Zukunft, gemeinsam mit all denen, die mitwirken wollen, eine Plattform schaffen, die für eine flächendeckende Aufklärung sorgt, ein Netzwerk, das sich gegenseitig unterstützt und empowert. Ich möchte im Austausch mit der Community und mit Leuten vom Fach Hilfsangebote schaffen. Ich möchte Lehrkräfte und Sozialarbeiter*innen inspirieren und das Schulsystem gerechter machen und Unternehmen für eine Arbeitswelt sensibilisieren, in der mentale Gesundheit einen höheren Stellenwert bekommt. Ich möchte über hilfreiche Dinge wie Apps, Tools und Gadgets nachdenken, die im Alltag helfen und die genau an die Bedürfnisse neurodivergenter Menschen angepasst sind. Und ich möchte natürlich auch weiterhin meine Geschichte erzählen.

Ich glaube fest daran, dass wir alle gemeinsam etwas verändern können und sich das Stigma, das ADHS heute vielleicht noch bedeutet, mehr und mehr abbauen lässt, während die Hilfsangebote gleichzeitig immer mehr zunehmen. Und vielleicht kommen wir irgendwann an den Punkt, dass medizinische Hilfe bei ADHS gar nicht mehr so häufig in Anspruch genommen werden muss wie zurzeit. Einfach weil wir verstanden haben, dass Gehirne nun mal so vielfältig sein können wie der Mensch selbst.

Dies sind die letzten Zeilen dieses Buches, und ich schiebe sie schon eine Weile vor mir her, weil ich nicht genau weiß, wie ich »das Ding zumachen soll«. Ich könnte noch so vieles schreiben und würde doch kein Ende finden. Ständig fallen mir noch lauter Sachen ein, die ich für wichtig halte, Anekdoten, die abstrakte Begriffe noch besser verdeutlichen, neue wissenschaftliche Erkenntnisse, die unbedingt noch mit hineinmüssen. Das sorgt für einen regelrechten Druck, weil ich das Bedürfnis habe, alles abzudecken, falls es für den Menschen, der es liest, vielleicht noch wichtig sein könnte.

Dann muss ich mir immer wieder vor Augen halten, warum ich dieses Buch noch mal schreibe: weil es nicht einmal im Ansatz genug Aufklärung gibt. Weil das hier gerade erst der Anfang ist. Denn nicht nur ich, sondern diese ganze Welt weiß noch lange nicht alles, was man über ADHS wissen kann. Wenn selbst die Forschung noch in den Kinderschuhen steckt, wie soll ich dann ein allumfassendes Werk schaffen, das alle Fakten beinhaltet und jeden Zusammenhang erklärt? Es hat schon einige wichtige Bücher über ADHS gegeben, deren Inhalt mittlerweile veraltet ist. Auch mein Buch wird vielleicht eines Tages nicht mehr aktuell genug sein, und wisst ihr was? Das ist etwas verdammt Gutes! Denn das bedeutet, dass wir weitergekommen sind, dass wir endlich mehr wissen. Wenn wir meine persönlichen Erfahrungen nicht mehr brauchen, um die Komplexität und Dimensionen von ADHS zu verstehen, bedeutet das, dass die Aufklärung ein ganzes Stück vorangetrieben wurde und es mehr Akzeptanz und mehr Hilfe gibt. Wenn dieses Buch komplett überflüssig geworden ist, dann ist alles nach Plan verlaufen. Dann weiß ich, dass meine Arbeit getan ist.

Ich möchte mich **bedanken …**

… bei meinen einzigartigen Eltern, die mich immer bedingungslos geliebt haben und bei denen ich immer genug Raum hatte, so zu sein, wie ich bin, auch wenn es sie manche Nerven gekostet hat. Die mir vertraut haben und immer wussten, dass ich meinen Weg gehen werde, allen Widrigkeiten zum Trotz. Die mich zu dem Menschen geformt haben, der ich heute bin. Ganz besonders meine Mama, in der ich mich, je älter ich werde, immer mehr wiedererkenne. Gleiches gilt für meinen geliebten Bruder, mit dem ich mich so sehr verbunden fühle und der mich immer versteht. Dank gilt auch meiner restlichen Familie, ganz speziell meinen Großeltern mütterlicherseits, auf die ich mich in jedem Moment verlassen konnte und von denen ich so vieles gelernt habe. Ich weiß, ihr wärt so stolz auf mich. Ich möchte mich bedanken bei meinen wunderbaren Freundinnen Jessi, Dilara, Kathrin, Mareike, Mila, Larissa und Stella, die keine Sekunde gezweifelt haben und deren Freundschaft ich mir immer sicher sein kann.

Ganz besonderer Dank gilt meinem Partner in Crime, Hassan, der seit über 13 Jahren an meiner Seite ist und all die Hochs und Tiefs mit mir durchlebt hat. Der in unzähligen Momenten eine so große Unterstützung war und ist und nie von meiner Seite gewichen ist. Und natürlich auch seiner Familie, die mich stets mit offenen Armen willkommen heißt. Nicht zu vergessen unser Hund Chapo, der 2019 in unser Leben getreten ist und seitdem dafür sorgt, dass ich meine langen Schreibtisch-Sessions auch mal unterbreche, um etwas Frischluft zu schnuppern. Der mich auf Trab hält und wieder erdet, wenn die Tage mal hektischer oder dunkler sind.

Ein dickes Dankeschön an meine ehemalige Chefin Verena Lammert, ohne die ich nicht da wäre, wo ich heute bin. Meine *Mädelsabende*-Kolleg*innen, aus denen Freund*innen wurden: Clare Devlin, die sich immer wieder Zeit für mich nimmt, um meine Gedanken zu ordnen, und bei allen Business-Fragen ein offenes Ohr hat. Marlon Schulte und Farah Schäfer, mit denen mich durch die gemeinsame Zeit vor und hinter der Kamera ebenfalls viel verbindet. Und natürlich Pegah Tajalli, die immer, wenn ich mit meinem Latein am Ende war, noch eine Lösung aus dem Hut gezaubert hat. Meine anderen WDR-Kolleginnen Lisa Altmaier, Marie Hanrath, Nadia Aboulwafi, Céline Sonnenberg, Christina Calaminus, Alexa Ramthun und Bojana Beste, die maßgeblich daran beteiligt waren, dass das Thema ADHS Platz in der Öffentlichkeit bekommt, und natürlich auch Dank an das restliche *Mädelsabende*-Team, funk und den WDR. Meine Autorinnen-Kolleginnen Ronja Ebeling, Mona Ameziane und Lisa Ortgies, die ich jederzeit mit meinen Fragen rund um das Buch und alles andere löchern durfte.

Bei Jürgen Domian und Carina, die durch einen Zufall (oder war es Schicksal?) dafür gesorgt haben, dass ich überhaupt auf das Thema aufmerksam wurde und mich weiter damit auseinandergesetzt habe. Bei Frau S., Frau. B., Frau K. und ganz besonders bei meiner Therapeutin Frau F., die mir vor, während und nach der Diagnose mit ihren Fachkenntnissen zur Seite standen beziehungsweise stehen. Bei Leon Windscheid, der mir als einer der Ersten die Möglichkeit gab, ausführlich über meine Diagnose und meinen Umgang damit zu sprechen, in einer Podcastfolge, die bis heute noch so viele bewegt, nicht zuletzt dazu, sich diagnostizieren zu lassen.

Danke auch an den gesamten KiWi-Verlag, der schon so früh gesehen hat, welches Potenzial in diesem Buchprojekt steckt, und mich in alle Entscheidungen miteinbezogen hat. Ganz besonderer Dank gilt hier vor allem meiner wundervollen Lektorin Ilene Houben, ohne die es dieses Buch nicht geben würde. Nicht nur weil sie damals die Erste war, die auf mich aufmerksam geworden ist, sondern auch weil sie während der gesamten Zusammenarbeit so unglaublich intuitiv auf meine Bedürfnisse eingegangen ist. Sie hat meinen Gedanken und Gefühlen den nötigen Raum gegeben und mir als Verlagsneuling alles bis ins kleinste Detail erklärt, manchmal auch zweimal. Und ein dickes Dankeschön an Nadja, Mara und David.

Dank geht auch raus an meine ADHS-Buddys, von denen ich viele erst durch Instagram kennengelernt habe und mit denen mich so viel verbindet: Melina, Karina, Julia, Lukas, Kim, Sara, Laura, Lotti, Silvi, Jess, Senami, Alina, Hannah, Carina, Gea, Jenny, Antonio, Vivian, Caro, Jessi, Alex, Alisha, Philine, Judith, Fanny und Lisa. Und auch ein Danke an all die, die ich hier nicht namentlich nennen kann, weil sie ihre Diagnose (noch) nicht öffentlich gemacht haben, aber sich mir anvertraut haben.

Ich sehe euch <3

Ganz besonderer Dank gebührt der phänomenalen @*kirmesimkopf*-Community, die täglich weiter wächst und der ich nicht nur vieles nahebringen darf, sondern durch die ich auch so unglaublich viel dazulerne. Ihr seid der absolute Wahnsinn und einer der Gründe, warum ich das alles mache!

Und zu guter Letzt danke ich meinem wundervollen Gehirn. Das sich trotz aller Versuche nie hat zügeln lassen und mir jeden Tag aufs Neue zeigt, wie einzigartig es ist. Thanks, brain!

Tolle **Instagram-Accounts** über ADHS, mentale Gesundheit und mehr

@kirmesimkopf
kirmesimkopf.de

Mental-Health-Aktivist*innen mit ADHS:
@the.unnormal.brain
@guardianofmind
@lunarjess
@radicalsoftness__
@kim____hoss
@quintohumans
@natalie.irber
@allesvonlotti
@kunterbuntsein
@schoenwild
@silvicarlsson
@sen_vi
@kathryn.rohweder
@goldorangen
@nessadhs
@_chocosecret_
@dariadaria
@chaarlottchen
@sookee_quing
@juliaknoernschild

Englischsprachige Accounts:
@adhd_alien
@adhd_empowerment_coaching
@danidonovan
@howtoadhd
@iampayingattention
@mollys_adhd_mayhem
@dt.perry
@savetimeshan
@cartoonreject_
@mindfully_adhd
@adhddoers
@the_mini_adhd_coach

Neurodivergente Familie:
@polyestzerbindung
@autism_adhd_cluster
@darshanawhynot
@anne_dittmann
@mareicares
@heikegerkrath
@sohra.beh
@vivre.leclaire
@mamamulle
@fraeuleinchaos
@alisha.und.die.wutknubbel

Inklusion & Antidiskriminierung:
@amelieebner
@luisalaudance
@fraugelhaar
@ninialagrande
@wayofkatrin
@dramapproved
@notjustdown

Expert*innen für unsere (psychische) Gesundheit:

@diepsychotherapeutin
@psychologin_nesibe
@freudmich
@franca_cerutti_psychologie
@la_psychologista
@psycho.logisch.hilal
@psychologin_urooba
@shitsowberlin
@miriam_junge
@psych_ergotherapie
@systemischegesundheit
@psychotherapie.essstoerungen
@ernaehrungsrevolution
@erklaerungsnot
@stark_gegen_depression
@freundefuerslebenev
@depridisco

Bildung:

@liniert.kariert
@learnlearning.withcaroline
@marapairan
@avalino.diversity

Entschleunigung & Achtsamkeit:

@wearedaya
@lisasophielaurent
@vanillamindde
@einguterplan
@mind.corner
@allesinordnungmitadhs

Beziehung & Sex:

@piakabitzsch
@psychologin.nele
@lustfaktor
@sexologisch
@docintro
@helen_hagemeier

Meine liebsten öffentlich-rechtlichen Formate:

@glanzundnatur
@maedelsabende
@aufklo
@brustraus
@diefrage_offiziell
@erklaermirmal
@hand.drauf
@willkommenimclub
@eltern.ohne.filter
@saymyname_bpb
@21gramm.wdr
@strg_f
@news_wg
@deutschland3000
@reporter.offiziell
@pulsreportage

Quellenverzeichnis

Die Quellenangaben sind kapitelweise geordnet in der Reihenfolge ihres Erscheinens innerhalb des Texts. Sofern nicht anders angegeben, wurden alle Links zuletzt am 3. Oktober 2022 abgerufen und geprüft. Sofern nicht anders angeführt, handelt es sich um eigene Übersetzungen der Autorin.

Kapitel 1

Bundesgesundheitsministerium: *Therapien zur »Heilung« von Homosexualität sollen verboten werden*, https://www.bundesgesundheitsministerium.de/konversionstherapienverbot.html.

Bundesgesundheitsministerium: *Aufmerksamkeitsdefizitsyndrom*, https://www.bundesgesundheitsministerium.de/themen/praevention/kindergesundheit/aufmerksamkeitsdefizitsyndrom.html.

Kapitel 2

Wikipedia: Eintrag *Struwwelpeter*, https://de.wikipedia.org/wiki/Struwwelpeter.

Still, G. (2006): *Some Abnormal Psychical Conditions in Children*, in: Journal of Attention Disorders, SAGE Publications, Bd. 10, Nr. 2, S. 126–136, doi:10.1177/1087054706288114.

Lange, K. et al. (2010): *The history of attention deficit hyperactivity disorder*, in: ADHD Attention Deficit and Hyperactivity Disorders, Springer Science and Business Media LLC, Bd. 2, Nr. 4, S. 241–255, doi:10.1007/s12402-010-0045-8.

Panizzon, L. (1946): *La preparazione di piridil- e piperidil-arilacetonitrili e di alcuni prodotti di transformazione (Parte IIa)*, in: Helvetica Chimica Acta, Wiley, Bd. 29, Nr. 2, S. 324–328, doi:10.1002/hlca.19460290205.

American Psychiatric Association (1968): *Diagnostic and statistical manual of mental disorders (2nd Edition)* (DSM-II), 2. Aufl., Washington D.C., https://www.madinamerica.com/wp-content/uploads/2015/08/DSM-II.pdf.

TIME Magazine Cover (1994): *Attention Deficit Disorder*, http://content.time.com/time/covers/0,16641,19940718,00.html.

Arbeitsgemeinschaft der Wissenschaftlichen Medizinischen Fachgesellschaften (AWMF) (2017): *Langfassung der (S3) Leitlinie »ADHS bei Kindern, Jugendlichen und Erwachsenen«*, https://www.awmf.org/awmf-online-das-portal-der-wissenschaftlichen-medizin/awmf-aktuell.html, https://www.awmf.org/uploads/tx_szleitlinien/028-045l_S3_ADHS_2018-06.pdf.

Hartmann, T. (1997): *Attention Deficit Disorder: A Different Perception*, 2. Aufl., Underwood Books.

Wildermuth, V. (2018): *Von Jägern zu Ackerbauern – Als die Freiheit der Menschheit endete*, https://www.deutschlandfunkkultur.de/von-jaegern-zu-ackerbauern-als-die-freiheit-der-menschheit-100.html.

Stiftung Gesundheitswissen: *Was ist das biopsychosoziale Modell?*, https://www.stiftung-gesundheitswissen.de/mediathek/videos/kompetenz-gesundheit/was-ist-das-biopsychosoziale-modell.

Staiger, J. (2018): *Neurotransmitter – Botenmoleküle im Gehirn*, https://www.dasgehirn.info/grundlagen/kommunikation-der-zellen/neurotransmitter-botenmolekuele-im-gehirn.

Silver, L. (2022): *ADHD Neuroscience 101*, https://www.additudemag.com/adhd-neuroscience-101/.

DocCheck Flexikon (2009): *Stimulation*, https://flexikon.doccheck.com/de/Stimulation.

Armstrong, T. (2011): *The Power of Neurodiversity: Unleashing the Advantages of Your Differently Wired Brain*, Da Capo Lifelong Books.

Lieberman, D./Long, M. (2018): *Ein Hormon regiert die Welt: Wie Dopamin unser Verhalten steuert – und das Schicksal der Menschheit bestimmt*, Riva.

DeWitt, R. (2020): *ADHD, Willpower, and Interest: A Positive Approach*, Master of Applied Positive Psychology (MAPP) Capstone Projects 186, University of Pennsylvania.

Hoogman, M. et al. (2017): *Subcortical brain volume differences in participants with attention deficit hyperactivity disorder in children and adults: a cross-sectional mega-analysis*, in: The Lancet Psychiatry, Bd. 4, Nr. 4, S. 310–319, doi:10.1016/s2215-0366(17)30049-4.

Villines, Z. (2022): *What does the frontal lobe do?*, https://www.medicalnewstoday.com/articles/318139.

Science Daily (2017): *Brain differences in ADHD*, https://www.sciencedaily.com/releases/2017/02/170216105919.htm.

Dokumentationsreihe *Geschichtshappen*, Folge: Genetik (2020), Netflix.

Faraone, S. / Larsson, H. (2019): *Genetics of attention deficit hyperactivity disorder*, in: Molecular Psychiatry, Springer Science and Business Media LLC, Bd. 24, Nr. 4, S. 562–575, doi:10.1038/s41380-018-0070-0.

Schlack, R. et al. (2007): *Die Prävalenz der Aufmerksamkeitsdefizit- / Hyperaktivitätsstörung (ADHS) bei Kindern und Jugendlichen in Deutschland*, SpringerLink, https://doi.org/10.1007/s00103-007-0246-2.

Larsson, H. et al. (2014): *The heritability of clinically diagnosed attention deficit hyperactivity disorder across the lifespan*, in: Psychological Medicine, Cambridge University Press (CUP), Bd. 44, Nr. 10, S. 2223–2229, doi:10.1017/s0033291713002493.

Chen, W. et al. (2008): *DSM-IV combined type ADHD shows familial association with sibling trait scores: A sampling strategy for QTL linkage*, in: American Journal of Medical Genetics Part B: Neuropsychiatric Genetics, Bd. 147B, Nr. 8, S. 1450–1460, doi:10.1002/ajmg.b.30672.

Buitelaar, N. et al. (2016): *ADHD in Childhood and / or Adulthood as a Risk Factor for Domestic Violence or Intimate Partner Violence: A Systematic Review*, in: Journal of Attention Disorders, SAGE Publications, Bd. 24, Nr. 9, S. 1203–1214, doi:10.1177/ 1087054715587099.

Musser, E. et al. (2016): *Attention-deficit / hyperactivity disorder developmental trajectories related to parental expressed emotion*, in: Journal of Abnormal Psychology, American Psychological Association (APA), Bd. 125, Nr. 2, S. 182–195, doi:10.1037/abn0000097.

Jellinek, M. (2010): *Don't let ADHD crush children's self-esteem*, https://www.mdedge.com/psychiatry/article/23971/pediatrics/dont-let-adhd-crush-childrens-self-esteem.

Lawrence, D. et al. (2015): *The Mental Health of Children and Adolescents: Report on the Second Australian Child and Adolescent Survey of Mental Health and Wellbeing*, Australian Department of Health/Telethon Institute for Child Health Research, https://research-repository.uwa.edu.au/en/publications/the-mental-health-of-children-and-adolescents-report-on-the-secon.

Faraone, S. et. al. (2015): *Attention-deficit/hyperactivity disorder*, in: Nature Reviews Disease Primers, Springer Science and Business Media LLC, Bd. 1, Nr. 1, doi:10.1038/nrdp.2015.20.

American Psychiatric Association (2013): *Diagnostic and Statistical Manual of Mental Disorders DSM-5*, American Psychiatric Association Publishing.

Hausotter, W. (2011): *Begutachtung der Aufmerksamkeitsdefizit-/Hyperaktivitätsstörung bei Erwachsenen*, in: Der Nervenarzt, Springer Science and Business Media LLC, Bd. 83, Nr. 5, S. 618–629, doi:10.1007/s00115-010-3201-7.

Sulkes, S. (2020): *Aufmerksamkeitsstörung und Hyperaktivität* (ADD, ADHD), in: MSD Manual Profi-Ausgabe, https://www.msdmanuals.com/de-de/profi/p%C3%A4diatrie/lern-und-entwicklungsst%C3%B6rungen/aufmerksamkeitsst%C3%B6rung-und-hyperaktivit%C3%A4t-add-adhd.

Scharnholz, B. et al. (2011): *Aufmerksamkeitsdefizit-/Hyperaktivitätsstörung (ADHS) im Erwachsenenalter: Aktuelles zur Psychotherapie*, in: PiD – Psychotherapie im Dialog, Georg Thieme Verlag KG, Bd. 12, Nr. 03, S. 193–198, doi:10.1055/s-0031-1276873.

Swanson, J. et al. (2001): *Clinical Relevance of the Primary Findings of the MTA: Success Rates Based on Severity of ADHD and ODD Symptoms at the End of Treatment*, in: Journal of the American Academy of Child & Adolescent Psychiatry, Bd. 40, Nr. 2, S. 168–179, doi:10.1097/00004583-200102000-00011.

Sibley, M. et al. (2022): *Variable Patterns of Remission From ADHD in the Multimodal Treatment Study of ADHD*, in: American Journal of Psychiatry, American Psychiatric Association Publishing, Bd. 179, Nr. 2, S. 142–151, doi:10.1176/appi.ajp.2021.21010032.

Rösler, M. et al. (2008): *ADHS-Diagnose bei Erwachsenen*, in: Der Nervenarzt, Springer Science and Business Media LLC, Bd. 79, Nr. 3, S. 320–327, doi:10.1007/s00115-007-2375-0.

Shaw, P. et al. (2016): *Emotion dysregulation in attention deficit hyperactivity disorder*, in: FOCUS. Psychiatry Online, Bd. 14, Nr. 1, S. 127–144, https://focus.psychiatryonline.org/doi/10.1176/appi.focus.140102.

Leibenluft, E. / Stoddard, J. (2013): *The developmental psychopathology of irritability*, in: Development and Psychopathology, Cambridge University Press (CUP), Bd. 25, Nr. 4pt2, S. 1473–1487, doi:10.1017/s0954579413000722.

Lohaus, A. (2018): *Heterotypische Kontinuität*, in: Lehrbuch Psychologie, Entwicklungspsychologie des Jugendalters, https://lehrbuch-psychologie.springer.com/glossar/heterotypische-kontinuität.

Hogrefe Verlag (2016): *Klassifikationssysteme DSM und ICD*, https://www.hogrefe.com/de/thema/dsm-und-icd.

Kapitel 3

e-teaching.org: Eintrag EXE, https://www.e-teaching.org/materialien/glossar/exe.

Vohs, K. / Baumeister, R. (2017): *Handbook of Self-Regulation, Third Edition: Research, Theory, and Applications*, Guilford Publications.

Brown, T. (2017): *Outside the box: rethinking ADD / ADHD in children and adults: a practical guide*, American Psychiatric Pub.

Shaw, P. et al. (2014): *Emotion dysregulation in attention deficit hyperactivity disorder*, in: The American Journal of Psychiology, Bd. 171, Nr. 3, S. 276–293, https://ajp.psychiatryonline.org/doi/full/10.1176/appi.ajp.2013.13070966.

Steer, J. / Bilbow, A. (2021): *Understanding ADHD in Girls and Women*, Jessica Kingsley Publishers.

Kapitel 4

Westfälische Prokrastinationsambulanz Wilhelms-Universität Münster: *Testen Sie Ihr Aufschiebeverhalten*, https://www.uni-muenster.de/Prokrastinationsambulanz/Angebote_Test.html.

Harvey, A. (2022): *Invisible-illness: ADHD Paralysis is Frustratingly Real. Here's How to Fix it.*, https://medium.com/invisible-illness/adhd-paralysis-is-frustratingly-real-heres-how-to-fix-it-20c630e07c4c.

Di Lernia, D. et al. (2018): *Feel the Time. Time Perception as a Function of Interoceptive Processing*, in: Frontiers in Human Neuroscience, Frontiers Media SA, Bd. 12, doi:10.3389/fnhum.2018.00074.

Maté, G. (1999): *Scattered: How attention deficit disorder originates and what you can do about it*, Penguin.

Nazari, M. et al. (2016): *Emotional stimuli facilitate time perception in children with attention-deficit / hyperactivity disorder*, in: Journal of Neuropsychology, Wiley, Bd. 12, Nr. 2, S. 165–175, doi:10.1111/jnp.12111.

Raypole, C. (2021): *Has Anyone Ever Said You Talk ›Too Much‹? It May Just Be Your Personality*, https://www.healthline.com/health/talking-too-much#is-it-really-too-much.

Lexikon der Psychologie: *Objektpermanenz*, https://www.spektrum.de/lexikon/psychologie/objektpermanenz/10772.

Lexikon der Psychologie: *Objektkonstanz*, https://www.spektrum.de/lexikon/psychologie/objektkonstanz/10769.

Ladak, Ameera (2022): Object Permanence: *Why ADHD Makes Me ›Forget‹ My Friends*, https://themighty.com/topic/adhd/adhd-forget-friends-love-me-object-permanence/.

Kapitel 5

Bachmann, M. (2004): AD(H)S *und/oder Hochbegabung?*, https://praxis-drbachmann.de/media/Bachmann_adhs_hochbegabung_06.pdf.

Bleckmann, W. et al. (2022): *Wartezeiten für Psychotherapieplätze sind weit höher als von Krankenkassen angegeben*, https://www.rbb24.de/panorama/beitrag/2022/05/wartezeiten-psychotherapie-laenger-als-angaben-krankenkassen.html.

Weskott, B. (2021): *Streit um Kassensitze – Ärger für angehende Psychotherapeuten*, https://www.deutschlandfunkkultur.de/streit-um-kassensitze-aerger-fuer-angehende-100.html.

Ratgeber ADHS-Anzeichen, https://www.adhs-ratgeber.com/25-hinweise-auf-adhs.html.

Oppenheim, M. (2022): *Hundreds of thousands more women tested for ADHD last year*, https://www.independent.co.uk/news/uk/home-news/adhd-women-gender-differences-b1993364.html.

Robert-Koch-Institut (2020): *Situationsbericht des Robert-Koch-Instituts vom 26. 5. 2020 zu COVID-19*, https://www.rki.de/DE/Content/InfAZ/N/Neuartiges_Coronavirus/Situationsberichte/2020-05-26-de.pdf?__blob=publicationFile.

Kapitel 6

Wikipedia: Eintrag *Gelassenheitsgebet*, https://de.wikipedia.org/wiki/Gelassenheitsgebet.

Simple Practice (2022): *Top 10 Mental Health CPT® Codes Billed in 2021*, https://www.simplepractice.com/blog/top-billed-cpt-codes/.

Apotheken-Umschau (2021): *IBUPROFEN AL 400 Filmtabletten – Beipackzettel*, https://www.apotheken-umschau.de/medikamente/beipackzettel/ibuprofen-al-400-filmtabletten-3530945.html.

Quinn, P./Madhoo, M. (2014): *A Review of Attention-Deficit/Hyperactivity Disorder in Women and Girls*, in: The Primary Care Companion for CNS Disorders, Physicians Postgraduate Press, Inc, doi:10.4088/pcc.13r01596.

Tertilt, Mathias (2022): *Warum Frauen medizinisch benachteiligt sind*, https://www.quarks.de/gesundheit/medizin/warum-frauen-medizinisch-benachteiligt-sind/.

Kapitel 7

Sciberras, E. et al. (2020): *Social and Economic Costs of Attention-Deficit/Hyperactivity Disorder Across the Lifespan*, in: Journal of Attention Disorders, SAGE Publications, Bd. 26, Nr. 1, S. 72–87, doi:10.1177/1087054720961828.

Wegener, W. (o. D.): *Jährliche Kosten für ADHS von 35,2 Milliarden Euro in Deutschland – Ein ADHS kostet 13 253 Euro pro Lebensjahr*, https://www.fachinfo-autismus.de/jaehrliche-kosten-fuer-adhs-von-352-milliarden-euro-in-deutschland-ein-adhs-kostet-13-253-euro-pro-person-pro-lebensjahr.

Gnanavel, S. et al. (2019): *Attention deficit hyperactivity disorder and comorbidity: A review of literature*, in: World Journal of Clinical Cases, Baishideng Publishing Group Inc., Bd. 7, Nr. 17, S. 2420–2426, doi:10.12998/wjcc.v7.i17.2420.

Katzman, M. et al. (2017): *Adult ADHD and comorbid disorders: clinical implications of a dimensional approach*, in: BMC Psychiatry, Bd. 17, Nr. 1, doi:10.1186/s12888-017-1463-3.

MSD-Manual, Ausgabe für Patienten (2021): *Kurzinformationen: Substanzgebrauchsstörungen*

Meinzer, M. et al. (2013): *Attentiondeficit / Hyperactivity disorder in adolescence predicts onset of major depressive disorder through early adulthood*, in: Depression and Anxiety, Wiley, Bd. 30, Nr. 6, S. 546–553, doi:10.1002/da.22082.

Lambert N., Hartsough C. (1998): *Prospective study of tobacco smoking and substance dependencies among samples of ADHD and non-ADHD participants*, in: Journal of Learning Disabilities, Bd. 31, Nr. 6, S. 533–544. doi: 10.1177/002221949803100603.

Elkins, I. et al. (2018): *Associations between childhood ADHD, gender, and adolescent alcohol and marijuana involvement: A causally informative design*, in: Drug and Alcohol Dependence, Elsevier BV, Bd. 184, S. 33–41, doi:10.1016/j.drugalcdep.2017.11.011.

Meinzer, M. / Chronis-Tuscano, A. (2017): *ADHD and the Development of Depression: Commentary on the Prevalence, Proposed Mechanisms, and Promising Interventions*, in: Current Developmental Disorders Reports, Springer Science and Business Media LLC, Bd. 4, Nr. 1, S. 1–4, doi:10.1007/s40474-017-0106-1.

Spencer, T. J. (2008): *Treatment of Adult ADHD and Comorbid Depression*, in: CNS Spectrums, Cambridge University Press (CUP), Bd. 13, Nr. S8, S. 14–16, doi:10.1017/s1092852900002972.

Stiftung Gesundheitswissen: *Angststörung*, https://www.stiftung-gesundheitswissen.de/wissen/angststoerung/hintergrund.

Kuntz, L. (2021): *ADHD and Generalized Anxiety Disorder: Hand in Hand?*, https://www.psychiatrictimes.com/view/adhd-and-generalized-anxiety-disorder-hand-in-hand.

Fuller-Thomson, E. et al. (2022): *Generalized anxiety disorder among adults with attention deficit hyperactivity disorder*, in: Journal of Affective Disorders, Elsevier BV, Bd. 299, S. 707–714, doi:10.1016/j.jad.2021.10.020.

Curry, A. et al. (2019): *Traffic Crashes, Violations, and Suspensions Among Young Drivers With ADHD*, in: Pediatrics, American Academy of Pediatrics (AAP), Bd. 143, Nr. 6, doi:10.1542/peds.2018-2305.

Bijlenga, D. et al. (2019): The role of the circadian system in the etiology and pathophysiology of ADHD: time to redefine ADHD?, in: *ADHD Attention Deficit and Hyperactivity Disorders*, Springer Science and Business Media LLC, Bd. 11, Nr. 1, S. 5–19, doi:10.1007/s12402-018-0271-z.

Vogel, S. et al. (2017): Attention deficit hyperactivity disorder symptom severity and sleep problems in adult participants of the Netherlands sleep registry, in: *Sleep Medicine*, Elsevier BV, Bd. 40, S. 94–102, doi:10.1016/j.sleep.2017.09.027.

Didato, G. et al. (2020): Restless Legs Syndrome across the Lifespan: Symptoms, Pathophysiology, Management and Daily Life Impact of the Different Patterns of Disease Presentation, in: *International Journal of Environmental Research and Public Health*, MDPI AG, Bd. 17, Nr. 10, S. 3658, doi:10.3390/ijerph17103658.

Haurin, S. (2018): Understanding the Link Between ADHD and Binge Eating Could Point to New Treatments, https://researchblog.duke.edu/2018/03/13/binge-eating-disorder/.

Biederman, J. et al. (2007): Are Girls with ADHD at Risk for Eating Disorders? Results from a Controlled, Five-Year Prospective Study, in: *Journal of Developmental & Behavioral Pediatrics*, Ovid Technologies (Wolters Kluwer Health), Bd. 28, Nr. 4, S. 302–307, doi:10.1097/dbp.0b013e3180327917.

Martin, E. et al. (2020): Associations between inattention and impulsivity ADHD symptoms and disordered eating risk in a community sample of young adults, in: *Psychological Medicine*, Cambridge University Press (CUP), S. 1–10, doi:10.1017/s0033291720004638.

Sun, S. et al. (2019): Association of Psychiatric Comorbidity With the Risk of Premature Death Among Children and Adults With Attention-Deficit/Hyperactivity Disorder, in: *JAMA Psychiatry*, American Medical Association (AMA), Bd. 76, Nr. 11, S. 1141, doi:10.1001/jamapsychiatry.2019.1944.

Barkley, R./Fischer, M. (2018): Hyperactive Child Syndrome and Estimated Life Expectancy at Young Adult Follow-Up: The Role of ADHD Persistence and Other Potential Predictors, in: *Journal of Attention Disorders*, SAGE Publications, Bd. 23, Nr. 9, S. 907–923, doi:10.1177/1087054718816164.

Barkley, R. (2019): ADHD Likely Reduces Estimated Life Expectancy by Young Adulthood, in: *University of Gothenburg*, Gillberg Neuropsychiatry Centre, https://www.gu.se/en/gnc/adhd-likely-reduces-estimated-life-expectancy-by-young-adulthood

Factor-Inwentash Faculty of Social Work (2021): Study led by Esme Fuller-Thomson finds that one in four women with ADHD has attempted suicide, https://socialwork.utoronto.ca/news/study-led-by-esme-fuller-thomson-finds-that-one-in-four-women-with-adhd-has-attempted-suicide/.

Kapitel 8

Onlinelexikon für Psychologie und Pädagogik: *Selbstwertgefühl* https://lexikon.stangl.eu/627/selbstwertgefuehl.

Beaton, D. M. et al. (2022): Experiences of criticism in adults with ADHD: A qualitative study, in: Manuel Fernández-Alcántara (Hrsg.), PLOS ONE, Public Library of Science (PLoS), Bd. 17, Nr. 2, S. 366, doi:10.1371/journal.pone.0263366.

Watson, S./Bhandari, S. (2022): What is rejection sensitive dysphoria?, https://www.webmd.com/add-adhd/rejection-sensitive-dysphoria.

Dodson, W./Saline, S. (2022): How ADHD Ignites Rejection Sensitive Dysphoria, https://www.additudemag.com/rejection-sensitive-dysphoria-and-adhd/97.

Barkley, R. (2022): DESR: Why Deficient Emotional Self-Regulation is Central to ADHD (and Largely Overlooked), https://www.additudemag.com/desr-adhd-emotional-regulation.

Barkley, R. (2018): *Attention-Deficit Hyperactivity Disorder, Fourth Edition: A Handbook for Diagnosis and Treatment*, Guilford Publications.

Karalunas, S. L. et al. (2014): Subtyping Attention-Deficit/Hyperactivity Disorder Using Temperament Dimensions, in: *JAMA Psychiatry*, American Medical Association (AMA), Bd. 71, Nr. 9, S. 1015, doi:10.1001/jamapsychiatry.2014.763.

Faraone, S. V. et al. (2018): Practitioner Review: Emotional dysregulation in attention-deficit/hyperactivity disorder – implications for clinical recognition and intervention, in: *Journal of Child Psychology and Psychiatry*, Wiley, Bd. 60, Nr. 2, S. 133–150, doi:10.1111/jcpp.12899.

Ashinoff, B. K./Abu-Akel, A. (2019): Hyperfocus: the forgotten frontier of attention, in: *Psychological Research*, Springer Science and Business Media LLC, Bd. 85, Nr. 1, S. 1–19, doi:10.1007/s00426-019-01245-8.

Hupfeld, K. et al. (2018). Living »in the zone«: hyperfocus in adult ADHD, in: ADHD Attention Deficit and Hyperactivity Disorders, Nr. 11, S. 131–208, doi:11. 10. 1007/s12402-018-0272-y.

Kapitel 9

Wiktionary: Eintrag *betroffen*, https://de.wiktionary.org/wiki/betroffen.

BGH – Bundesgerichtshof (1958): Urteil vom 21. 03. 1958, 2 StR 393/57.

BSG (1972; 2015; 2018), Ständige Rechtsprechung des Bundessozialgerichtes: Urteil vom 16. 05. 1972, 9 RV 556/71; Urteil vom 22. 04. 2015, B 3 KR 3/14 R; Urteil vom 15. 03. 2018, B 3 KR 18/17 R.

Fangerau, H./Franzkowiak, P. (2022): BZgA-Leitbegriffe: Krankheit, https://leitbegriffe.bzga.de/alphabetisches-verzeichnis/krankheit/.

Sinclair, J. (1993): Don't mourn for us, in: Autism Network International Newsletter, Our Voice, Volume 1, Number 3, https://www.autreat.com/dont_mourn.html.

Daniel, D. (2022): Shorten considers adding ADHD to the national disability insurance scheme, https://www.smh.com.au/politics/federal/shorten-considers-adding-adhd-to-the-national-disability-insurance-scheme-20220926-p5bl3d.html.

The ADHD Coalition of Victoria Inc./ADASA. ADDults with ADHD (NSW) Inc./The Attention Deficit Association of South Australia Inc./The Canberra & Queanbeyan ADD Support Group Inc. (2017): *Draft joint submission to the productivity commission re the proposed national disability insurance scheme* [NDIS] *for support organizations for attention deficit hyperactivity disorder* [ADHD], https://www.pc.gov.au/inquiries/completed/disability-support/submissions/subdr0850.pdf.

ADHS Foundation: NDIS and ADHD, https://adhdfoundation.org.au/ndis

ADHD Australia Limited (2019): Shaping the future of disability policy – 2020 & beyond, https://www.adhdaustralia.org.au/dss-disability-strategy/

Singer, J.: What is neurodiversity?, Reflections on Neurodiversity, https://neurodiversity2.blogspot.com/p/what.html.

Chapman, R. (2021): Negotiating the neurodiversity concept: Towards epistemic justice in conceptualising health, https://www.psychologytoday.com/us/blog/neurodiverse-age/202108/negotiating-the-neurodiversity-concept.

Fletcher-Watson, S. (2020): Neurodiverse or Neurodivergent? It's more than just grammar, https://dart.ed.ac.uk/neurodiverse-or-neurodivergent./

Myers, V. (2017): Diversity doesn't stick without inclusion, https://www.vernamyers.com/2017/02/04/diversity-doesnt-stick-without-inclusion/.

Berking, M. / Rief, W. (2012): *Klinische Psychologie und Psychotherapie für Bachelor: Band I: Grundlagen und Störungswissen*. Springer, S. 11.

Kafer, A. (2013): *Feminist, queer, crip*, 1. Aufl., Indiana University Press.

Hyatt, V. (2019): Effects of ADHD on Sexuality, https://www.healthline.com/health/adhd/adult-adhd-sex-life#symptoms.

Hubert, M. (2022): Psycho-Revolution – Neustart für die Diagnosen der Psychiatrie, https://www.deutschlandfunk.de/psychiatrie-diagnosen-icd-100.html.

Marshack, K. (2022): »Aren't we all on the spectrum?«, https://kmarshack.com/2022/01/05/arent-we-all-on-the-spectrum/.

NDR Visite (2022): Diskriminierung von People of Colour in der Medizin, https://www.ndr.de/ratgeber/gesundheit/Diskriminierung-von-People-of-Colour-in-der-Medizin,diskriminierung158.html.

Sabin, J. (2020): How we fail black patients in pain, https://www.aamc.org/news-insights/how-we-fail-black-patients-pain.

Morgan, P. et al. (2013): Racial and Ethnic Disparities in ADHD Diagnosis From Kindergarten to Eighth Grade, in: *Pediatrics*, American Academy of Pediatrics (AAP), Bd. 132, Nr. 1, S. 85–93, doi:10.1542/peds.2012-2390.

Coker, T. et al. (2016): Racial and Ethnic Disparities in ADHD Diagnosis and Treatment. in: *Pediatrics, American Academy of Pediatrics* (AAP), Bd. 138, Nr. 3, doi:10.1542/peds.2016-0407.